PRIER LES PSAUMES AUJOURD'HUI

P. PAUL DE LA CROIX

religieux capucin

PRIER LES PSAUMES AUJOURD'HUI

2ᵉ édition

ÉDITIONS SAINT-PAUL ● PARIS-FRIBOURG

Nihil obstat :
Lucerne, le 17 mai 1977
P. ALKUIN STILLHART, ofm. cap., prov.

Imprimatur :
Paris, le 13 avril 1978
E. BERRAR, v.é.

© 1978 by Editions Saint-Paul, 6, rue Cassette, 75006 Paris
ISBN n° 2.85049.129.2

A mon frère et ami,
le Père Pascal RYWALSKI,
ministre général des
Frères mineurs capucins.

INTRODUCTION

Les psaumes et l'esprit de Vatican II

Leur première redécouverte passée, les voici, ces psaumes qui, bien que désormais présentés dans un langage accessible, risquent, une fois de plus, de glisser sur notre âme telle sur la dalle de granit l'eau vivifiante. Avons-nous bien saisi l'esprit du Concile et de la réforme liturgique qui en est issue ? Celle-ci ne vise pas d'abord une langue vivante ni des améliorations de textes - encore que tout cela soit précieux, voire indispensable - mais réclame au premier chef un *changement de mentalité* : il s'agit de prier d'une manière plus consciente et plus personnelle ; non pas de prier plus (ni moins !) mais *mieux*.

A dire vrai, n'est-ce pas le simple retour à la grande tradition de l'Eglise que saint Anselme, au 12ᵉ siècle, avait ramassée en une formule célèbre trouvant, de par sa portée universelle, une application authentique à la récitation des psaumes : « Fides quaerens intellectum », la foi à la recherche de l'intelligence ?

L'intelligence difficile des psaumes

Une bonne intelligence des psaumes ! Pourtant, dans leur ensemble, ils ne sont guère de compréhension aisée et ne délivrent pas leur message à un regard superficiel ou hâtif. Un long temps d'étude et de réflexion s'avère indispensable à qui souhaite s'en nourrir.

Certes, tels d'entre eux sont accessibles immédiatement à la plupart des fidèles et ont passé dans l'usage commun : psaumes

22, 99, 150, etc. D'autres parlent à notre cœur, même si certains passages ou certaines valeurs nous échappent : psaumes 15, 62, 83, 115, etc. Mais en regard de ceux-là, combien sont ardus, lointains, obscurs même et parfois contraires à notre sentiment religieux !

A titre d'illustration, analysons brièvement l'une des multiples difficultés d'interprétation, à savoir l'origine et l'inspiration historique de nombreux psaumes. Dans leur totalité, ils n'ont pas été composés... pour un éditeur (qu'on pardonne cet anachronisme !), mais sont nés de situations historiques précises : individuelles ou collectives, politiques telles que victoire et défaite, ou cultuelles telles que pèlerinage, fête, sacrifice d'action de grâces, etc. Dès lors ils ne se comprendront correctement qu'à partir de circonstances que le texte ne révèle pas nécessairement dès les premiers versets, ni même clairement à travers le corps du psaume, la chose étant familière au peuple d'Israël. Ceci est une évidence. Supposons une prière composée par un prisonnier de l' « archipel de Goulag », vers la fin du 20e siècle, et circulant parmi les détenus. Un jour elle disparaît pour une raison quelconque mais se trouve être recueillie en quelque archive. Là un historien la découvre en l'an 2500. La supplication n'avait pas à décrire en détail un état de fait connu (la vie en camp de concentration), vécu par les destinataires ; elle n'y faisait que de rapides allusions, par l'expression même des sentiments jaillis de la détresse. Ainsi il appartiendra à la critique historique et littéraire de reconstituer l'époque et les événements passés et de donner une pleine et correcte intelligence d'une prière actuellement sortie de son contexte de vie.

Pour prier les psaumes aujourd'hui, après 25 siècles, est donc requise une connaissance, approximative du moins, du contexte historique dont ils sont nés et qu'ils traduisent à leur manière voilée.

Prier les psaumes... *aujourd'hui*

Les exégèses des psaumes abondent, émanant de biblistes remarquables, tant catholiques que protestants, tant anglicans que juifs. Fallait-il un commentaire de plus ? Voici les raisons qui pourraient justifier ce travail-ci :

- En suivant l'ordre de l'Office liturgique plutôt que l'ordre numérique et en incluant les 27 cantiques de l'Ancien Testament étrangers au psautier et les 9 autres du Nouveau, ce travail ne propose pas une étude systématique des psaumes, étude de longue haleine et dont peu sont capables pour des raisons patentes, mais introduit directement aux psaumes que l'on va dire à l'office tout à l'heure ou le lendemain matin. Cinq minutes peut-être suffiront pour nous familiariser avec l'un ou l'autre d'entre eux et nous aider à le prier « en esprit et en vérité ».

- Chaque commentaire est ramené à des dimensions brèves, bien que variables. Ainsi son étude, que l'on suppose précéder immédiatement la prière, ne devrait pas, compte tenu des multiples occupations d'un chacun, exiger trop de temps.

- Ce qui pourrait caractériser ce commentaire d'une manière spécifique, le titre lui-même l'annonce : « Prier les psaumes *aujourd'hui.* » A propos de chaque psaume et chaque cantique sans exception, j'ai tâché aussi bien de me situer personnellement en face de cette Parole de Dieu que d'envisager, dans sa lumière, le monde et l'Eglise contemporains. Infatigablement je me suis posé et reposé l'unique question : comment ce psaume peut-il et doit-il être *ma* et *notre* prière, maintenant ? comment est-il la prière de l'Eglise de la fin du 20e siècle ?

Ce travail n'est pas celui d'un exégète. Mon unique but tend à permettre aux fidèles de *prier* les psaumes d'un cœur simple et joyeux. A ce propos, je fais volontiers mienne la réflexion de Marcel Légaut à qui, tandis qu'il parlait de sa foi avec assurance, on objectait qu'il n'était pas théologien. « Je ne suis ni exégète ni historien, répondit-il. Mais je pense qu'il n'y a que par l'intériorité qu'on peut vraiment vivre les choses que l'on connaît. Si on ne les actualise pas, si on ne se les approprie pas, *si on ne les consacre pas de sa présence,* elles restent seulement un aliment du cerveau et finalement une distraction qui empêche ou dispense de vivre [1]. »

Les psaumes, prière de l'Eglise

Il faut reconnaître qu'ils sont nombreux, prêtres et religieux, à souhaiter des « prières d'aujourd'hui », non seulement dans leur piété personnelle ou des assemblées de prière non liturgiques - là, à chacun sa liberté de choix - mais encore pour la prière officielle de l'Eglise. Remarquez qu'il ne serait pas impossible d'élaborer un office dans cette ligne, car les orationnaires actuels et d'actualité constituent déjà quelques rayons de bibliothèque. Le pas que franchirait alors l'Eglise serait très grave. Abandonnerait-elle la Parole de Dieu [2] en faveur de paroles d'hommes, fussent-ils des génies ou des saints ?

Et puis, jusqu'à quand durera cet « aujourd'hui », ce moderne ? Qui dit aujourd'hui dit très vite hier. Moderne vient de mode, comme chacun le sait : le propre de la mode est d'évoluer rapidement et capricieusement. Que seront demain nos prières d'aujourd'hui ?

De plus, à propos des psaumes, l'Eglise n'oubliera jamais deux choses capitales : d'abord qu'ils sont l'apprentissage de la prière que l'Esprit de Dieu fit faire et continue de faire faire à son peuple ; ensuite qu'à travers les psaumes c'est l'histoire de son Fondateur et sa propre histoire qui sont priées prophétiquement et exemplairement.

Non, l'Eglise n'est pas prête à abandonner les psaumes. La réforme postconciliaire n'en a non seulement pas restreint l'usage au profit de prières neuves, mais l'a considérablement étendu. Pensons à cette innombrable armée (pacifique) de religieuses : autrefois, elles disposaient d'un misérable petit Office, toujours

---

[1] *Questions à... réponses de ... Marcel Légaut,* Aubier, Paris, p. 63.
[2] Les psaumes, personne ne l'ignore, font partie de l'Ecriture. Ils sont un éventail extrêmement large de la révélation du mystère de Dieu propre à l'Ancien Testament et de la condition de l'homme face à son Dieu.

le même (et dit en latin !) qui sanctifiait l'âme plus par l'accomplissement d'une tâche ingrate que par son contenu[3]. Aujourd'hui, ce sont elles les plus fidèles et les plus ferventes à assumer la grande et unique Prière de l'Eglise, dont les psaumes sont la moelle substantielle.

Certes le psautier, appartenant à la révélation de l'Ancien Testament, se trouve dans un stade d'inachèvement et par conséquent d'imperfection : ignorance d'une « vie éternelle », imprécations et sentiments de vengeance, protestations excessives d'innocence, demandes exclusivement terrestres parfois, incompréhension du mystère du mal et du rôle rédempteur de la souffrance, etc. Cependant de quel « inachèvement » s'agit-il ? de l'inachèvement d'une chose vivante, d'un *germe* qui n'attend que la « saison » pour révéler tout son fruit. Il nous est (relativement) aisé, à nous qui cueillons la grâce des temps messianiques, de donner à ces germes de l'Ancienne Alliance toutes leurs dimensions christiques, ecclésiales et eschatologiques.

Ce n'est pas mon propos d'aborder systématiquement, en cette introduction, les « imperfections » du psautier qui choquent et rebutent les fidèles, parfois des prêtres. Elles seront discutées à l'occasion de tel ou tel psaume, mais pas nécessairement à chaque psaume qui s'y prêterait. Que le lecteur soit donc patient ! Quand, au fil de la prière quotidienne, il aura parcouru deux ou trois fois l'ensemble de ce commentaire, les choses s'éclaireront pour lui. Ainsi, par exemple, le problème des malédictions est envisagé seulement au psaume 128, lequel n'apparaît qu'à la 4e semaine.

Il est bien évident que chaque psaume ne possède pas ni ne peut posséder la même valeur au niveau soit religieux soit littéraire. Certains brillent d'un éclat unique ; il y en a de « moyens » ; tels autres nous repousseraient même. Dites-moi : est-ce que l'épisode des porcs précipités dans le lac par le démon, sur la permission explicite de Jésus[4], a pour vous la même beauté

---

[3] « Elles mesuraient le devoir accompli au temps perdu » (G. CESBRON).
[4] Mt 8, 28-34.

et la même importance que le pardon du Christ à la femme adultère [5] ? Ne revenez-vous pas plus souvent aux Béatitudes qu'aux propos de l'évangile sur Béelzéboul [6] ? Est-ce que toute l'Apocalypse parle de la même manière à votre cœur ? Ceci pris en considération, il est impensable de chercher dans chaque psaume (et dans chaque commentaire) le même enrichissement et la même joie.

L'Eglise fait donc du psautier le noyau de sa prière. Oui, *de sa prière*. L'Office liturgique est la *prière de l'Eglise*. Lorsque dans les commentaires de ce livre il est question de cet Office, j'ai choisi de le désigner constamment par le sigle PE (Prière de l'Eglise) [7]. C'est d'ailleurs l'expression même de la Constitution postconciliaire sur la Liturgie : « L'Office divin est... *prière de l'Eglise* avec le Christ et adressée au Christ. »

Personne n'a dit avec plus de grandeur que saint Augustin ce que signifie prière de l'Eglise et prière des psaumes dans l'Eglise : « Nos prières sont vers lui (le Christ, Tête de l'Eglise qui est son Corps) et par lui et en lui. Nous les disons avec lui, et il les dit avec nous ; nous disons en lui, et il dit en nous la prière du psaume. Le corps entier du Christ gémit dans les épreuves et jusqu'à la fin des siècles, jusqu'à ce que finissent les épreuves, cet homme gémit et crie vers Dieu, et chacun de nous, pour sa part, crie dans le corps de cet homme. Tu as crié durant les jours de ta vie, et tes jours se sont écoulés. Un autre alors t'a remplacé et il a crié durant ses jours à lui. Toi ici, lui là, un autre ailleurs : le corps du Christ, durant tout le jour, n'a cessé de crier, un membre remplaçant l'autre, quand le premier se taisait. Qu'il se lève donc, ce chantre unique ! Que, de notre cœur à chacun, cet homme se mette à chanter, et que chacun de nous soit cet homme ! » [8]

---

[5] Jn 8, 2-11.
[6] Lc 11, 14-22.
[7] *Prière du Temps Présent* est un titre suggestif, séduisant même, mais provisoire. La nouvelle et définitive édition portera la mention officielle de *Livre des Heures* que lui donne la Constitution sur la Liturgie.
[8] Homélie sur le psaume 85.

REMARQUES ET SUGGESTIONS

Comment se servir de ce livre ?

A chacun, bien entendu, de trouver *sa* manière : elle variera non seulement d'une personne à l'autre mais encore, chez la même personne, d'un jour à l'autre, et dépendra principalement du temps dont elle dispose (ou veut disposer) pour cette préparation.

D'une façon générale, je dirai ceci : ne lisez pas *rapidement* ces introductions ni les citations[1] qui y sont faites. En effet voulant et devant être bref, je me suis astreint à un texte condensé qui demande une certaine lenteur de lecture. Un premier projet de ce commentaire ayant été testé par plusieurs personnes durant quelques mois, j'ai pu me rendre compte comment tel lecteur, parcourant hâtivement le texte, n'en avait rien saisi. Finalement n'aurait-il pas mieux valu ne rien lire plutôt que perdre son temps ?

Une manière « complète » d'utiliser ces commentaires me semble être celle qui fut pratiquée dans une communauté reli-

---

[1] Le texte des citations de *Prier les Psaumes aujourd'hui* coïncide rarement avec celui de *Prière du Temps Présent* qui, d'ailleurs, sera bientôt remplacé par une traduction œcuménique. La plupart du temps, il m'est propre. Ne donnant pas une traduction officielle, je pouvais me permettre une certaine liberté, dont j'ai usé sans jamais me départir d'un réel souci de fidélité mais toujours préoccupé d'un langage accessible à notre sensibilité d'hommes modernes. Souvent je me suis laissé inspirer par d'autres traductions, dont je donne parfois la référence.

gieuse. Les membres réunis pour l'Office sont invités à parcourir, chacun pour soi, un seul psaume ; puis le commentaire en est lu par le responsable de la prière ; enfin la communauté chante le psaume.

Il est à peu près impensable que cette manière puisse être appliquée aux trois psaumes de chaque Heure liturgique. Il vaudra mieux s'arrêter à un seul et dire les deux autres comme à l'accoutumée. On pourra parfois - et ne serait-ce pas mieux, plus conforme à l'esprit du Concile dont il fut question dans l'Introduction ? - ne retenir qu'un seul psaume, ignorer résolument les deux autres, les réservant pour les mois à venir, et accorder un temps long à une récitation bien consciente. On n'aurait pas dit moins : on aurait surtout dit *mieux*.

La manière sans doute la plus généralisée d'utiliser ce livre consistera à ce que chacun individuellement prenne connaissance au préalable du sens des psaumes à réciter.

Les psaumes de l'Office liturgique sont-ils interchangeables ?

Non, s'il s'agit d'une pratique régulière. En effet, si l'Eglise nous propose, pour *sa* prière, un certain ordre, il est bon et raisonnable de s'y conformer.

Il faut cependant remarquer que tout le monde ne dit pas intégralement l'Office divin. Dans ce cas, il serait préjudiciable à notre vie spirituelle d'ignorer certains très beaux psaumes qui figurent, par exemple, à l'Office des Lectures et qui pourraient remplacer tels psaumes plus connus ou moins parlants des autres Heures dites régulièrement. Je voudrais en mentionner quelques-uns, tous tirés de l'Office des Lectures :

I Dimanche, Ps 1 et 2	II Dimanche, Ps 103
I Mercredi, Ps 17	II Lundi, Ps 30
I Samedi, Ps 130 et 131	II Samedi, Ps 135

III Dimanche, Ps 144   IV Lundi, Ps 72
III Vendredi, Ps 68   IV Mercredi, Ps 102
III Samedi, Ps 106   IV Vendredi, Ps 49
                               IV Samedi, Ps 54

Une oraison pour conclure le psaume

Un moyen privilégié d'actualiser et de personnaliser les psaumes me semble consister à les conclure (parfois, du moins) par une oraison spontanée. Cette manière fut d'abord adoptée par une édition maintenant épuisée du Psautier en français. On la trouve réalisée avec beaucoup de bonheur dans l'édition allemande de l'Office.

De quoi s'agit-il exactement ? Le psaume terminé, on introduit une légère pause, puis un membre de la communauté (dans la récitation individuelle, le problème est encore simplifié) reprend, ramasse le psaume sous forme de prière, non seulement avec le souci de le personnaliser et de l'actualiser, comme je le disais plus haut, mais encore de le « christifier ». Notez qu'il n'y sera nullement question d'en reprendre tous les éléments mais tel ou tel aspect plus dynamique ou plus suggestif.

Chaque oraison, si on la veut « classique », c'est-à-dire sur le modèle des oraisons liturgiques, comportera plus ou moins quatre éléments [2] :

1. *O Dieu tout-puissant...*
2. *toi qui...* (on reprend l'une ou l'autre vérité du mystère de Dieu affirmée dans le psaume)
3. *nous te prions...* (reprise de demandes du psaume et appliquées à notre situation)
4. *par Jésus-Christ...*

Comme la plupart des oraisons de la liturgie, celles-ci s'adressent à Dieu le Père, par Jésus. Il est cependant possible, et indiqué

---

[2] Je dois ces précisions au Père Lucien DEISS.

15

parfois, de s'adresser à Dieu le Fils, si le psaume ou la ferveur individuelle nous y engagent.

Voici quelques oraisons-types où sont nettement distingués les quatre éléments susmentionnés. Remarquons encore que ces éléments peuvent être utilisés avec une grande liberté, qu'il est loisible de n'en pas tenir compte, mais que ce cadre garantit une certaine rigueur de la pensée qui ne manquera d'être appréciée. Soyons enfin attentifs au fait que le texte biblique figurant en italique avant chaque psaume, dans l'édition actuelle de notre Office, peut constituer le noyau même de l'oraison.

Psaume 20

> *Seigneur, Dieu tout-puissant,*
>
> *toi qui as envoyé sur la terre ton Fils unique*
> *pour établir parmi les hommes un Royaume de lumière et de justice,*
>
> *nous te prions :*
> *comme tu lui as donné la victoire définitive*
> *en le ressuscitant d'entre les morts,*
> *accorde à son Eglise, à travers le combat quotidien,*
> *de participer à cette même victoire.*
>
> *Nous te le demandons par ce même Jésus...*

Psaume 91

> *Seigneur, Père infiniment bon,*
>
> *toi qui réjouis tes enfants par l'œuvre de tes mains,*
>
> *nous te prions :*
> *donne-leur ta force, ta vie,*
> *afin que jusque dans leur vieillesse*
> *ils fructifient pour ta plus grande gloire.*
>
> *Par Jésus...*

Psaume 109

> *Seigneur Jésus-Christ,*
> *Verbe de Dieu, engendré de toute éternité*
> *dans le sein du Père*
> *et devenu, par ton Incarnation, notre grand-prêtre,*

nous te prions :
puisque toutes choses t'ont été soumises
et que tu tiens en tes mains les destinées du monde,
daigne l'offrir et le remettre à ton Père,

toi qui règnes avec lui dans l'Esprit Saint...

Psaume 134

O Seigneur notre Dieu,

toi qui nous appelles des ténèbres
à ton admirable lumière,

nous te prions
garde-nous libres des idoles creuses
qui nous sollicitent de toutes parts.

Nous te le demandons par Jésus...

Is 61, 10-62, 5 (IV Mercredi matin) :

Seigneur, Père éternel,
Dieu trois fois saint et source de toute sainteté,

toi qui, par Jésus, as fondé et voulu
l'Eglise sainte, immaculée et sans tache,

nous te prions :
fais que nous vivions en ton Eglise
dans une fidélité totale à notre vocation.

Par Jésus...

Tb 13, 1-10 (I Mardi matin) :

Dieu, toi notre Père d'âge en âge,

nous nous sommes, hélas ! éloignés de toi,
et ta face, nous l'avons oubliée.

Nous te prions :
aie pitié de nous qui vivons en terre d'exil
et, tandis que nous revenons à toi de tout notre cœur,
révèle-nous ton Royaume.

Nous te le demandons par Jésus...

Psaume Invitatoire

Psaume 94 : Hymne processional d'entrée au temple

TOB   95

Aujourd'hui ne fermez pas votre cœur...

Notre cœur !

Nous le fermons si souvent.

Sur notre amour-propre froissé. Sur nos mesquineries. Sur nos ambitions. Sur nos échecs. Et ainsi de suite.

Cœur fermé : cœur... renfermé. De fait, il sent le moisi. Lui, si noble de par sa nature, son haleine est empestée.

Fermé et... enfermé. Lui, libre de par sa nature, devient prisonnier de lui-même.

Parfois, nous n'y sommes presque pour rien : le cœur se ferme comme de lui-même. Telle une fleur fatiguée qui s'affaisse, imperceptiblement : fanée.

Notre cœur se fane.

Fini le bel élan. Perdue la tension vers en haut.

Pauvre cœur ! Ne s'ouvrant plus, il reste seul. Or il n'est pas assez riche ni assez vaste pour se suffire et ne battre que de son propre rythme.

*

Non !

Ce matin, ne fermez pas votre cœur. Ouvrez-le, et bien consciemment, au Seigneur.

Il fut créé pour le grand vent de Dieu.

Ce pauvre cœur, jetez-le donc dans la *joie de Dieu* ! Pourquoi l'en priver ?

> *Venez et tout joyeux*
> *chantons pour le Seigneur.*
> *Le cœur débordant de gratitude,*
> *présentons-nous à lui*
> *dans l'allégresse des musiques.* (st. 1)

Puis laissez votre cœur se remplir de la *majesté de Dieu*. Sentez la force de celui qui porte le cosmos, l'envahir, l'investir et le soulever :

> *Grand est le Seigneur.*
> *Il tient dans sa main les profondeurs de la terre*
> *et les sommets des montagnes sont à lui.*
> *La mer, c'est lui qui l'a faite...* (st. 2)

Que la grandeur divine ne l'écrase point, votre cœur humain ! Il vit de tendresse et de sécurité.

Dieu se fait si proche, si amical : « C'est toi (Israël) que le Seigneur ton Dieu a choisi pour devenir sa part personnelle... Le Seigneur s'est attaché à toi » (Dt 7, 6 et 7).

Aujourd'hui, laissez-vous envelopper par sa *tendresse*, car

> *Il est notre Dieu*
> *et nous, nous sommes son peuple*
> *qu'il conduit, comme le berger*
> *entraîne son troupeau.* (st. 3)

Vous avez sans doute compris qu'en tout ceci il ne s'agit pas d'effleurer Dieu de quelques paroles ou de ne le toucher que du bout des doigts. Serait-ce cela ouvrir son cœur tout large ? Il faut plonger en Dieu, comme le nageur dans l'océan.

*

Vous avez accueilli Dieu dans la *prière*. Accueillez-le dans votre vie. Ne l'oubliez pas au contact des réalités visibles et temporelles : vos frères et sœurs, les engagements terrestres, les duretés de l'existence.

Donnez-vous loyalement à votre tâche journalière et entendez bien en tous ces appels de votre vie l'appel même de Dieu :

> *Ah ! si vous écoutiez sa voix...* (st. 4)

Sachez aussi vous arrêter durant la journée.

Prêtez l'oreille.

Interrogez-vous, interrogez votre Dieu sur ses passages. Ne méritez pas le reproche du psaume :

> *Cœurs égarés !*
> *ils n'ont rien compris à mes voies.* (st. 5)

Quel dommage si c'était votre cas, puisque ces cœurs fermés, eux,

> *... jamais ils ne connaîtront ma paix*
> *ni mon repos.* (st. 5)

*

Le beau message matinal !

Voici, pour terminer, le cadre historique et cultuel dans lequel il nous est proposé : meneur de la célébration liturgique, le psalmiste, mêlé aux fidèles réunis auprès d'une porte ou d'un parvis extérieur, entraîne la foule vers le sanctuaire, l'invitant à l'adoration et la louange (st. 1-3).

Regroupés dans le temple, les fidèles entendent (st. 4 et 5) de la bouche même du psalmiste-prophète un avertissement :

> *Aujourd'hui ne fermez pas votre cœur,*
> *mais écoutez la voix du Seigneur.*

L'exhortation, prononcée bientôt par Yahweh lui-même, est faite à partir de l'histoire de l'Exode et en particulier de la révolte du peuple contre son Dieu, à Meriba dans le désert - dont on retrouvera le rappel en maints autres psaumes.

Cantiques

Benedictus : CANTIQUE DE ZACHARIE

Le cœur de notre Dieu

« Depuis tant d'années que je récite quotidiennement ce cantique de Zacharie, il glisse sur mon âme, sans y pénétrer. Est-ce routine ? est-ce incapacité ? » Ainsi parlait une religieuse.

Il est vrai que les valeurs spirituelles de ce qui fut sans doute un hymne de l'Eglise primitive adapté puis mis sur les lèvres de Zacharie par Luc, sont encastrées dans un contexte religieux et comme recouvertes par un style vétéro-testamentaire peu parlant à des esprits modernes.

Essayons patiemment de dégager et de redécouvrir ses richesses. Il en vaut la peine.

✳

En ce cantique, Zacharie chante la *visite de Dieu,* telle qu'elle lui fut annoncée par l'ange et se révèle à travers Marie et la naissance de son fils. Ensuite le prêtre définit le *rôle de Jean,* appelé plus tard le Baptiste.

Ainsi nous-mêmes, en disant cet hymne, sommes invités non seulement à célébrer la visite de Dieu que chaque matin renouvelle, mais encore à l'accueillir et à entrer dans sa dynamique, à la manière de Jean-Baptiste.

Plutôt qu'un commentaire détaillé, nous en donnons ci-dessous une paraphrase « actualisante », dans le but de vous aider à intégrer cette prière vénérable.

LA VISITE QUOTIDIENNE DE NOTRE DIEU (st. 1 à 4)

Ce matin et une fois de plus, Dieu nous visite.

Sois béni, Seigneur notre Dieu!
Aujourd'hui tu viens à nous,
ô toi, Dieu de Jésus-Christ,
qui seul nous sauves.

Le Seigneur vient à nous pour manifester sa volonté salvatrice et communiquer sa force aux êtres fragiles que nous sommes.

C'est ta Force que tu fais surgir en nous,
au cœur d'Israël ton Eglise,
Par Jésus, fils de David
et ton propre Fils.
Ainsi éclate ta fidélité aux multiples promesses
qu'autrefois proclamèrent
tes saints et tes prophètes.

L'alliance d'amour de notre Dieu est portée à la plénitude.

Ta venue fait de nous des hommes libres,
dégagés de tout ce qui les menace
ou les oppresse.
Que voilà ton alliance de miséricorde!
Commencée en notre père Abraham
et inlassablement renouvelée
au cours des siècles,
aujourd'hui encore elle arrive jusqu'à nous [1].

---

[1] Cette insistance des croyants de l'AT - et que nous retrouvons dans le Magnificat - à rappeler la fidélité de Dieu pourrait paraître aujourd'hui

La peur abolie, la liberté retrouvée,
nous pouvons te servir
en toute justice et dignité,
vivant sous ton regard
chaque jour de notre vie.

Frayer une route au Seigneur qui vient (st. 5 à 7)

Notre mission : préparer les voies du Seigneur.

Seigneur, à l'exemple de Jean,
le plus grand de tes prophètes,
nous marcherons devant toi
et ouvrirons ta route.
A nos frères, nous annoncerons la Bonne Nouvelle :
« Vous êtes tous réconciliés et sauvés. »

Oui, nous témoignerons de
l'amour du Cœur de notre Dieu,
ce Soleil qui chaque jour se lève
sur nos existences d'hommes,

Lumière d'au-delà
qui dissipe les ténèbres souterraines,
guide les aveugles tâtonnant
dans les ombres mortelles
et éclaire sous nos pas
les chemins de paix.

✳

Nous faisions allusion plus haut aux valeurs spirituelles du Cantique de Zacharie. Faut-il y insister ? Contemplons ce Dieu

---

périmée et superflue, puisque ses promesses sont accomplies en Jésus-Christ. Cependant si tout est accompli, tout attend d'être conduit à la plénitude du Royaume par le retour glorieux du Christ. Face aux apparentes faiblesses de Dieu et à son silence, nous aurons toujours à être les hommes de l'espoir, forts de la fidélité divine.

qui nous visite : il est Force salvatrice, Fidélité éternelle, Amour pardonnant, Lumière sur nos ténèbres : n'est-ce pas inouï ? Et quelles grandes choses sa visite n'opère-t-elle pas en nous ! Nous sommes libérés, libres ; sauvés ; réconciliés ; appelés à la sainteté et à l'intimité divine, et enfin rendus dignes de préparer les voies du Seigneur. Que tout cela est beau !

Magnificat : CANTIQUE DE MARIE

Marie rendait en gloire
ce qui lui avait été donné en grâce

Au moment de l'élection unique et de cette dignité innommable de la maternité divine, Marie n'eut qu'un mouvement et qui sera l'élan de toute sa vie : ce qui lui était offert en *grâce*, elle le rendait en *gloire :*

> *Sa puissance fit pour moi des merveilles :*
> SAINT EST SON NOM.

*

Avec le Magnificat, Marie, qui plonge ses racines dans le passé d'Israël, reprend trois grands thèmes des psaumes qui jamais auparavant n'auront atteint à une telle vérité ni jailli d'un cœur aussi pur. Par elle l'AT est porté à un ultime sommet, que le « Soleil levant » déjà vient frapper.

Le Magnificat est donc un joyau inséré dans l'écrin des psaumes [2] ou, si vous préférez, une fleur s'épanouissant sur leur tige. Ne cueillons pas cette fleur en la coupant de sa tige !

---

[2] Il faut ajouter : et de toute l'Ecriture vétéro-testamentaire dans son ensemble, mais nous pouvons, à juste titre, considérer le psautier comme un reflet fidèle de cette totalité.

Cantiques

Le Dieu du Magnificat *et* des psaumes est Dieu de Joie, Dieu des Pauvres et Dieu de Fidélité.

DIEU DE JOIE

Psaumes

*Les justes jubilent devant la
  face de Yahweh,
ils exultent et dansent de joie.*
(Ps 67, 4)

*Servez le Seigneur
dans l'allégresse !
Allez à lui avec des chants de
  joie !*
(Ps 99, 1)

Magnificat

*Mon esprit exulte de joie
en Dieu mon Sauveur.
Désormais d'âge en âge
on chantera mon bonheur.*

DIEU DES PAUVRES

Psaumes

*Le désir des humbles,
tu l'écoutes.
Tu affermis leur cœur
pour faire justice
à l'orphelin et l'opprimé.*
(Ps 10, 17)

*De la poussière
il relève le faible
et du fumier il retire
le pauvre.* (Ps 112, 7)

Magnificat

*Ceux qui étaient pleins
de leur propre gloire,
il les a laissé partir,
les mains vides.*

*Ceux qui avaient faim de jus-
  tice,
il les a rassasiés,
les petits, il les a élevés
jusqu'à lui.*

DIEU DE LA FIDÉLITÉ DANS L'ALLIANCE

Les promesses de Dieu se tendent comme une trame lumineuse et infrangible à travers le labyrinthe de l'histoire humaine. Les psalmistes n'ont cessé de les rappeler à Israël. Marie s'en fait, tout comme Zacharie, l'écho le plus autorisé.

Psaumes	Magnificat
Yahweh l'a juré à David, *vérité dont jamais* *il ne s'écarte :* *c'est le fruit de tes entrailles* *que je mettrai sur le trône* *fait pour toi.* (Ps 131, 11) *Yahweh se souvient* *de son amour* *et de sa fidélité* *pour la maison d'Israël.* (Ps 97, 3)	*Il se souvient de son amour,* *des promesses faites à nos pères,* *en faveur de son peuple,* *pour les siècles des siècles.*

*

Ultime sommet de l'AT, la prière de Marie se présente nécessairement comme une charnière entre l'Ancienne et la Nouvelle Alliance :
- elle offre au Verbe fait chair toute la joie du monde, pour qu'il l'introduise dans la plénitude du *festin messianique.*
- elle en appelle au Messie des Pauvres, lequel inaugurera sa Bonne Nouvelle par *bienheureux les pauvres, car le royaume des cieux est à eux.*
- enfin elle proclame que toutes les promesses tombées sur l'humanité se réaliseront *en celui qui est venu tout achever.*

*

Prière d'une densité exceptionnelle, que la récitation quotidienne ne saurait épuiser.

Nunc dimittis : Cantique de Siméon

O lumière dans ma nuit !

Pour Siméon, l'homme chargé d'années, la nuit, soudain, s'éclaire : l'Astre attendu est entre ses bras, la Gloire s'est levée sur Israël, l'Amour appelle les païens. Désormais, qu'est-ce qui pourrait encore le retenir ici-bas ? [3] Le vieillard touche au rivage même de la vie éternelle :

> *Maintenant, ô Maître souverain,*
> *laisse ton serviteur s'en aller.*
> *Il a trouvé la paix*
> *et ses yeux ont vu la Lumière.*

*

Ce beau chant fait partie de notre prière du soir. Le jour qui s'achève - et peut-être ressemblait-il à une nuit - nous à rapprochés de l'autre rive, celle que le Soleil touche pleinement. Oh ! laissons-nous attirer. Dégageons-nous progressivement de tant de choses qui nous masquent la vie éternelle et, en cette heure où tout se fait intime, murmurons comme à l'oreille du bon Dieu :

> *Laisse-moi venir à toi,*
> *ô Lumière dans ma nuit !*

---

[3] **A Ostie, Augustin et Monique, sa mère, s'apprêtent à rentrer en Afrique.** Au terme d'un long entretien sur le bonheur du ciel, Monique soudain dit à son fils : « Augustin, quant à moi, il n'y a plus rien qui me séduise en cette vie. Qu'y ferais-je désormais ? Je l'ignore. Mes espérances ici-bas sont épuisées. La seule chose qui me faisait souhaiter d'y rester quelque temps encore, c'était de te voir, avant de mourir, chrétien catholique. Dieu m'a donné cette joie avec surabondance, puisque pour le servir je te vois aller jusqu'au mépris des félicités terrestres. Que fais-je donc ici ? »
Quelques jours plus tard, Monique mourait. Elle avait 56 ans. (*Confessions*, livre 9°, ch. 10 et 11.)

I Dimanche

Office des lectures

Psaume (d'instruction) 1 :
HEUREUX L'HOMME DONT LA JOIE EST DE VIVRE POUR DIEU !

Notre temps a besoin
d'hommes qui soient comme des arbres...

Le premier psaume du psautier ! Il en résume la sagesse :

> *Heureux l'homme...*
> *dont le cœur est attaché au Seigneur*
> *et qui, jour et nuit, savoure sa Loi !* (st. 1)

*

> *Il sera comme l'arbre*
> *planté près d'un cours d'eau.* (st. 2)

Symbole riche d'évocation que celui de l'arbre pour signifier un homme alimenté par la loi du Seigneur. L'arbre est d'en bas et d'en haut. Il s'enracine en pleine terre, il se creuse et se développe en plein ciel. Ici et là, il puise solidité, élan et fécondité.

Notre temps a besoin d'arbres.

*

Tout autre le cas de « l'infidèle », du « dévoyé » et du « railleur » - tous qualificatifs empruntés au psaume même : au lieu de réserver l'intelligence aux choses les plus hautes, ils ont rempli leur tête de futilités, et pire encore. En regard des arbres majestueux bordant les rivières, ils ressemblent à la *paille* des collines arides (st. 3).

Jean-Baptiste, préparant la voie de l'Evangile, n'a pas été tendre envers la... paille : « Celui qui vient derrière moi et qui est plus puissant que moi... tient en sa main la pelle à vanner et va nettoyer son aire ; il recueillera son blé dans le grenier ; quant à la paille, il la consumera au feu qui ne s'éteint pas » (Mt 3, 11-12).

*

Contraste dramatique qui nous empoigne dès le début du psautier.

... Lourd d'une paix silencieuse, s'enracinant à la fois en pleine terre et en plein ciel (Olivier CLÉMENT),

> *Il donne du fruit en son temps*
> *et jamais son feuillage n'est flétri.* (st. 2)

Psaume (messianique) 2 : INVESTITURE ROYALE EN SION

La formidable espérance

Où sur la terre s'affirme aujourd'hui, d'une manière convaincante, la seigneurie du Christ Jésus ? « Chez moi, les jeunes, dans leur quasi-totalité, ne croient plus au Christ », nous avouait un jeune Allemand. Un parmi bien d'autres.

La population du globe augmentant de la manière qu'on sait, ce sont surtout les peuples non chrétiens - parfois profondément religieux et mystiques, il est vrai - qui multiplient, de sorte que de dix ans en dix ans la proportion des croyants en Jésus-Christ ne fait que diminuer.

Oui, où est aujourd'hui, où sera demain la seigneurie du Messie ?

*

Dans un tel contexte socio-religieux, que peut bien signifier ce psaume triomphal, composé pour l'intronisation d'un nouveau roi d'une minuscule nation, environ huit siècles avant notre ère et devant préfigurer la royauté du Christ ?

Avant d'y répondre, voyons-en d'abord la composition et le sens littéral :

- St. 1 : Révolte des vassaux contre le nouveau roi dont la cause est assimilée à celle de Yahweh :

> *Pourquoi ces grands qui conspirent entre eux*
> *contre le Seigneur et son messie ?*

- St. 2 : « Celui qui trône dans les cieux » intervient en faveur du roi qu'il a lui-même établi :

> *Moi, j'ai sacré mon roi*
> *sur Sion, ma sainte montagne.*

- St. 3 : Prenant la parole, le nouveau roi proclame l'oracle de Yahweh :

> *Il m'a dit : Tu es mon fils* [1] *;*
> *moi, aujourd'hui, je t'ai engendré.*
> *Demande, et je te donne les nations en héritage.*

- St. 4 : Avertissement adressé aux vassaux insoumis :

> *... rois (révoltés), comprenez...*
> *servez le Seigneur avec crainte,*

---

[1] Comment comprendre ce « Tu es mon fils... aujourd'hui je t'ai engendré » ?

Le roi est appelé fréquemment, aussi bien dans l'antiquité biblique que païenne, fils de Dieu. Donc au moment du sacre du roi, Dieu peut dire : Tu es mon fils, c'est-à-dire aujourd'hui je fais de toi mon fils.

célébrez-le, adorez-le en tremblant :
qu'il se fâche et vous êtes perdus.

★

Ce roi d'Israël, dont nous ignorons l'identité, est une figure historique annonçant la réalité future : le Messie et son règne éternel. Oui, c'est bien du Christ qu'il s'agit dans tout ce psaume royal éminemment messianique et eschatologique. La longueur des notes qui suivent nous semble justifiée par la densité théologique du psaume cité maintes fois dans le NT.

Se trouvent évoqués les thèmes suivants : la filiation divine du Messie ; sa passion ; sa résurrection et l'achèvement de son royaume.

FILIATION DIVINE

Au baptême de Jésus et au Thabor, une voix venant du ciel proclame : « Tu es mon Fils ». « Fils unique », précise Jean (1,14 et 3,18), engendré dans l'aujourd'hui de l'éternité. La promesse de Dieu au(x) roi(s) d'Israël :

Tu es mon fils...

s'accomplit donc ici avec une nouveauté insoupçonnée.

PASSION

Les premiers chrétiens persécutés, cherchant un réconfort spirituel, prient le psaume 2 qu'ils interprètent comme prophétique de la passion de Jésus : « Ils élevèrent la voix vers Dieu et dirent : Maître, c'est toi qui as fait le ciel, la terre, la mer et tout ce qui s'y trouve ; c'est toi qui as dit par l'Esprit Saint :

Pourquoi ces nations en tumulte...
ces rois de la terre qui se groupent,
ces grands qui conspirent entre eux
contre le Seigneur et son Messie ?

Car c'est une ligue qu'Hérode et Ponce Pilate avec les nations païennes et les peuples d'Israël ont formée contre ton saint serviteur Jésus, que tu as oint ; ils n'ont fait qu'accomplir tout ce que... tu avais déterminé d'avance » (Ac 4, 23 ss).

RÉSURRECTION

Elle s'y trouve évoquée d'une manière très voilée. Il fallait saint Paul pour nous la dévoiler. Prêchant devant les Juifs, il la voit prédite en ce psaume 2 : « Dieu a ressuscité Jésus. Ainsi est-il écrit : Tu es mon Fils, moi-même aujourd'hui je t'ai engendré » (Ac 13, 33).

AU TERME DE L'HISTOIRE

Laissant de côté d'autres citations du NT, contentons-nous de relever que l'Apocalypse, révélation des derniers temps, décrivant la seigneurie définitive du Messie, cite par trois fois la st. 3 b [2], comme une promesse de victoire eschatologique :

Demande et je te donne les nations en héritage,
pour domaine l'étendue de la terre.

*

Envisageons maintenant notre propre prière. Voici donc un psaume de contemplation de la *personne de Jésus :* sa filiation divine, son onction messianique, sa passion, sa victoire pascale.

Voici encore le psaume du *monde à venir.* S'y trouve fondée la « formidable espérance » dont l'Eglise a vécu, vit et vivra tout au long de son histoire. Au-dessus des événements, ces facteurs horizontaux qui sont les plus constatables mais aussi les plus contestables, elle voit venir et mûrir le Règne du Christ à qui appartient l'avenir des avenirs.

---

[2] **Ap** 2, 26 et 27 ; 12, 5 ; 19, 15.

I Dimanche

Psaume (de supplication) 3 :
UN JUSTE PERSÉCUTÉ RECOURT A DIEU

La vraie folie, c'est de faire confiance

Pour sûr, c'est folie. Le psalmiste en fait l'expérience :

> *Qu'ils sont nombreux à déclarer :*
> *son Dieu ne le sauvera pas !* (st. 1)

Oui, nombreux. Mille voix répètent en chœur : Toi, crois en ton Dieu, nous, nous disposons de bases plus sûres ; toi, marche sur les eaux, à nous la terre ferme !

Or, pour le psalmiste, la confiance, vraie folie aux yeux du monde, est sagesse ultime :

> *Mais toi, Seigneur, tu es la gloire*
> *qui relèves mon front.* (st. 2)

Sagesse, « gloire » et enfin sécurité apaisante :

> *Quand je me couche, je m'endors.*
> *Au réveil, le Seigneur est là,*
> *lui mon soutien.*
> *L'hostilité a beau m'entourer,*
> *je n'ai rien à craindre de personne.* (st. 3)

★

Les Pères de l'Eglise [3] ont interprété cette strophe 3 de la mort, de la mise au tombeau et de la résurrection de Jésus. Préfiguré dans ce psaume, Jésus est désormais victorieux des « gens postés autour de lui », les gardes de son tombeau. « Je n'ai rien à craindre » et vous non plus en Moi : « AYEZ CONFIANCE, J'AI VAINCU LE MONDE » (Jn 16, 33).

★

---

[3] Tel saint Irénée, dont un texte est mis en exergue de ce psaume par PE.

34

La quatrième strophe fait problème :

> *Lève-toi, Seigneur...*
> *toi qui frappes mes ennemis à la mâchoire*
> *et casses les dents aux infidèles!*

Que voilà une prière précise et vigoureuse !

On rencontre chez les psalmistes une réelle tendresse, parfois.

Toujours la confiance,
souvent un ardent amour du Seigneur.

Mais aussi, jusque dans la prière, la terrible rudesse propre aux civilisations antiques.

Nous traitons longuement des malédictions du psautier à propos du psaume 128, p. 331-332.

Office du matin

Psaume 62 : Supplication et nostalgie d'un exilé du temple

L'amour, sans aucune de ses douceurs
(Ch. de Foucauld)

L'Amour divin a ses tendresses.

Il a aussi ses déserts.

C'est à ces déserts que pense l'ermite du Sahara, quand il invite Louis Massignon à faire à Dieu « une déclaration d'amour, de pur amour, dans la sécheresse, la nuit, l'éloignement. L'apparence de délaissement, le doute en soi-même, dans toutes les amertumes de l'amour, sans aucune de ses douceurs. »

Ces déserts sont les grandes heures de l'âme.

Le psalmiste en est là :

> *Tout mon être languit après toi,*
> *dans une terre ingrate, aride, épuisée.* (st. 1)

Or de cet abandon jaillit l'une des plus belles prières de la Bible, qui a bien mérité de devenir l'effusion mystique des passionnés de Dieu.

A en juger par son langage sacerdotal, l'auteur est un membre du personnel du temple dont il est écarté par ses ennemis. D'où la situation et le sentiment de délaissement, et même d'agressivité.

Structure du psaume :

- St. 1 : L'exilé est consumé par la soif de Dieu.

- St. 2 : Il se rappelle la joie qu'il trouvait jadis, quand au temple il contemplait la « force et la gloire » du Seigneur.

- St. 3 et 4 : Même actuellement il ne cesse de « lever les mains à son nom » ; la nuit [4], il passe des heures à le redire et il y trouve son réconfort.

- St. 5a : Il en appelle avec violence à la justice de Dieu contre les adversaires qui l'ont éloigné du temple.
  Tout est extrême (et combien vrai) chez ces hommes de la Bible : brûlés par la soif de Dieu et emportés contre les faiseurs de mal.

- St. 5b : « Et le roi se réjouira de son Dieu. » Que vient faire le roi dans ce contexte ? Le psautier attribue cette prière à David « quand il était dans le désert de Juda », fuyant devant Saül. La situation de ce psaume ne convient pas à David, puisque de son vivant le temple n'était pas construit. Cependant cette attribution à David pourrait justifier le dernier verset de ce psaume et qui serait une adjonction ultérieure.

---

[4] Pour expliquer les silences de Dieu, saint Jean de la Croix parle de la « nuit des sens » et de la « nuit de l'esprit ».

Daniel, 3, 57-88 : « CANTIQUE DES CRÉATURES »
DES TROIS JEUNES GENS DANS LA FOURNAISE

Réveillez la louange captive des choses !

Quelle que soit sa nature, tout être chante la gloire de Dieu. Cependant l'adoration consciente et libre reste, sur la terre, le propre de l'homme. Il a pour mission de ramasser les voix inachevées de la création et de les faire jouer pour leur Seigneur [5], comme une harpe muette qui s'anime au toucher de la main habile. Ici le rôle du mystique et du poète ne sont guère distants : réveiller, à la gloire de Dieu, la louange captive des choses.

A cette symphonie, il manquerait le dernier mouvement, si l'homme louant Dieu ne le faisait qu'au nom de la création privée de conscience et ne recueillait également (ou surtout), pour l'offrir au Créateur, l'hymne de ses bons serviteurs : prêtres, justes et humbles de cœur (les 3 dernières strophes).

*

Si touchant que soit ce « Cantique des Créatures » de Daniel, ce n'est guère notre habitude, avouons-le, de nous adresser directement aux créatures privées de raison, voire aux êtres intelligents mais absents, et de les inviter à glorifier Dieu. Notre manière rejoint plutôt François d'Assise chantant : Loué sois-tu, mon Seigneur, pour frère le soleil, pour notre mère la terre, pour le vent, pour ceux qui pardonnent à cause de ton nom !

Mais cette manière (biblique) de l'hymne de Daniel et qui apparaît dans plusieurs psaumes (cf. ps 148), n'est pas dépourvue

---

[5] PATRICE DE LA TOUR DU PIN a ces beaux vers :
Jouez pour Dieu des branches et du vent,
jouez pour Dieu des racines cachées.

Arbres humains, jouez de vos oiseaux,
jouez pour Lui des étoiles du ciel
... jouez aussi des anges qui voient Dieu.

de sens. Paul Ricœur explique que la prière du cœur présuppose une certaine naïveté et que l'adulte qui prie doit passer d'une « naïveté première » - celle de l'enfant - à une « naïveté seconde ». Riches de cet esprit d'enfance, nous deviendrons capables, peut-être, de nous adresser directement aux créatures du bon Dieu. Qui sait si nous n'en expérimenterons pas comme une nouvelle parenté avec les êtres qui nous entourent ?

Psaume 149 : Hymne triomphal de procession

Votre joie, nul ne pourra vous la ravir

Si des cris déchirants de détresse et de révolte traversent maint psaume, ici, tout au contraire, éclate la joie de Dieu :

> *Joie pour Israël en Dieu son Créateur,*
> *et pour Sion, allégresse en son roi.* (st. 1)

Cette joie qui jaillit pure et claire connaît cependant les alternances terrestres. C'est à « bout de bras » qu'elle doit se conquérir. Soudain, en cet hymne jubilant, on entend parler de batailles sanglantes à livrer (st. 2 et 3). On y reconnaît la situation difficile d'Israël après son retour d'exil ou au temps des Maccabées (150 av. J.-C.), quand il s'agissait de défendre une position politique précaire et de sauvegarder, face aux persécuteurs, la fidélité à Yahweh[6].

✶

Jésus disant ce psaume - car il l'a prié - le « démilitarise », pour ainsi dire. Tandis qu'il est question ici de tenir « à pleines mains l'épée à deux tranchants », Pierre, qui venait de trancher

---

[6] Structure du psaume :
St. 1 et 2a : Invitation à la louange de Yahweh, Roi d'Israël.
St. 2b et 3 : Israël est l'instrument de la justice de Dieu.

l'oreille du serviteur du Grand Prêtre, s'entend dire : « Rengaine ton glaive, car tous ceux qui prennent le glaive périront par le glaive. » En Jésus cependant quel combat ! L'épée qu'il « tient à pleines mains », ce n'est rien d'autre que son amour sacrificiel du Père et des hommes à sauver, c'est son obéissance inconditionnée « jusqu'à la mort, et la mort de la croix ».

La joie pascale est à ce prix.

Quand j'aurai terminé ma course et que la victoire sera remportée, « je vous reverrai, votre cœur se réjouira et votre joie, nul ne pourra vous la ravir » (Jn 16, 22).

Office du milieu du jour

Psaume 117 : Chant processional d'action de graces

Mon retour est proche

Déjà dans l'AT, le Christ venait à la rencontre de l'humanité.
Il est entré dans le monde à Noël, obscurément.
Il reviendra.
Chaque jour, il vient.
On peut le rejeter, on le rejette, il vient.
Cette venue nous est, dans la foi obscure, joie et force.

*

Ce psaume qui, pour nous chrétiens, célèbre l'avènement du Christ, accompagnait originairement l'entrée au temple d'un fidèle sauvé et venant remercier son Dieu. Nous tenons ici - chose précieuse - une description unique en son genre d'une liturgie juive d'action de grâces au temple. En voici l'analyse :

- Invitation à la louange en forme d'hymne. I. st. 1 et 2.

- A l'entrée du temple, un personnage de marque fait le récit de la faveur de Dieu dans un style de louange. I. st. 3 et 4 et II. :

    Le Seigneur m'a durement éprouvé
    sans me livrer à la mort.

- Dialogue entre le pèlerin, le clergé et la foule, devant le temple. III. st. 1-3.

    Pèlerin (se présentant avec un nombreux cortège et s'adressant aux prêtres) :

    Ouvrez-moi les portes de justice.
    J'entrerai, je rendrai grâce.

    Clergé (répondant de la porte) :

    C'est ici la porte du Seigneur :
    le juste y entrera.

    Pèlerin :

    Je te rends grâce car tu m'as exaucé,
    tu t'es fait mon sauveur.

    Clergé et assistants :

    La pierre rejetée par les bâtisseurs
    est devenue la pierre d'angle ;
    c'est là l'œuvre du Seigneur,
    une merveille à nos yeux.
    Voici le jour que fit le Seigneur,
    jour d'allégresse et de joie !

    Clergé (souhaitant la bienvenue au cortège) :

    Béni soit au nom du Seigneur
    celui qui vient !
    Nous vous bénissons
    depuis la maison du Seigneur.

- La procession s'organise. III. st. 4.
  Un prêtre :

  > *Rameaux en mains, formez vos cortèges*
  > *jusqu'auprès de l'autel.*

- L'action de grâce. III. st. 5.
  Pèlerin :

  > *C'est toi mon Dieu, je te rends grâce,*
  > *mon Dieu, je t'exalte.*
  > *Proclamez que le Seigneur est bon,*
  > *que son amour est éternel.*

★

Faisant partie du Grand Hallel chanté à la Pâque juive, ce psaume fut dit par Jésus le Jeudi saint et trouva en lui toute signification et pleine réalisation.

De quelle manière ? Outre le climat général d'eucharistie (action de grâces), 3 ou 4 thèmes sont à retenir [7].

DIMANCHE DES RAMEAUX

> *Béni soit au nom du Seigneur*
> *celui qui vient.* (III. st. 3)

La foule acclame Jésus en se servant de ce passage. Et elle ajoute : Hosanna au fils de David.

Jésus lui-même reprend ce texte à son compte, évoquant, par-delà le dimanche des Rameaux, sa venue dernière :

> *Vous ne me verrez plus, jusqu'à ce que vous disiez :*
> *Béni soit celui qui vient au nom du Seigneur !* (Mt 23, 39)

PIERRE D'ANGLE

> *On m'a poussé, bousculé pour m'abattre,*
> *mais le Seigneur est venu à mon aide.* (I st. 3)
> *La pierre rejetée des bâtisseurs*
> *est devenue pierre d'angle.* (III. st. 2)

---

[7] La longueur de ce commentaire se justifie par l'importance messianique de ce psaume que PE reprend chaque semaine.

La vie publique de Jésus fut assombrie par l'opposition à sa personne et à son message. Rejeté par les hommes, mais choisi par Dieu comme « pierre d'angle » de son Royaume.

RÉSURRECTION

Pierre se sert des versets ci-dessus pour arguer, devant le Sanhédrin, de la résurrection de Jésus (Ac 4, 11). Mais la résurrection se trouve annoncée d'une manière encore plus explicite en II. st. 3 :

> *Non, je ne mourrai pas, je vivrai...*

Quant à nous, célébrant à travers ce psaume de liturgie pascale le mystère du Christ mort et ressuscité, nous l'accueillons, lui qui vient.

Nous l'accueillons au nom de l'humanité et nous disons avec l'Epouse (qui est l'Eglise) : « Viens ! Et que l'homme assoiffé s'approche, que l'homme de désir reçoive l'eau de la vie, gratuitement... Le garant de ces révélations l'affirme : Oui, mon retour est proche. Oh ! oui, *viens, Seigneur Jésus !* » (Ap 22, 17 et 20).

Office du soir

Psaume (messianique) 109 :
ORACLE DIVIN EN FAVEUR DE DAVID

La gloire de Dieu qui est sur la face du Christ

C'est bien le mot CHRIST qu'il faut inscrire en tête de ce psaume, par lequel nous sommes invités à contempler « la gloire de Dieu qui est sur la face du Christ », comme le dit avec tant de majesté saint Paul en 2 Co 4, 6.

Originairement, il s'agit d'un oracle d'intronisation du roi David en Sion, ou d'intronisation de l'Arche d'Alliance à Jérusalem par le même David. Bien que le NT mette ce psaume sur les lèvres de David, il est sans doute prononcé par un prophète, Nathan peut-être. Il faut savoir qu'à l'instar de toute prophétie, il est mystérieux et rempli d'obscurités. Ce qui ne signifie point qu'on l'« exécutera » sans intelligence [8], d'autant moins que ce psaume 109 est le psaume le plus fréquemment repris par notre PE.

★

> *Oracle du Seigneur à mon Seigneur :*
> « *Siège à ma droite* » (st. 1a)

Yahweh invite le roi à partager avec lui sa domination divine. Rien moins que cela !

Que par ce texte, datant de 1000 ans avant notre ère, Jésus lui-même ait été annoncé, saint Pierre, dans son discours de Pentecôte, est catégorique, et il vaut la peine de le citer longuement : « Le patriarche David est mort et a été enseveli... Mais comme il était prophète et savait que Dieu lui avait juré de faire asseoir sur son trône un descendant de son sang, il a vu d'avance et annoncé la résurrection du Christ... Oui, Dieu l'a ressuscité, ce Jésus ; nous en sommes tous témoins. Et maintenant, exalté par la droite de Dieu, il a reçu du Père l'Esprit Saint, et l'a répandu... Car David, lui, n'est pas monté aux cieux ; or il dit lui-même : "Le Seigneur a dit à mon Seigneur : Siège à ma droite, etc." Que toute la maison d'Israël le sache donc avec certitude : Dieu l'a fait Seigneur et Christ, ce Jésus que vous, vous avez crucifié » (Ac 2, 29...36).

Jésus lui-même, utilisant cette strophe du psaume 109, avait montré (Mt 22, 41-45) que c'est une prérogative proprement divine qui est prononcée ici au sujet du Messie.

★

---

[8] « La foi cherche l'intelligence », dit saint Anselme.

> *Tes ennemis, j'en ferai ton marchepied.* (st. 1b)

Poser le pied sur la nuque des vaincus était un geste antique de victoire, attesté par les sculptures égyptiennes. Saint Paul cite ce verset en l'interprétant de Jésus : « A la fin Jésus remettra la royauté à Dieu le Père, après avoir détruit toutes puissances hostiles au Règne de Dieu. Car il faut qu'il règne *jusqu'à ce qu'il ait placé tous ses ennemis sous ses pieds* » (1 Co 15, 24-25).

La strophe 2 prolonge la première. Nous ne la commentons pas.

*

> *Tu es prince dès le jour de ta naissance*
> *sur les saintes montagnes,*
> *de mon sein dès l'aurore engendré.* (st. 3)

Passage fort obscur. Nous suivons la traduction et l'interprétation de PE.

- « Sur les saintes montagnes » : il s'agit sans doute d'un pluriel de majesté pour indiquer la montagne sainte de Sion, cité de David et cité de Dieu.
- « De mon sein... engendré. » Appliquées à David, ces paroles sont la reprise d'un vieux thème païen selon lequel le roi est d'origine divine. En Jésus, ce texte énigmatique reçoit sa signification totale : il est Fils de Dieu, engendré par le Père « dès l'aurore » (cf. ps 2).

*

> *Tu es prêtre à jamais*
> *selon l'ordre du roi Melchisédech.* (st. 4)

Figure mystérieuse, Melchisédech apparaît dans la vie d'Abraham comme roi et prêtre de Salem (peut-être la future Jéru-salem). Il bénit Abraham et celui-ci, reconnaissant sa suprématie, lui paie la dîme de tous ses biens (Ne 14, 18-20). Successeur de Melchisédech, selon le choix et la promesse de Dieu, David héritera de ses prérogatives et sera « prêtre à jamais ». A jamais ? Comment, si ce n'est à travers Jésus qui non seulement recueille ce sacerdoce royal mais le dépasse infiniment ? He 5, 5 ss. reprend et commente ce passage : Ce n'est pas le Christ qui s'est attribué à soi-même la gloire de devenir grand prêtre, mais il l'a reçue... comme il est dit : « Tu es prêtre pour l'éternité, selon l'ordre de Melchisédech. »

Dans l'offrande du pain et du vin faite par Melchisédech à Dieu, les Pères de l'Eglise ont vu une figure de l'Eucharistie, interprétation reçue du reste dans le canon romain de la messe.

Quant à la st. 5, mettez-la en relation avec la st. 1 et lisez-la dans l'interprétation même de saint Paul que nous y avons mentionnée.

★

> *En chemin, il boira au torrent,*
> *alors il relèvera la tête.* (st. 6)

Ce passage quelque peu hermétique a été interprété de 3 manières différentes :

- Le Messie boira au torrent des épreuves, les eaux symbolisant parfois, dans la Bible, les périls mortels. Puis, glorifié, il « relèvera la tête ».
- Le Messie boira au torrent des grâces divines - ce qui est également un sens conforme à l'usage de la Bible et s'accorde fort bien avec le contexte.
- Le Messie boira comme le guerrier qui, en un pays desséché, s'arrête un instant pour se désaltérer.

Psaume 113 A : HYMNE DE LA SORTIE D'EGYPTE

Une liturgie cosmique et pascale

Présence ineffable de Dieu dans l'univers !

Parfois il nous est donné non seulement de la pressentir confusément, mais encore d'en faire une expérience bouleversante, par exemple en accueillant le silence majestueux de la montagne ou en contemplant, telle nuit sereine d'hiver, les nuages d'étoiles infinies.

Dieu, en devenant fils de la terre, s'est, par son humanité, rendu présent au cosmos d'une manière nouvelle. Lui, le Transcendant, s'y est immergé, pour ensuite en émerger, le soulever et le sauver. Il s'est immergé à Noël et au Calvaire. Sans le quitter, il en a émergé à Pâques.

Qui mieux que Teilhard de Chardin a exprimé ces grandes et mystérieuses choses ? « Christ glorieux », écrit-il, « influence secrètement diffuse au sein de la matière, et centre éblouissant, puissance implacable. » Et encore : « Comme la foudre, comme un incendie, l'attraction du Fils de l'Homme saisira, pour les réunir ou les soumettre à son Corps, tous les éléments tourbillonnants de l'Univers. »

*

Notre psaume, il nous faut l'aborder dans cette grande perspective de l'Incarnation et de la Résurrection. De toute évidence, il s'agit ici de la sortie d'Egypte, de la Pâque juive. Or, pour célébrer l'Exode, le psalmiste décrit, d'une manière certes primitive mais évocatrice, une liturgie de la nature : l'effroi et la jubilation des éléments lors de la libération d'Israël :

> *La mer a vu et s'est enfuie,*
> *les eaux du Jourdain ont reflué ;*
> *on vit bondir les montagnes comme des cabris*
> *et les collines comme des agneaux.* (st. 2)

Il s'agit donc bien, par anticipation, du Christ qui est, comme dit saint Paul, « notre Pâque ».

Voici une possibilité de re-lecture christique de cet antique psaume :

Psaume (st. 4)	Re-lecture christique
Tremble, terre,	Tressaille, ô terre,
en présence du Seigneur,	d'effroi et de jubilation
du Dieu de Jacob !	en présence du Christ ressuscité !
Il change le rocher en étang	Il vivifie et transfigure toutes choses
et le caillou en fontaine.	par sa puissance de résurrection.

Ap 19, 1-7 : Hymne pour les noces célestes de l'Agneau

S'enfoncer dans l'éternité divine

Les psaumes, jaillis du cœur humain, s'enracinent dans le terrestre.

Ils sont de crainte et d'amour,
de sang, de larmes et d'espoirs,
de péchés et de reconquêtes,
de révoltes et d'actions de grâces.

En revanche, voici un hymne qui nous descend du ciel. Jean le « saisit » dans une vision : « J'entendis, dit-il, comme un grand bruit d'une foule immense au ciel. » Ce sont les élus qui chantent la victoire de Dieu sur ses ennemis et l'établissement définitif du royaume céleste, au cri de « Dieu règne ! ». L'Agneau, qui avait été immolé, est ressuscité et voici ses « noces éternelles » avec son Epouse, l'Eglise qui, malgré les souillures de ses enfants, demeure sans tache et aujourd'hui « s'est faite belle pour Lui ». Voici l'alliance définitive de Dieu avec l'humanité, l'aboutissement de tous les appels, de toutes les attentes, de toutes les promesses des psaumes.

*

Bien que vivant encore dans le temps, nous sommes invités à nous enfoncer dans l'éternité divine.

Que cela est bon !

Nous abandonner un peu, respirer la joie, la sérénité d'en-haut.

Et avec les élus dès maintenant chanter l'Alleluia de l'éternité.

I Lundi

Office des lectures

Psaume 9a : SUPPLICATION ET ACTION DE GRACES

Remercie Dieu de ce que tu n'as pas encore reçu...

... comme si tu l'avais déjà reçu.

N'est-ce pas ce que Jésus a fait ? Tandis qu'on enlevait la pierre tombale et avant même qu'il eût rappelé Lazare à la vie, « levant les yeux il dit : Père, je te remercie de m'avoir exaucé » (Jn 11, 41).

C'est cette attitude de foi que nous enseignent certains psaumes, et en particulier ce psaume 9a. La demande inclut déjà la certitude d'être exaucé, de « recevoir ce qu'on demande ou quelque chose de meilleur », comme le précise Charles de Foucauld. Ainsi, supplication et action de grâces s'appellent et se répondent : après le maintenant de l'épreuve, voici le retour du toujours de l'admiration.

*

Notons encore une autre chose, valable pour de nombreux psaumes de supplication, bien que nous ne relevions que rarement le fait, soucieux de nous répéter le moins possible : le JE des psaumes n'est pas toujours individuel, il peut être collectif, ou les deux ensemble. Pour rendre dramatique la situation d'Israël, celui-ci est présenté volontiers sous la forme d'un accusé innocent, d'un lépreux, d'un pécheur accablé. Ici, par exemple, les strophes 3 et 4 de I. et 3 et 5 de II. semblent dévoiler ce procédé. Qui sont « mes » ennemis de la st. 2 ? Réponse :

> *Tu as brisé les nations,*
> *tu as rasé les villes.* (I st. 3)

Or il est logique que les nations s'opposent à une nation [1].

★

Que ces développements théoriques ne nous fassent cependant pas passer à côté des multiples beautés et de la profondeur religieuse de ce psaume !

Psaume 6 : PLAINTE D'UN MALADE

Chaque homme dans sa nuit

Ce titre, combien suggestif, d'un roman de Julien Green résume le drame de ce malade qui « tremble de toute son âme » (st. 1), qui, durant ses insomnies, « pleure chaque nuit sur son lit », dont « la couche est détrempée de larmes » (st. 3) et qui prend plus intensément conscience de ses égarements passés :

> *Seigneur, reprends-moi sans colère*
> *et corrige-moi sans fureur.* (st. 1)

_____

[1] Nous voudrions cependant mentionner un autre point de vue sur ce problème : pour parler d'une délivrance *personnelle,* on aime, dans les psaumes, à se servir des paroles que la tradition liturgique réservait au récit d'une délivrance *nationale,* ce qui expliquerait l'allusion aux « nations » et aux « villes » susmentionnée.

Pourtant la nuit des psaumes n'est jamais « privée d'étoiles » :
le Seigneur est proche :

> *Le Seigneur entend mes sanglots,*
> *il accueillera ma demande.* (st. 4)

*

Deux remarques sur les « adversaires » au temps de la maladie et sur le « séjour des morts ».

Adversaires. Les psaumes de malade mentionnent fréquemment des adversaires, des ennemis, des malfaisants (cf. st. 3 et 4). L'AT voyait dans la maladie une punition de Dieu : d'où le triomphe facile de jaloux, de malveillants ou de concurrents.

Séjour des morts :

> *On ne fait plus mention de toi dans la mort ;*
> *au séjour des morts, qui te louerait ?* (st. 2)

Nous constatons ici comme en de nombreux autres psaumes - et nous nous répéterons un peu - une ignorance (provisoire) de cette vie de plénitude qu'est l'au-delà de la foi chrétienne. Pourquoi Dieu, avant la venue de Jésus, n'a-t-il pas révélé notre ultime destinée ? L'une des raisons pourrait être trouvée dans le fait que les justes de l'AT entrant dans la mort, devaient encore attendre la rédemption du Messie et sa descente au shéol, aux «enfers » (le « séjour des morts » de notre psaume) le Vendredi saint, pour être libérés et introduits dans la vision de Dieu.

*

Et si nous-mêmes, parvenus à ce psaume, nous nous trouvions en belle santé ? Tant mieux ! Mais sans péchés, c'est une autre question. Et toujours nous aurons, dans cette supplication ecclésiale qu'est la PE, à prendre, à porter la détresse des malades, nos frères.

Office du matin

Psaume (de supplication) 5 : Prière du matin d'un opprimé

**Si vous êtes sans grand courage,
vous êtes propre à l'espérance**
(M. Delbrêl)

Les psaumes jaillissent de la vie.
Ils sont la vie devenue prière.
Par exemple, la supplication de cet exclu, de ce sans-voix de la société émane de sa souffrance même, avec une vérité poignante :

> *...comprends ma plainte,*
> *entends ma voix qui t'appelle,*
> *ô mon Roi et mon Dieu !* (st. 1)

★

Quand le psalmiste, au creux de l'épreuve, dit JE, par lui s'élève la voix d'une multitude de frères, aujourd'hui encore :
le noir de l'Angola ou d'ailleurs ;
l'Indien mourant au milieu des passants de Calcutta ;
ce paysan brésilien que l'on exploite jusqu'au sang ;
ces millions de prisonniers en Sibérie.
Tous, en ce psaume, crient vers le ciel.
Et nous, à qui saint Paul demande de « pleurer avec qui pleure », oubliant peut-être nos propres larmes, nous essayons, dans cette prière de l'Eglise, de porter, comme à bout de bras suppliants, l'incommensurable souffrance du monde.

★

Autant que de *supplier*, il importe d'*espérer* pour ceux qui n'ont plus d'espérance. Dieu recueille dans une outre les larmes des innocents et nous, les lui offrant, nous en appelons

- à sa Justice :

> *Seigneur, que ta justice me conduise !* (st. 3)

- à son Amour :

> *Ton amour est si grand*
> *que je puis entrer dans ta maison.* (st. 3)

- voire, dans une confiance sans limites, à sa Joie :

> *Joie pour tous ceux que tu abrites,*
> *joie qui n'en finit pas ?* (dernière st.)

I Ch 29, 10-13 : Louange a Yahweh, souverain de l'univers

Notre monde a besoin d'adorateurs

« Le service désintéressé de l'humanité exige aujourd'hui un supplément d'âme », affirme le Père Chenu.

Le monde de la technicité étouffe sous ses conquêtes et se meurt. Il « exige », pour sa survie, une profonde respiration de son âme. Ses meilleurs serviteurs le comprennent.

Qu'est-ce que l'*adoration*, si ce n'est l'un de ces grands mouvements de l'âme ?

En ce très bel hymne, jailli du cœur même de David, le bien-aimé de Dieu [2], nous est proposée l'adoration à l'état pur, pour

---

[2] C'est l'un des rares cantiques du grand roi parvenus jusqu'à nous. Les psaumes du psautier ne sont pas de lui, bien que les auteurs du NT, selon la tradition juive adoptée par Jésus lui-même, lui en attribuent plusieurs.

ainsi dire, et qui prend source dans la contemplation de l'Etre divin et de son agir dans le monde :

> *A toi, Seigneur, la grandeur et la puissance,*
> *la majesté, l'éclat et la splendeur.*
> *A toi, Seigneur, la royauté.*
> *Souverain Maître de l'univers,*
> *en toi jaillit la source de tous biens.*
> *Dans ta main, vigueur et puissance,*
> *dans ta main, tout grandit et s'affermit.*

*

C'est assez extraordinaire de penser que l'ère du sous-marin atomique et du voyage sur la lune ait besoin de cet hymne vieux de 30 siècles.

Psaume 28 :
HYMNE A LA MAJESTÉ DE DIEU SE MANIFESTANT DANS L'ORAGE

Le verbe intérieur de chaque être

L'Océan de l'Etre divin contient et remplit si totalement ses créatures qu'à travers elles sa présence et son image invisibles sont véhiculées jusqu'à nous et qu'il en est comme la parole intérieure.

Par exemple, à travers et dans l'*orage*. Le psalmiste y perçoit la voix irrésistible du Tout-Puissant :

> *Voix du Seigneur par-dessus les eaux !*
> *Voix du Seigneur qui éblouit !* (st. 2)
> *Voix du Seigneur : elle casse les cèdres.*
> *Voix du Seigneur : elle épouvante le désert,*
> *elle ravage les forêts.* (st. 3 et 4)

Nombreux sont les psaumes à décrire, par le bouleversement de la nature, les apparitions de Yahweh [3]. Israël gardera toujours vivant le souvenir du Dieu du Sinaï qui apparut à Moïse, plein de grandeur et de sainteté, dans le déchaînement des forces cosmiques et où l'orage prêtait sa voix majestueuse au Maître souverain.

*

Dieu n'est pas seulement une présence majestueuse qui inspire une terreur sacrée. La dernière strophe laisse percevoir d'autres aspects.

Si la gloire de Dieu a envahi le temple :

> *Tous dans son temple s'écrient : Gloire !*

si la puissance du Seigneur va, de là, se répandre sur son peuple :

> *Le Seigneur donnera la puissance à son peuple*

elle se fera douce et pacifiante :

> *Le Seigneur bénira son peuple dans la paix.*

Elie, à l'Horeb [4], avait déjà été invité à dépasser ce signe partiel des éléments déchaînés, pour entendre une révélation plus haute : Dieu est également présence intime qui parle à l'homme avec la douceur d'une brise légère.

Quant à l'Incarnation du Verbe éternel, révélation plénière et définitive de Dieu, une épigramme de l'antiquité chrétienne explique : « Des trompettes, des éclairs, la terre tremble ; mais quand tu descendis dans le sein d'une vierge, ton pas ne fit aucun bruit. »

Le Verbe sera désormais intérieur au silence de notre cœur.

---

[3] Cf. Ps 17, 67, 76, 97, etc.
[4] 1 R 19, 11.

Office du milieu du jour

Psaume (d'instruction) 18 B : LOUANGE A LA LOI DIVINE

L'apprentissage sur cette terre
de la vie intime de Dieu

Mon Dieu, la belle chose !
Non seulement te connaître et te servir,
non seulement entrer de quelque manière en ta présence,
mais vivre au cœur de ta vie intime,
y participer, m'en nourrir.
Est-ce possible ?
ta vie divine ?
ta vie de Dieu ?

*

Telle est pourtant la vocation d'Israël :

> *Soyez saints,*
> *car moi, Yahweh votre Dieu,*
> *je suis saint.* (Lv 19, 2)

Toute la Loi est ramassée en ces 10 mots.
JÉSUS va révéler la profondeur et l'étendue inouïes de la vocation du Peuple de Dieu :
- Il reprend, en l'explicitant certes mais dans une perspective identique, *l'appel à la sainteté* de Lv 19, 2 :

> *Soyez miséricordieux,*
> *comme*
> *votre Père céleste est miséricordieux.* (Lc 6, 36)
> *Soyez parfaits,*
> *votre Père céleste est parfait.* (Mt 5, 48)

- Puis *l'Homme Jésus,* qui proclame cette vocation, la réalisera en plénitude : à travers lui les hommes de tous les temps et de toutes les latitudes sauront comment se vit, sur la terre et dans une destinée humaine, la vie même de Fils de Dieu.

- *Du Fils et des fils de Dieu.* Le rôle de Jésus sera non seulement de nous « démontrer la chose », mais de nous entraîner dans ce circuit divin, en faisant de nous des Fils de Dieu. « Je suis le Cep, vous êtes les sarments » (Jn 15, 5). En vous comme en Moi ne circule désormais qu'une seule et unique Sève, un même Esprit. Et c'est sous sa conduite que se déroulera « l'apprentissage sur cette terre de la vie intime de Dieu ».

*

Il est temps d'arriver à notre psaume.

Cette louange de la Loi [5] qui, dans la première alliance, n'est que « l'esquisse des biens à venir » [6], il faudra la penser et la prier à partir de cette grande lumière qui nous vient de l'Evangile et y lire cet *apprentissage en Jésus-Christ de la vie mystérieuse, connue et pourtant inconnaissable, de la Trinité.*

Puisque la Loi précise le comportement humain en référence à l'Etre de Dieu comme modèle, miroir et source de la vie morale, il est aisé de saisir pourquoi, dans les st. 1-3, les qualités de la Loi sont des qualités que la Bible attribue sans cesse à Dieu lui-même : perfection - fidélité - sagesse - droiture - joie - lumière - vérité - justice et immuabilité [7].

Et pourquoi celui qui pratique la Loi se rend participant de toutes ces qualités : il vit de la sainteté de Dieu.

*

---

[5] Loi - charte - préceptes - commandements - crainte - décisions sont les vocables différents d'une même réalité : le code de la sainteté que Dieu attend de ses serviteurs et qui, pour le chrétien, s'appelle l'Evangile.

[6] He 10, 1.

[7] A cette énumération on mesure d'emblée la densité de pensée théologique de ce psaume 18, ainsi que du psaume 118, le psaume quotidien de l'Office.

Restent les 3 dernières strophes.

Les strophes 1-4 étaient une méditation admirative sur la Loi. Cette méditation bientôt et normalement évolue vers une prière, et nous avons les strophes 6-7 :

- Seigneur, de cette Loi descend sur moi une si grande lumière ! J'y suis, hélas ! souvent infidèle, et je la trahis parfois presqu'à mon insu :

> *Ses propres erreurs, qui peut les discerner ?*
> *Pardon pour mes fautes inconscientes.* (st. 5)

- Puisque rien ne s'oppose tant à toi que l'orgueil de l'homme,

> *... préserve ton serviteur de tout orgueil,*
> *alors je serai parfait.*

Alors, aimant ta Loi qui pour moi est

> *... plus précieuse que l'or,*
> *plus savoureuse que le miel*
> *qui coule de la ruche...* (st. 4)

j'entrerai pour de bon dans l'apprentissage de ta vie intime, car « tu as caché ces choses (du Royaume) aux sages et aux savants, et tu les révèles aux petits et aux humbles [8] ».

Psaume 7 : SUPPLICATION D'UN ACCUSÉ EN JUSTICE

Quand le mal ne supporte plus le bien...

En effet, à un moment donné, en face du bien, le mal commence à s'agiter et à s'irriter en l'homme.

---

[8] Mt 11, 25.

Le démon, lui, souffle sur ces passions, il aveugle et rend agressif.

Le mobile profond, inavoué souvent mais réel, de cette attitude aberrante, la voici : ces vertueux nous exaspèrent, qui ne peuvent pas s'aligner sur la majorité ; même leur silence nous dérange et leur vie, nous la ressentons comme un reproche.

Que reste-t-il, sinon de les abaisser, de les dénigrer, de les soupçonner, de les... supprimer ? A la limite, c'est la persécution qu'ont connue tant de saints de la part des impies ou de la part de l'entourage... religieux.

Ainsi l'homme sans compromis et libre connaît-il, à cause de la pureté même de sa vie, la solitude et l'épreuve [9].

*

Telle apparaît la situation de l'auteur du psaume 7 : calomnié et accusé devant le tribunal et n'ayant qu'un recours, la justice de Dieu.

Nous nous trouvons en présence d'un non-violent qui déjà se situe dans le dynamisme de l'Evangile.

De plus, chacun de nous reconnaît aisément le caratère prophétique de ce psaume évoquant la Passion de Jésus et de son Eglise.

*

Sa structure :

I. (en PE) :

- Invocation et supplication de l'accusé. st. 1
- protestation d'innocence. st. 2
- supplication. st. 3 et 4

---

[9] Déjà Platon, 400 ans av. J.-C., s'interrogeant sur le sort d'un homme totalement juste, répondait qu'il serait immanquablement rejeté et voué à la mort.

II. (en PE):
- premier motif de confiance : Dieu est le « sauveur des cœurs droits » et il juge en toute justice. st. 1
- second motif de confiance : la méchanceté du méchant ne peut que se retourner contre lui. st. 3-5
- action de grâces pour l'intervention de la justice divine. st. 6

Office du soir

Psaume (de supplication) 10 :
CRI DE CONFIANCE AU MILIEU DE L'ÉPREUVE

**Le sentiment secret de notre lien
avec un autre monde**
(F. Dostoïevski)

Il y a ce monde-ci, visible, tangible, immédiat, avec ses lois, sa logique, ses urgences et son... péché.
Gare au juste, s'il n'entre pas dans le jeu du « monde » !
Il vaudrait mieux qu'il fuie.
Tel est du moins le conseil que les amis du psalmiste lui donnent : Dans ta droiture et simplicité, tu es faible comme un oiseau et seule la fuite et seule la solitude de la montagne te seront un refuge assuré :

> *Quand on a sapé les fondations,*
> *que peut faire le juste ?*
> *Pauvre petit oiseau,*
> *fuis à la montagne.* (st. 2 et 1)

*

Mais vous, mes amis qui parlez ainsi, ne comprenez-vous pas qu'il y a encore un autre monde et sa logique propre et sa force mystérieuse : celui de Dieu ?

Le Seigneur perce l'obscurité et dévoile les pensées des hommes :

> *Dieu trône dans les cieux*
> *mais son regard scrute le monde*
> *et met à nu le cœur de l'homme.* (st. 3)

C'est à lui que je me confie :

> *Mon refuge,*
> *c'est auprès du Seigneur que je l'ai trouvé.* (st. 1)
> *Dieu est justice, il aime la justice,*
> *L'homme droit contemplera son visage.* (st. 6)

Psaume (d'instruction) 14 :
SEUL LE JUSTE RENCONTRERA DIEU DANS SON TEMPLE

Dieu au cœur de l'existence la plus quotidienne

La terre serait changée, si tous les hommes conformaient leur vie aux consignes que voici de ce psaume d'instruction :
- s'ils « agissaient avec justice » dans les relations politiques, économiques, sociales, et veillaient à une répartition équitable des biens de la terre ;
- s'ils « aimaient la vérité », la recherchant, la défendant, la respectant dans les procès, la presse, les conversations quotidiennes ;
- s'ils « mettaient un frein à leur langue », art si méconnu et dont l'ignorance ou le refus provoque des catastrophes ;
- s'ils « ne faisaient pas de tort à leurs frères », respectant le droit à la vie, à la liberté d'opinion et de religion, à l'égalité raciale ;

- s'ils ne blessaient pas les autres par ces paroles que l'on n'oublie plus et qui, tel un virus fatal, s'incrustent dans l'âme.

(st.2)

- s'ils « ne reprenaient pas leur parole » donnée, dans le mariage, dans le sacerdoce ou la vie religieuse, dans l'engagement de la foi, dans les contrats sociaux, dans les traités de paix ;
- s'ils « prêtaient sans intérêts », évitant d'investir dans les pays sous-développés pour en retirer un plus grand profit ;
- s'ils refusaient de trahir, de vendre les innocents, de livrer les faibles pour quelque misérable ou substantiel pot-de-vin.

(st. 3)

*

Nous sommes là au cœur de l'existence la plus quotidienne, et c'est là que Dieu habite.

Sache-le, répond le prêtre qui a accueilli, sur le seuil du sanctuaire, la question du pèlerin :

> *Qui entrera en la présence du Seigneur*
> *et pourra s'établir en son intimité ?* (st. 1)

sache-le donc, mon ami : tu ne rencontreras réellement Dieu que si ta vie est justice, vérité et charité envers ton prochain. *Cherche-le d'abord dans tes frères, si tu veux le trouver ici.*

Ep 1, 3-10 :
ACTION DE GRACES POUR LE DESSEIN DE DIEU SUR NOUS

Dieu tout en tout

Souvent, il faut attendre le dernier mot pour qu'une phrase livre tout son sens. Comme d'un roman la dernière page. Ou d'un poème l'ultime stance.

Ainsi en va-t-il de ce cantique paulinien : tout s'éclaire et s'approfondit dans la dernière strophe. Les bénédictions divines qui s'accumulent sur les élus, telle une succession de cascades, convergent vers Celui en qui elles sont « récapitulées » et amenées à leur plénitude définitive :

> *Ce que le Père avait prévu d'accomplir*
> *en son Fils,*
> *quand les temps seraient pleins :*
> *récapituler toutes choses*
> *du ciel et de la terre*
> *dans le Christ.* (dernière st.)

*

Voyons encore le détail de ce texte qui représente un sommet de la pensée de l'Apôtre :
- Antienne-invitatoire : action de grâces pour

> *les bénédictions de l'Esprit,*
> *au ciel, dans le Christ.* (st. 1)

- 1re bénédiction : nous sommes appelés à nous tenir un jour « devant lui », dans la fulgurante et éternelle vision de son Etre. (st. 2)
- 2e bénédiction : cette vision de Dieu constitue notre héritage à nous qui sommes faits ses fils. (st. 3)
- 3e bénédiction : pécheurs, comment saurions-nous entrer dans l'intimité du Dieu trois fois saint ? Or nous voici purifiés par le sang de Jésus. (st. 4)
- 4e bénédiction, celle qui contient et porte à leur terme toutes les autres : l'univers entier, maintenant dispersé et déchiré par le péché, sera alors réunifié dans le Centre unique, Jésus, afin que Dieu soit « tout en tout » pour les siècles éternels. (st. 5 et 6)

*

Cette unité, comment serait-elle en notre pouvoir ? Tout l'hymne montre avec vigueur qu'elle descend du ciel :

> *C'est la grâce qu'il nous offre*
> *en son Fils bien-aimé.* (st. 4)

Mais il appartient aux hommes de la découvrir, de l'accueillir et de la laisser croître en eux et autour d'eux.

C'est déjà beaucoup.

C'est même tout.

I Mardi

Office des lectures

Psaume (de supplication) 9b :
APPEL AU SECOURS DIVIN CONTRE LES FORCES D'OPPRESSION

Entendez monter jusqu'à vous la clameur des malheureux !

Ce poignant appel, Paul VI l'adresse aux religieux, lorsque, dans *Evangelica testificatio,* il interprète en fonction du contexte social actuel, leur vœu de pauvreté. Le religieux, explique-t-il, doit s'engager, par sa vie personnelle et son activité, partout où il le peut et selon ses moyens, en faveur de la justice et de la promotion de l'homme. Parfois l'action lui sera refusée, mais toujours il aura à crier, au nom du monde, vers le Seigneur qui, lui, « est attentif au désir des malheureux » (II. st. 4).

Pareille attitude, comment ne serait-elle pas le propre de tout disciple de Jésus ?

*

Plusieurs psaumes nous éveillent à cette mentalité fondamentale, et en particulier celui-ci, qui est plus que la complainte d'un homme écrasé.

Il traduit la « clameur des malheureux ».

Structure du psaume :
- I. (de PE) : une énigme douloureuse :

> *Pourquoi, Seigneur, es-tu si loin,*
> *pourquoi te caches-tu aux jours d'angoisse*

tandis que les « profiteurs », semant partout violence et ruse, s'enhardissent de ton silence ?
- II. (de PE) : le psalmiste presse Dieu de songer aux malheureux. De fait, et il en a la certitude, Yahweh à qui appartient la souveraineté absolue, dispersera les méchants et fera droit aux pauvres :

> *Tu es attentif, Seigneur, au désir des malheureux*
> *et tu raffermis leur cœur.*
> *Tu tends l'oreille à l'orphelin et à l'opprimé :*
> *que les pauvres cessent de trembler !* (st. 4)

Psaume (de supplication) 11 :
APPEL AU DIEU DE VÉRITÉ CONTRE LES MENTEURS
ET LES OPPRESSEURS

Mettre les manigances du monde en jugement
(J. Sulivan)

Les strophes 1, 2 et en partie 5 nous les décrivent, ces « manigances » :
voies ténébreuses,
langues empoisonnées,
visées déloyales,
toute la triste agitation souterraine de l'esprit du Mal dans l'homme :

> *La loyauté a disparu d'entre les hommes.* (st. 1)

Qui sinon Dieu arrêterait cette invasion du Mal ?

> *Que le Seigneur mette un terme au mensonge !* (st. 2)

Soyons rassurés, il ne reste pas impassible :

> *Moi, je me lève à présent,*
> *dit le Seigneur.* (st. 3)

Cette Parole est sûre, elle qui opère ce qu'elle déclare et qui est un

> *Argent passé par le creuset,*
> *sept fois purifié.* (st. 4)

C'est elle, la Parole de Vérité, qui jugera le monde, selon ce que promet avec vigueur l'épître aux Hébreux : « Elle est vivante, efficace et plus incisive qu'aucun glaive à deux tranchants, elle pénètre jusqu'au point de division de l'âme et de l'esprit... elle peut JUGER LES SENTIMENTS ET LES PENSÉES DU CŒUR. »

★

Que l'épée ne glisse pas de nos mains !

A nous de demander que l'Eglise, riche et forte de la Parole de Dieu, exerce courageusement sa fonction critique face au monde du mensonge et de la violence.

Ce « monde » traverse aussi mon cœur consacré. A moi de devenir, dans l'Eglise, un être clair, vrai, authentique ! Plus que de dire : Seigneur, garde-moi des menteurs et des infidèles, je supplierai : Garde mon esprit et mon cœur et mes lèvres de toute fausseté et de toute infidélité à la parole et à l'amitié données.

Office du matin

Psaume 23 : ENTRÉE AU TEMPLE

Creuser la place pour le Seigneur qui passe

C'est vrai que le Seigneur passe.
Mais à la manière d'Emmaüs : il souhaite demeurer.
Oui, retiens-le : il viendra t'incendier de sa gloire.
Or, pour être à même de l'accueillir, il faut « creuser une place dans nos mains, nos têtes, nos cœurs » (Madeleine Delbrêl).

*

C'est de cette venue et de cette présence divines qu'il est question en ce psaume 23. La composition n'en est pas homogène. On y trouve deux psaumes distincts, réunis par un thème commun : l'entrée au temple, mais distants d'au moins 500 ans dans leur composition. Dissocions-les donc franchement[1].

Premier psaume : st. 4-7.

LE DIEU DE GLOIRE MONTE EN SON TEMPLE

Cette deuxième partie de l'actuel psaume 23 est la plus ancienne. Elle se présente comme un dialogue entre deux chœurs, à

---

[1] Une analyse attentive du contenu, du style et du rythme de ces deux parties permet de situer l'origine des st. 4-7 vers 1000 et des st. 1-3 vers 500 av. J.-C.
Dans la récitation privée - et pourquoi pas communautaire ? - nous envisagerions volontiers la séparation indiquée ci-dessus, commençant par la 2ᵉ partie de notre psaume 23. Chaque partie serait conclue par le « Gloire au Père... » et encadrée de sa propre antienne. Pour les st. 4-7, l'antienne de PE pourrait être retenue. Pour les premières strophes, peut-être celles-ci : « Heureux les cœurs purs, car ils verront Dieu », ou « Ils loueront le Seigneur ceux qui le cherchent ».

l'arrivée, aux portes de l'antique citadelle, de l'Arche d'Alliance, trône du Dieu invisible et signe de sa présence. Psaume très guerrier, bien caractéristique de cette période davidique : « Le Seigneur, le vaillant des combats » (st. 5).

Cet hymne processional laisse entrevoir à nos esprits chrétiens la richesse de l'Incarnation du Verbe de Dieu. La « gloire » du Seigneur, dont il y est question avec insistance, qu'est-elle sinon celle de Jésus, car « la gloire de Dieu repose sur la face du Christ » (2 Co 4, 6). Cependant cette gloire, combien Jésus la tempère, en faveur de... l'amitié, dirions-nous. Peut-il se faire plus discret et plus appelant, plus humble et plus fraternel, plus pauvre et plus proche ? C'est proprement bouleversant, ce qu'il nous dit dans l'Apocalypse : « Voici que je me tiens à la porte et je frappe ; si quelqu'un entend ma voix et ouvre la porte, j'entrerai chez lui pour souper, *moi près de lui et lui près de moi* » (3, 20).

- Deuxième psaume : st. 1-3.

LE FIDÈLE MONTE AU TEMPLE DU DIEU DE GLOIRE

Ces trois premières strophes datent d'après l'exil babylonien. Il n'y a plus d'Arche en Israël, détruite qu'elle fut dans le grand cataclysme de la prise de Jérusalem. La présence divine sera certes encore localisée dans le temple reconstruit, mais désormais davantage recherchée et adorée dans un culte plus intérieur et plus spirituel :

> *Qui approchera le Seigneur ?*
> *qui entrera dans son intimité ?*
> *L'homme aux mains pures,*
> *au cœur juste et simple,*
> *à la parole honnête.* (st. 2) [2]

Nous trouvons en ces strophes, comme en d'autres psaumes de pèlerinage [3], un échange entre le prêtre qui accueille et rappelle

---

[2] Traduction de *Nous te prions,* Cerf, Paris.
[3] En particulier ps. 14 et 117.

les conditions requises pour paraître devant Yahweh, et le peuple pèlerin. Le dialogue, dans notre cas particulier, pourrait s'être déroulé de la manière suivante :

- Invitation sacerdotale à la louange. st. 1
- Question du pèlerin. st. 2a
- Réponse du ou des prêtres. st. 2b et 3a
- Approbation exprimée par les pèlerins. st. 3b

Tb 13, 1-10 :
ACTION DE GRACES POUR LA GRANDEUR
ET LA MISÉRICORDE DE DIEU.

J'étais entouré de la gloire de Dieu

Celui qui parle ainsi dans *Les Frères Karamazov* est un adolescent de 17 ans. Il se meurt de phtisie. La gloire de Dieu, explique Dostoïevski, avait pris pour lui un aspect quotidien : « Oui, j'étais entouré de la gloire de Dieu : les petits oiseaux, les arbres, les prés, le ciel... Hélas ! je n'ai su voir ni la beauté ni la gloire », disait-il à sa mère en pleurant. Puis : « Maman, je pleure, mais c'est d'allégresse. »

Découvrir la gloire de Dieu au seuil de la mort ! Il y a comme cela des révélations à la fin d'une vie trop brève.

Et si nous n'attendions pas notre mort ?

*

Tobie avait le cœur assez pur pour percevoir cette présence lumineuse de Dieu. Il en avait aperçu, c'est vrai, un rayon privilégié : Raphaël. L'archange expliquait : « Lorsque vous étiez en prière, c'était moi, Raphaël, qui présentais vos suppliques devant la gloire de Dieu. » Et encore : « Je suis Raphaël, l'un des sept anges toujours prêts à pénétrer auprès de la gloire du Seigneur » (Tb 12, 12 et 15).

Le très bel hymne que le vieillard chante après le départ de l'ange baigne dans cette lumière de la gloire de Dieu :

> *C'est lui, notre Seigneur et notre Dieu,*
> *lui, notre Père d'âge en âge.* (st. 3)
>
> *Si vous revenez à lui...*
> *il cessera de vous cacher sa face.* (st. 5)
>
> *Moi, en terre d'exil, je lui rends grâce ;*
> *je montre sa force et sa grandeur.* (st 7)

La gloire de Dieu nous environne. Tel est un peu le titre que nous aimerions donner à ce cantique, voulant suggérer un climat là où un enchaînement logique de la pensée fait défaut.

Psaume 32 :
HYMNE A LA PAROLE CRÉATRICE ET A LA PROVIDENCE DE YAHWEH

En lui notre cœur a trouvé la joie

Peu d'hymnes bibliques vibrent d'une allégresse plus intense et d'une joie plus profonde que ce beau psaume :

> *Amis de Dieu, criez de joie,*
> *aux cœurs sincères il convient tellement de chanter !*
> *Rendez grâces sur vos harpes,*
> *célébrez le Seigneur de toutes vos musiques !* (st. 1 et 2)

★

- St. 3-5 :

Joie qui monte de la terre

La terre est sortie de la Parole de Dieu[4] :

> *Il parle et tout advient,*
> *il ordonne et tout existe.* (st. 5)

Et qu'est-ce qui en fait la texture, la structure interne, son essence même ? *l'amour* :

> *La terre est remplie de son amour.* (st. 3)

Comment de cette terre la joie ne monterait-elle pas à notre cœur ?

> *Criez de joie !*
> *Chantez le cantique nouveau !* (st. 1 et 2)

- St. 6-12 :

Joie qui descend du ciel

> *Du ciel le Seigneur regarde.* (st. 7)

De quels yeux ?
Des yeux de l'amour.
Ici, plus belles les unes que les autres, les strophes s'enchaînent pour célébrer la tendresse divine envers « la race des hommes » :

> *Le projet de son cœur subsiste d'âge en âge.* (st. 6)
> *Heureux ce peuple qui est le peuple de Dieu,*
> *celui qu'il s'est choisi comme héritage !* (st. 7)

---

[4] Cette « Parole de Dieu » sera, quelques siècles plus tard, personnifiée sous le vocable de Sagesse :
  Moi, la Sagesse, je fus établie dès l'éternité.
  Quand il affermit les cieux, j'étais là... (Pr 8, *passim*)
Cette personnification préparera la révélation de la Parole substantielle, le Verbe de Dieu, par qui tout fut créé et que nous lisons déjà en filigrane dans ces strophes 3-5.

> *C'est lui qui modèle le cœur de chacun,*
> *c'est lui qui prend souci de toute leur vie.* (st. 8)
> *Le Seigneur veille sur ceux qui le craignent*
> *et qui espèrent son amour.* (st. 10)

Alors,

> *la joie de nos cœurs est en Lui.* (st. 11)

Office du milieu du jour

Psaume (d'intruction) 118 : Hymne a la loi divine

Dieu et le saint ont échangé leur cœur
(J. Maritain)

Rien moins que cela, et telle est leur alliance.

Le cœur du saint est offert, donné, livré à Dieu.

Le cœur de Dieu, en retour, bat dans la poitrine du saint.

Comment dès lors la loi de cette alliance ne serait-elle pas, pour l'homme qui aime Dieu, délectable au-delà de tout ? Elle est la loi de leur amitié.

Le saint qui prie ici ne se lassera, au long des 176 versets de cet interminable psaume, de dire et redire encore son amour, sa fidélité et sa joie d'une telle amitié, chaque phrase contenant le mot « Loi » sous huit vocables interchangeables [5].

---

[5] Ce psaume, d'une ferveur exceptionnelle, peut être considéré à juste titre comme un modèle, voire une méthode d'oraison. La répétition monotone des mots de l'amour agit telle une incantation mystique et crée en l'âme un climat privilégié de contemplation et de disponibilité.

En respectant parfaitement le sens du psaume, nous pouvons remplacer ces huit vocables par l'unique mot d'amitié :

> *Montre-moi ta tendresse, et je vivrai,*
> *moi qui place ma joie dans ta parole (ton amitié).* (v. 77)

> *Que j'aime ta loi (ton amitié), Seigneur,*
> *tout le jour j'y fixe mon esprit.* (v. 97)

> *Je tiens ta promesse (ton amitié) pour mon héritage :*
> *elle est la joie de mon cœur.* (v. 112)

*

Une autre manière, proprement christique et chrétienne, de prier ce psaume est de mettre (mentalement) le nom de JÉSUS, Parole vivante, achèvement de la Loi et plénitude de l'Alliance, en lieu et place des 8 vocables utilisés. Par exemple, les vv. 1-8 retenus pour ce mardi de la première semaine :

> *Heureux ceux qui vont droit leur chemin*
> *en mettant leurs pas dans tes pas, ô Jésus.*

> *Heureux ceux qui te restent fidèles*
> *et te cherchent de tout leur cœur.*

> *Tu te révèles à nous, Jésus,*
> *afin que nous te prenions pour modèle, etc.*

Psaume (de supplication) 12 : PLAINTE IMPATIENTE D'UN JUSTE

Es-tu triste ? Prie !
(Jc 5, 13)

Notre psalmiste est triste. Incontestablement.
Et oppressé par une épreuve mortelle :

> *Seigneur, mon Dieu...*
> *laisse à mes yeux la lumière*
> *et garde-moi du sommeil de la mort.* (st. 3)

Dieu, lui, se tait. La longue plainte du malheureux se perd dans le désert :

> *C'est trop long, Seigneur,*
> *vas-tu m'oublier jusqu'au bout ?*
> *C'est trop long, Seigneur,*
> *je n'en peux plus de ton absence.*
> *C'est trop long, Seigneur,*
> *jour et nuit le trouble est dans mon cœur.*
> *C'est trop long, Seigneur,*
> *laisseras-tu le mal triompher de moi* [6] *?*

*

Soudain à la dernière strophe, un revirement inattendu.

Dans la longue plainte criée vers le ciel, quelque chose avait mûri, qui soudain éclate en l'âme :

> *De ton amour, je suis sûr, ô Yahweh.*
> *Tu fais chanter mon cœur dans ta joie.*

*

Ne serait-ce pas une expérience semblable qui fait dire à l'apôtre Jacques : « Es-tu triste ? prie. »

Psaume (d'instruction) 13 :
YAHWEH EST PLUS FORT QUE LE « PÉCHÉ DU MONDE »

Le monde poussait dans tous les sens vers le royaume
(E. Leclerc)

A première vue, rien en ce psaume d'une « poussée vers le Royaume ».

---

[6] Traduction libre tirée de *Nous te prions*, Cerf, Paris.

On y découvrirait plutôt un mouvement opposé : il s'éloigne de Dieu et de son beau Royaume, ce monde d'incroyance, de pourriture, d'avilissement et d'injustice, dans lequel

> *il n'y a plus de gens honnêtes,*
> *pas même un seul.* (st. 3)

A première vue, disions-nous. En y regardant de plus près, la dernière strophe (ajoutée sans doute postérieurement, lors de l'exil) a une portée messianique et va laisser tomber, sur cette vision noire du monde, l'espérance de la rédemption du Christ.

*

Saint Paul a fait comme une élaboration théologique de ce psaume, qu'il cite, en Rm 3, 10. Il commence par en adopter le pessimisme. Il renchérit même en 1, 29-32 : « remplis de toute injustice, de perversité, de cupidité, de malice, ne respirant qu'envie, meurtre, dispute, fourberie, malignité, diffamateurs, détracteurs, ennemis de Dieu... insensés, déloyaux, sans cœur, sans pitié... non seulement ils font le mal mais ils approuvent encore ceux qui le commettent ».

Le monde est-il vraiment désespéré ? A cette question, l'Apôtre répond dans la lumière de la Croix de Jésus : « Dieu a enfermé tous les hommes dans la désobéissance, pour faire à *tous* miséricorde » (Rm 11, 32). En Ga 3, 22, il complète sa pensée : « L'Ecriture a tout enfermé sous le péché, afin que la promesse, par la foi en Jésus-Christ, appartînt à ceux qui croient. »

Bien entendu, *à ceux qui croient.* Comment la miséricorde de Dieu serait-elle imposée à ces hommes intelligents et libres qui, dans leur incroyance, n'en veulent pas ou prétendent n'en point avoir besoin ?

*

Demeure donc tout le tragique du péché, tel qu'il est ressenti en ce psaume. Mais restent aussi toute la force et toute la patience et toute la miséricorde divines, grâce auxquelles notre monde contemporain, malgré tant d'apparences contraires, « pousse dans tous les sens vers le Royaume ». Ce Royaume, on ne peut pas plus l'empêcher de pousser que le printemps d'éclore et l'été de resplendir.

Joie et allégresse !

> *Quand le Seigneur ramènera*
> *les déportés de son peuple,*
> *quelle allégresse en Jacob,*
> *en Israël, quelle joie !* (st. 6)

Voici la même strophe en re-lecture chrétienne possible :

> *En son Fils Jésus,*
> *Dieu ramène à l'unité de son Royaume*
> *ceux qui s'en étaient exclus volontairement*
> *ou que d'autres avaient éloignés de force.*
> *Alors quelle allégresse dans le peuple de Dieu !*
> *Dans l'Eglise, que de joie !*

Office du soir

Psaume (royal) 19 :
DEMANDE DE VICTOIRE POUR LE ROI PARTANT EN GUERRE

Jésus : le point de convergence de toutes les prophéties

Jésus devait aimer ce psaume royal, si peu guerrier au moment même de la guerre,
   dépouillé de violence ou de haine
   et exaltant la confiance en Dieu plus que la puissance militaire :

Aux uns, les chars ; aux autres, les chevaux ;
à nous d'invoquer le nom
de notre Dieu, le Seigneur ! (st. 5)

★

Il s'agit en ce psaume 19 d'une liturgie royale invoquant l'aide de Yahweh avant le combat, ainsi qu'il le prescrivit en 1 R 8, 44.
En voici l'articulation :
- Vœux du peuple adressés au roi. st. 1-3.
- Oracle de victoire, peut-être prononcé par un prophète du temple. st. 4 et 5.
- Le chœur conclut par une prière. st. 6.

★

Revenons à *Jésus,* « point de convergence de toutes les prophéties ».
Il est lui-même
- ce roi représentant le peuple devant son Dieu.
- Non pour l'envoyer à la mort des batailles, fût-elle glorieuse, mais pour s'offrir lui-même, « au jour de la détresse » (st. 1), en victime du sacrifice :

> *Que Yahweh se rappelle ton offrande*
> *et qu'il agrée ton holocauste.* (st. 2)

- Et pour ressusciter victorieux et nous entraîner à sa suite :

> *Nous acclamons ta victoire*
> *remportée au nom de Dieu.* (st. 3)

Lorsque Jésus, au soir de Pâques, pour expliquer le sens des événements du Vendredi saint, s'entretenant avec les disciples d'Emmaüs, « interprète dans toutes les Ecritures ce qui le concernait », a-t-il fait référence à ce psaume royal ? Nous aimons à le croire.

Quant à nous, cette antique liturgie royale doit nous amener, comme les disciples d'Emmaüs peut-être, à contempler et à célébrer le mystère central de notre foi : la mort rédemptrice et la résurrection du Seigneur.

Psaume (royal) 20 :
ACTION DE GRACES POUR LA VICTOIRE DU ROI
ET ORACLE PROPHÉTIQUE POUR LES COMBATS FUTURS

Toute victoire se dégage du chaos des combats

C'est la loi même de l'évolution.

Cette terre que tu admires et que tu aimes : elle a émergé du chaos initial à travers des bouleversements et des cataclysmes peu imaginables.

L'oiseau dont le vol parfait se dessine dans l'azur n'est parvenu à son achèvement qu'après des millions d'années faits de tâtonnements, d'approches, de ratés.

L'adulte que je suis - ou devrais être ! - est le résultat d'avances et de reculs, de déficits et d'acquisitions, de ruptures et de synthèses.

C'est la loi même de l'évolution.

*

Cette loi intervient aussi dans l'histoire du Peuple de Dieu, dont notre psaume envisage une étape.

Il commence par exalter la victoire d'un roi d'Israël que lui ont obtenue la force et la bienveillance de Yahweh (st. 1-3) :

> *Seigneur, le roi se réjouit de ta force ;*
> *quelle ivresse lui donne la victoire !*
> *Tu as accueilli le désir de son cœur*
> *et tu as exaucé la prière qu'il te fit. (st. 1)*

Mais cette victoire s'est dégagée du « chaos des combats » et n'est que provisoire. A partir de la st. 5, un prophète, s'adressant au roi, lui rappelle qu'à la victoire succéderont de nouveaux combats :

> *S'ils trament le mal contre toi,*
> *s'ils préparent un complot,*
> *ils iront à l'échec.*
> *Oui, tu les renverseras :*
> *de ton arc, tu les vises en pleine face.* (st. 6)

★

Tout psaume royal est de type messianique et eschatologique. En effet, il porte en lui une promesse de plénitude : il est attente du Messie et du règne définitif de Dieu.

La dialectique combat-victoire et victoire-combat de ce psaume va donc se retrouver dans l'histoire de *Jésus* et de *son Royaume*.

Victoire. Les 4 premières strophes du psaume sont un hymne pascal, celui de la Vie nouvelle au matin de la Résurrection :

> *Il (le Roi-Messie) te demande la vie :*
> *tu la lui donnes,*
> *de longs jours qui n'auront pas de fin.* (st. 2)
> *Tu le revêts de splendeur et d'éclat.* (st. 3)

Combat. Jésus l'a pris sur lui de la manière la plus tragique qui fût. Et sa course terminée, il est entré dans la gloire.

Reste sur la terre l'Eglise, son Corps.

Ce Corps, que l'on appelle à juste titre l'Eglise militante, aura à cheminer à travers l'Histoire dans l'alternance des combats.

Mais la victoire est déjà devant elle, elle lui est acquise en la Tête, Jésus-Christ ressuscité.

Telle est son espérance.
Tel est le secret de sa force [7].

---

[7] Les st. 4 et 7 sont des antiennes chorales terminant respectivement chaque partie du psaume.

Ap 4 et 5 : Hymne céleste a l'Agneau immolé

Le livre scellé

Nous venons de le dire à propos du psaume précédent : si la victoire définitive sur le Mal et la Mort est acquise pour et par Jésus, la Tête, le combat demeure en son Corps, l'Eglise militante.

Et lui, Jésus, que fait-il en son beau Paradis ? Le cantique de l'Agneau [8] y répond.

Déjà et définitivement victorieux et recevant « l'honneur, la gloire et la puissance » (st. 1), Il reste au plus fort de la mêlée et au cœur des engagements des hommes.

Comment en saurait-il être autrement ?

Lui qui fut « immolé » et nous « racheta pour Dieu par son sang » (st. 4), se désintéresserait-il de notre sort ? Dans sa vision, Jean le contemple qui reçoit le « Livre » et qui seul est « digne d'en ouvrir les pages scellées ». Ce livre mystérieux contient les destinées du monde [9] et les voilà remises entre les mains de l'Agneau [10].

Oui, voilà nos destinées collectives et individuelles confiées aux mains de Celui qui fut capable de mourir pour nous et qui est en même temps celui dont les élus chantent :

---

[8] Cet hymne du... ciel présente la structure très classique des psaumes de louange ainsi que leurs thèmes préférés :
- Invitation à la louange et conclusion. st. 1 et 6.
- 1er motif de louange : la Création. st. 2.
- 2e motif de louange : la Rédemption et la conduite des destinées de l'humanité. st. 3-5.

[9] Les ch. 6-9 montrent l'Agneau descellant le livre, et le déroulement des événements terrestres dont il contient l'annonce.

[10] Les élus, qui chantent le cantique de l'Agneau, sont également intéressés et impliqués dans cette conduite de l'Histoire :

Tu as fait de nous pour notre Dieu
un royaume de prêtres,
et nous régnerons sur la terre. (st. 5)

Telle est la communion des saints, l'articulation entre le ciel et la terre. Les « prêtres » mentionnés ici sont tous les élus qui forment cette race sacerdotale dont parle saint Pierre en 1 P 2, 9.

C'est toi qui créas l'univers,
c'est par ta volonté qu'il reçut l'existence
et fut créé. (st. 2)

★

L'Eglise de la terre se trouve comme suspendue au ciel. Comment ne serait-elle pas invincible ?

Et comment ses enfants ne garderaient-ils pas, au plus épais des combats, la fondamentale espérance ?

I Mercredi

Office des lectures

Psaume 17 A :
ACTIONS DE GRACES ET ENSEIGNEMENT DE SAGESSE

Le salaire des mains pures

La construction de ce long psaume est d'une logique évidente.
- Le psalmiste, en un style vibrant de ferveur, chante sa gratitude envers son Sauveur. I. st. 1 et 2.

> *Je t'aime, Seigneur, ma force :*
> *Seigneur, mon roc imprenable,*
> *Dieu, mon libérateur,*
> *toi, le rocher qui m'abrite,*
> *toi, le bouclier de mon courage,*
> *toi, mon arme de victoire.* (st. 1)

- Puis il se doit de décrire le danger auquel il a échappé, en termes généraux certes, comme c'est le cas des psaumes de supplication ou d'action de grâces. st. 3.

> *Les flots de la mer déchaînée m'étreignaient,*
> *les torrents infernaux me happaient.*

- Dieu a entendu son appel et lui est apparu. C'est la « théophanie ». I st. 4 et II.

Il écarta les cieux et descendit,
la nuée sous ses pieds. (II. st. 2)

- Enfin, riche de son expérience, il en tire une leçon de sagesse qu'il se sent porté à communiquer à la foule rassemblée dans le temple et que l'on pourrait intituler : le salaire des mains pures. III.

*

Deux points peuvent faire problème en ce psaume et retiendront notre réflexion :

LA THÉOPHANIE

Théophanie[1] signifie manifestation de la gloire de Dieu.

Dans l'AT, le modèle en est l'apparition de Yahweh au Sinaï. C'était une tradition biblique de présenter sous cette forme l'intervention divine. Elle frappait l'imagination orientale et parlait aux esprits familiarisés avec l'histoire nationale.

Quant à la théophanie de notre psaume, elle décrit une éruption volcanique : ces forces irrésistibles évoquent très bien la toute-puissance divine. D'autre part, ce phénomène naturel, tout en rendant sensible l'être et l'agir de Dieu, tempère son Visage insoutenable.

Faut-il voir dans ce texte une intervention exceptionnelle ou une image symbolique d'une grâce intérieure ? Nous opterions pour la seconde interprétation.

LA LEÇON DE SAGESSE

Elle peut se résumer comme suit : Je suis pur, le Seigneur le sait. Aussi me récompense-t-il selon ma justice.

---

[1] Il en fut déjà question à propos du ps 28.

A ce propos, nous ferons deux remarques :

- « Je suis sans reproche devant Dieu. » On pourrait discuter sur l'attitude du psalmiste et essayer de la justifier, du moins de la comprendre dans le contexte peu évolué de l'AT.
  Nous proposons un autre angle de réflexion.
  Qu'il fait bon entendre, en ce psaume, parler le *seul Juste*, Jésus « clef de l'Ecriture » ! Quel réconfort à la pensée que lui, l'Innocent, l'Agneau sans tache, se tient devant Dieu, intercédant pour les pécheurs que nous sommes ! « Le salaire de ses Mains pures », c'est notre justification.

- Revenons à nous-mêmes. La confiance en Dieu, sans un cœur droit et des « mains pures » ne saurait atteindre jusqu'à lui. Dieu n'est droit qu'avec les cœurs droits. Les mœurs de Dieu ainsi proposées - pourtant que de fois Dieu n'est-il pas bon infiniment au-delà de ce que nous méritons ! - sont confirmées par Jésus lui-même, en un style plus près de nous : « Ne jugez pas et vous ne serez pas jugés : ne condamnez pas et vous ne serez pas condamnés... ; donnez et l'on vous donnera ; ...de la mesure dont vous mesurez, on mesurera pour vous en retour » (Lc 6, 36-38).

Office du matin

Psaume 35 : TÉNÈBRES DU PÉCHÉ ET LUMIÈRE DE DIEU

Tard je t'ai goûtée, ô beauté si ancienne et si nouvelle

Et saint Augustin continuait : « Tu m'as touché, et je brûle. »
Combien ce grand amoureux des psaumes devait se retrouver en ces strophes 3-5, qui sont comme le débordement d'un trop-

plein, au moment où l'âme, « touchée », « brûle », s'enflamme, explose [2] !

> *Seigneur, ton amour déborde par-delà les cieux.* (st. 3)
> *Tes fidèles s'enivrent aux festins de ta maison,*
> *tu les fais boire aux torrents du paradis.*
> *En toi est la source de la vie.* (st. 5)

*

Mais que signifient, enveloppant ces stances mystiques, les deux premières strophes sur « l'impie dans sa révolte » et la dernière condamnant abruptement les malfaisants ?

Avouons qu'on s'en serait bien passé !

On peut y voir un autre psaume ou une adjonction postérieure, reflétant une situation particulièrement difficile d'Israël.

Et si c'était simplement une trouvaille fort originale de l'auteur faisant jouer le contraste du Oui et du Non, de la Lumière et des Ténèbres, de la Joie et du Vide ? Alors que tout est lumière dans le Oui :

> *En ta lumière nous voyons la lumière,*

l'impie, lui, qui est un esprit suffisant (« il se voit d'un œil trop flatteur », st. 2), devient son propre centre et se replie sur son néant. « Il s'obstine dans une voie sans issue » (st. 2), « où l'on ne voit rien d'autre que la nuit », comme dit Dostoïevski, tandis que les amis de Dieu « voient la lumière ».

---

[2] Comment ne pas rapprocher de ces strophes la nuit de Pascal du 23 novembre 1654 ? « Depuis environ dix heures et demi du soir jusqu'à environ minuit et demi :
> Feu.
> Dieu d'Abraham, Dieu d'Isaac, Dieu de Jacob,
> non des philosophes et des savants.
> Certitude... Joie. Paix. Dieu de Jésus-Christ.
> Oubli du monde et de tout, hormis Dieu.
> Joie, joie, joie, pleurs de joie.
> Jésus-Christ,
> Jésus-Christ. »

Et si enfin le Oui et le Non étaient en concurrence dans mon propre cœur ?

Jdt 16, 13-17 :
ACTION DE GRACES POUR LA VICTOIRE DU PEUPLE DE DIEU

Eternité de lumière ou
éternité de refus de la lumière
(Cardinal Journet)

On dit à l'enfant de ne pas jouer avec le feu.
Pourtant déjà il est appelé à jouer le risque de la liberté, déjà il peut accepter la lumière d'en-haut, ou la refuser.
Cependant ce n'est que plus tard, dans la maturité de l'âge adulte, que les options de l'homme libre prendront leur pleine et définitive signification : « éternité de lumière ou éternité de refus de la lumière ».

*

C'est un peu cet enjeu, sublime et terrible à la fois, qui est sous-jacent à l'hymne de victoire de Judith :
- Invitation à la louange. st. 1
- Dieu est grand, glorieux, invincible, st. 2 et 3.
- « Celui qui craint (accueille) Dieu, *toujours* sera grand. » st. 4 et 5.
- « Ils pleureront *éternellement* » ceux qui, refusant sa lumière, se dressent contre Yahweh et les siens. st. 6.

*

N'imaginons pas que cette alternative effrayante de l'éternité de lumière ou de ténèbres ait été ignorée, voire abolie par la loi d'amour du NT. Autant dire qu'il aurait supprimé la liberté humaine et ses risques nécessaires, alors que le Christ est venu la stimuler et les accroître. Voici, par exemple, le jugement dernier, en Mt 25, 34 et 41 : « Le Roi dira à ceux de droite : Venez, les bénis de mon Père, recevez en héritage le Royaume qui vous a été préparé depuis la fondation du monde... Puis, se tournant vers les autres : Allez loin de moi, maudits, dans le feu éternel qui a été préparé pour le diable et ses anges. »

*

Dans cette alternative bouleversante, allons-nous mettre en procès la Parole de Dieu ?

L'attitude juste, la voici :

- nous prosterner devant la grandeur de Dieu et adorer sa sagesse :

> *Seigneur, tu es grand et glorieux,*
> *admirable de force et invincible :*
> *que te serve la création tout entière.* (st. 2)

- « faire notre salut avec crainte et tremblement », comme recommande saint Paul en Ph 2, 12 :

> *Dieu fera justice au jour du jugement.* (dernière st.)

- intercéder souvent et longuement pour le salut de tous les hommes.

Psaume (du Règne) 46 :
UN HYMNE PROCESSIONAL. YAHWEH MONTE A SON TEMPLE

Vivre toute son espérance

Avant de plonger dans l'avenir, ce psaume prophétique fut une prière de circonstance. Israël l'a chanté au retour de l'exil de

Babylone, lorsque cette chose inouïe, impensable, Dieu soudain l'avait réalisée par l'intervention du païen Cyrus, roi des Perses [3], et lorsqu'à Jérusalem la demeure de Dieu fut reconstruite :

> *Dieu monte (au temple) parmi les acclamations,*
> *il monte aux éclats du cor.* (st. 3)

Cet hymne, célébrant la suprématie absolue et la transcendance de Dieu, ne demande pas d'explication détaillée, mais bien une réflexion en vue d'une re-lecture chrétienne et actuelle.

*

Par ce chant, Israël, peuple vaincu et insignifiant dans l'histoire contemporaine, était comme projeté vers les derniers temps, quand il s'enhardissait à chanter :

> *C'est lui (Yahweh) qui nous soumet les pays*
> *et tient à nos pieds les nations.* (st. 2)

> *Voici les chefs des peuples réunis :*
> *c'est le (nouveau) peuple du Dieu d'Abraham* (st. 4)

*

Sommes-nous fidèles à la même espérance ?

Avec un recul de 25 siècles par rapport à ce psaume, force nous est de constater qu'une royauté de Dieu reconnue par « toute la terre » n'est guère réalisée.

Mais nous savons que l'humanité doit mûrir encore,

la tension interne monter,

le monde se transformer et

VIVRE TOUTE SON ESPÉRANCE TERRESTRE

pour que le Fils de l'Homme revienne comme un signe éclatant

---

[3] 538 av. J.-C. Cf. Is 45.

qui achève cette grossière ébauche. « Puis ce sera la fin, quand le Christ remettra la royauté à Dieu le Père, après avoir détruit toute puissance (hostile au règne de Dieu). Car il faut qu'il règne ' jusqu'à ce qu'il ait placé tous ses ennemis sous ses pieds ' (ps. 109). Le dernier ennemi détruit, c'est la mort... Et quand toutes choses lui auront été soumises, alors le Fils lui-même se soumettra à Celui qui lui a tout soumis, afin que Dieu soit *tout en tous* » (1 Co 15, 24-28).

Office du milieu du jour

Psaume 118, 9-16 : voir I Mardi jour.

Psaume (de supplication) 16 :
Prière d'un innocent poursuivi en justice

Le juste passe, mais sa lumière demeure
(F. Dostoïevski)

Si souvent, trop souvent, l'innocent est écrasé,
l'homme au cœur droit et à la parole vraie, réduit au silence, éliminé.
Notre deuxième moitié du 20° siècle aura connu des cas célèbres d'élimination par l'assassinat.
Ne parlons pas des innombrables victimes sans nom.
Etre vrai, juste et non violent, est-ce possible dans la jungle humaine ?

*

Telle est la problématique, non pas posée théoriquement mais dramatiquement vécue par ce psalmiste.

De cette situation jaillit son cri.

- Gravement accusé en justice, à la veille d'une condamnation probable, peut-être emprisonné, il prie :

> *Justice, Seigneur ! Ecoute,*
> *sois attentif à ma plainte.* (I. st. 1)
> *Mes adversaires, les voici sur mes talons :*
> *ils me cernent, ils m'épient*
> *pour me jeter à terre.*
> *Ils sont pareils au lion,*
> *au fauve placé en embuscade* [4]. (II. st. 1)

- Sans reproche, il est l'un de ces innocents que l'injustice des hommes va écraser :

> *Scrute mon cœur ;*
> *observe-moi même la nuit :*
> *tu ne trouveras rien de mal*
> *ni dans mes pensées ni dans mes paroles.*
> *J'ai marché sur tes traces*
> *et mes pieds sont restés fermes.* (I. st. 3 et 4)

- Comment faire face à l'oppression ? La réponse est celle de la Bible même : Appelle le Seigneur, fais-lui confiance, et il te tirera de cette impasse. La confiance, qui est le grand cri des psaumes, s'exprime ici en accents sublimes :

> *Montre-moi les merveilles de ta grâce...*
> *garde-moi comme la prunelle de l'œil,*
> *cache-moi à l'ombre de tes ailes.* (I. st. 5 et 6)

*

---

[4] Souvent dans le psautier, l'accusateur et le faux témoin sont désignés par des métaphores tirées du règne animal. Ici, ce n'est rien moins que l'image d'un fauve...

La vie de Jésus ne donnera pas d'autre réponse à cet écrasement des innocents, mais elle va la nuancer, l'élargir et la rendre définitive.

- Si Jésus a supplié son Père de lui faire justice et de lui épargner la mort, il l'a pourtant acceptée en pleine liberté. Il a cherché et donné la réponse à son drame, celui du Juste condamné, non pas EN-DEÇA, MAIS AU-DELA DE LA MORT.

C'est ici qu'il dépasse ce psaume et lui donne son achèvement. La lumière du Juste ne s'éteint pas dans la mort : « La lumière ne mourra pas, fusses-tu déjà mort. Le juste passe, mais sa lumière demeure » (Dostoïevski).

- Cette réponse n'est-elle pas contenue, d'une manière voilée et implicite, dans la dernière strophe dont Jésus ne fera que révéler le sens plénier ?

> *Moi, et c'est justice, je verrai ta face ;*
> *Au réveil, je me rassasierai de ton image.*

Saint Pierre en donne un très beau commentaire, quand il dit : « Le Dieu de nos pères a glorifié son serviteur Jésus que vous avez livré et renié devant Pilate... Vous avez chargé le Saint et le Juste ; vous avez réclamé la grâce d'un assassin, tandis que vous faisiez mourir le Prince de la Vie. DIEU L'A RESSUSCITÉ DES MORTS » (Ac 3, 13-15).

« Saint, innocent, immaculé » (He 7, 26), le Christ, réveillé, ressuscité, se rassasie de la contemplation de son Père.

*

Jésus, le Juste, a passé... par la mort.

Sa lumière demeure pour les siècles.

En elle se réveilleront toutes les victimes innocentes de l'Histoire.

Office du soir

Psaume 26. Ce psaume est composé de deux chants différents par leur rythme et leur thème. Dans PE, ils se trouvent dissociés en I. et II. Nous les traitons séparément.

Psaume (de confiance) 26 I : PRÈS DE DIEU, POINT DE CRAINTE

Des spirituels plongés
dans l'incandescence de Dieu
(O. Clément)

De toute évidence, c'est l'un de ces spirituels qui se livre en ce chant mystique.

Qu'est-ce que la mystique ? « Le propre d'une âme tourmentée d'un amour total » (Dostoïevski). « L'intensité de l'amour » (Cardinal Journet).

D'un amour qui aboutit à l'expérience, douce et brûlante, de l'intimité divine.

*

N'est-ce pas ce que révèle ce psaume ?

- *L'intimité* silencieuse, le cœur à cœur familier avec Dieu :

> *Il me cache tout près de lui,*
> *dans le silence de sa demeure.* [5] (st. 5)

---

[5] « Dans le silence de sa demeure. » Litt. : « Au secret de sa tente ». Nous rencontrons deux fois le mot tente en ce psaume. Elle désigne le sanctuaire de Jérusalem où réside le Nom de Yahweh et qu'il remplit de

- *La contemplation* dans l'émerveillement :

> *La seule chose dont j'ai soif :*
> *admirer le Seigneur dans sa beauté.* (st. 4)

- *Une lumière* pacifiante qui environne l'être entier :

> *Le Seigneur est ma lumière...*
> *de qui aurais-je peur ?* (st. 1)

- *Une soif dévorante :*

> *La seule chose dont j'ai soif :*
> *vivre en la présence du Seigneur,*
> *tous les jours de ma vie.* (st. 4)

- *L'expérience de la joie :*

> *Dans sa tente, j'irai célébrer la fête*
> *par un sacrifice d'action de grâces.* (st. 6)

- Et pourtant un *combat,* un corps à corps contre une multitude d'ennemis déchaînés, mais affrontés dans la confiance la plus sereine :

> *Une armée contre moi*
> *ne troublerait pas mon cœur ;*
> *une guerre contre moi*
> *n'aurait pas raison de ma foi.* (st. 3)

*

La récitation chorale, même digne, n'épuise pas de si multiples richesses. Revenons-y dans le silence de l'oraison.

---

sa gloire. « Vivre dans sa tente » peut être aussi rendu, comme nous le faisons plus bas, par « vivre en sa présence ».

Ceci dit, ne perdons pas de vue que le sanctuaire définitif de la Nouvelle Alliance est l'Humanité du Verbe incarné.

Psaume (de supplication) 26 II :
CRI DE CONFIANCE D'UN MALHEUREUX

La seule chose impossible à Dieu

Un père ou une mère qui abandonne son enfant ? Monstrueux !
Un animal ne le fait pas.

Et si cela se passait - hélas ! on le voit -, c'est la seule chose
impossible à l'amour de Dieu :

> *Si mon père, si ma mère m'abandonnaient,*
> *le Seigneur, lui, m'accueillerait encore.* (st. 2)

Cette espèce de provocation résume le message du Deutéro-
nome, de Jérémie, d'Osée, d'Isaïe sur l'amour indéfectible de
Yahweh pour Israël. Ces textes sont proprement bouleversants :
en voici, parmi bien d'autres, deux des plus beaux :

> *Une femme oublie-t-elle l'enfant qu'elle nourrit,*
> *cesse-t-elle de chérir le fils de ses entrailles ?*
> *Même s'il s'en trouvait une pour l'oublier,*
> *moi, je ne t'oublierai jamais.* (Is 49, 15)

> *Ephraïm* [6] *est-il donc pour moi un fils si cher,*
> *un enfant tellement préféré,*
> *pour qu'après chacune de mes menaces*
> *je ne puisse m'empêcher de penser à lui*
> *et que j'en sois remué*
> *jusqu'au plus profond de moi-même,*
> *que pour lui déborde ma tendresse ?* (Jr 31, 20)

★

C'est à cet Amour que s'accrochent les psalmistes dans les
détresses personnelles, et Israël tout entier dans les alternances
tragiques de son histoire.

★

---

[6] Ephraïm, souvent mentionné dans les psaumes, est une tribu impor-
tante du nord. Ici la partie est prise pour le tout, une tribu pour l'ensemble d'Israël.

Je n'oublie pas que tu as dit :
Cherchez ma face !
Oui, je cherche ta face, Seigneur. (st. 1)

Ce passage mérite peut-être une mention particulière. Voir ou contempler la face de Yahweh - expression fréquente dans le psautier - signifie, d'une manière générale, le connaître et pénétrer dans son intimité.

Le contexte de ce psaume suggère un sens quelque peu différent, qu'une scène de la vie familiale nous fera saisir. A l'enfant qui s'est mal comporté, la mère dit : Je ne veux plus te voir. L'enfant se cache, mais cet éloignement lui devient vite intolérable : habilement il tente un rapprochement, il « cherche le visage » sur lequel il lira le pardon et la bienveillance retrouvée.

Ceci est très biblique. Yahweh cache son visage dans sa colère : « Dans un débordement de colère, un instant je t'avais caché ma face » (Is 54, 8). En signe de bienveillance, il la tourne vers l'homme : « Tu fais lever sur nous la lumière de ta face » (Ps 4, 7).

En notre psaume, Dieu qui semble s'être écarté un instant du fidèle : « N'écarte pas avec colère ton serviteur... ne me quitte pas, ne m'abandonne pas... » (st. 2), demandant de « chercher son visage » laisse entendre : Reviens à moi, pécheur, reprends cœur : ma bienveillance t'appelle.

Col 1, 12-30 :
HYMNE AU CHRIST, « PREMIER-NÉ » DE TOUTE CRÉATURE

O Christ-universel
le monde est plein de vous
(Teilhard de Chardin)

Pour saint Paul, le Christ était son Christ, avec qui et en qui il vivait une amitié intime : « Si je vis, ce n'est plus moi, mais le

Christ qui vit en moi. Ma vie présente dans la chair, je la vis dans la foi au Fils de Dieu qui m'a aimé et s'est livré pour moi » (Ga 2, 20).

De ce Christ, il nous donne encore une autre vision.

Il le contemple aux dimensions de l'univers :
   commencement, terme,
   centre et foyer du cosmos.

Et à l'intérieur du cosmos :
   unité des hommes rachetés par son sang :

C'est en lui qu'a été créé
l'univers visible et invisible.

Tout a été créé par lui et pour lui.
Il est avant toutes choses
et tout subsiste en lui.

Il est le Commencement,
le premier Ressuscité,
la tête du Corps qui est l'Eglise.

*

Qu'il en soit de même pour nous ! Ne ramenons point le Christ aux seules dimensions de notre piété personnelle.

Nous élargissons notre vision de foi et adorons la majesté et la gloire de ce Foyer qui remplit et accomplit l'univers et qui est l'Incarnation de l'Espérance fondamentale qui possède l'humanité.

« L'astre que le Monde attend, écrit Teilhard de Chardin, sans savoir encore prononcer son nom, sans apprécier exactement sa vraie transcendance, sans pouvoir même distinguer les plus spirituels, les plus divins de ses rayons, c'est forcément ce CHRIST QUE NOUS ESPÉRONS. »

I Jeudi

Office des lectures

Psaume (royal) 17B : CANTIQUE DE VICTOIRE MILITAIRE

Des hommes debout

Comment vous, mes amis,
non-violents de l'Evangile,
hommes et femmes de paix,
pacifistes engagés et objecteurs de conscience,
allez-vous accueillir et prier ce psaume de guerre ?

Car c'est bien d'un *Te Deum* de guerre qu'il s'agit ici : un
roi d'Israël y célèbre une victoire, sanglante assurément, qu'il
a remportée... grâce à Yahweh.

En voici d'ailleurs le déroulement :

- C'est Yahweh qui fait du roi un vaillant guerrier. IV.

- C'est Yahweh qui donna la victoire sur les ennemis. V. st. 1-4.

- Par cette victoire, Yahweh fait de son roi le suzerain de nations
païennes. V. st. 5 et 6.

- Vive Yahweh qui donne à son roi victoire et prestige ! VI. st. 1
et 2.

- Cette victoire a sa cause profonde dans la promesse faite à David d' « affermir à jamais son trône ». VI. st. 3.

★

De toute évidence, ce chant guerrier, par-delà les événements immédiats, annonce le messie, lequel est « descendant de David pour toujours » :

> *Yahweh donne à son roi de grandes victoires ;*
> *il se montre fidèle envers son messie,*
> *envers David et sa descendance, pour toujours.* (VI. st. 3)

Jésus-Christ, préfiguré par ce psaume, l'a lui-même prié. Nous le savions d'une manière générale à propos de l'ensemble du psautier, mais saint Paul, en Rm 15, 9, met explicitement sur ses lèvres la st. 2 de VI : « Je te louerai parmi les nations ; je célébrerai ton nom, Seigneur. »

Dans quel esprit Jésus l'a-t-il dit ? et comment nous, ses disciples, allons-nous faire nôtre ce psaume, qui ne manque d'ailleurs ni de beauté ni de valeurs religieuses ?

Au temps de Jésus, nous voulons dire : aux temps inaugurés par Jésus, il n'est plus question de batailles nationales ni de guerre sainte ni de collusion entre l'Etat et la religion, mais bien de vivre la grande aventure spirituelle comme un combat, où l'allié de l'humanité est le Christ et son Esprit. Ainsi ce psaume, tout rempli d'images fort suggestives, plein de joie de vivre, de confiance et de gratitude, devient-il le beau chant d'*hommes* et *de femmes debout dans la foi.*

« Telle est la victoire qui a triomphé du monde : notre foi » (1 Jn 5,4).

Office du matin

Psaume (de supplication) 56 : IMPLORATION D'UN PERSÉCUTÉ

Je vous souhaite d'être aussi joyeux que je le suis

Ce vœu est extrait de la lettre de Pâques d'un prisonnier brésilien.

Le pasteur Wurmbrand qui, lui, passa 14 ans dans les geôles et tortures communistes de Roumanie, cite, outre sa propre expérience, des cas bouleversants de joie dont il fut le témoin.

Jacques Lebreton témoigne[1] comment, une grenade l'ayant privé de ses deux mains et de ses deux yeux, il est parvenu, après un très long itinéraire intérieur, à cette joie au-dessus de tout sentiment.

★

C'est une expérience non moins étonnante qu'atteste notre psalmiste. Il se trouve plongé au plus noir de la détresse :

> *Je suis comme au milieu de lions :*
> *écrasé à terre parmi les hommes diaboliques.* (st. 3)

> *Sur mon passage ils ont tendu un filet*
> *pour que je ne leur échappe pas.* (st. 5)

Mais déjà il chante :

> *Mon cœur est prêt, mon Dieu,*
> *mon cœur est prêt[2]*
> *à chanter, à jouer pour toi.*
> *Allons !*
> *Réveille-toi, ô mon âme[3],*

---

[1] Dans son livre ou son disque : *Celui qui croyait à ses yeux et à ses mains,* Casterman, Paris.

[2] Certains traduisent : « D'un cœur assuré » ou « d'un cœur rassuré ».

[3] Litt. : « ma gloire », expression hébraïque signifiant : mon âme ou moi, et qui se retrouve quelquefois dans les psaumes.

> *Réveillez-vous, harpe et cithare,*
> *je vais réveiller l'aurore* [4]. (st. 6)

Et quel surprenant refrain !

> *Dieu, élève-toi au-dessus des cieux,*
> *Que ta gloire embrase toute la terre !*

*

Finalement, seule importe la gloire de Dieu.
A cette altitude, il n'est que Joie.

Jr 31, 10-14 : LES « CONSOLATIONS » DU ROYAUME MESSIANIQUE

Mes amis, demandez à Dieu l'allégresse
(Starets Z.)

Jérémie, l'auteur de ce cantique, n'a pas vécu paisible.
C'est connu :
un monde s'écroulait sur lui.
Par sa sensibilité et sa grandeur d'âme, il est devenu l'une des figures prophétiques les plus douloureuses du Christ souffrant.
Pourtant voici, tiré de son « Livre de la Consolation », un message de joie :

> *Moi (Dieu), je vais changer*
> *leur affliction en allégresse.* (st. 3)

---

[4] « Je réveillerai l'aurore. » Qu'est-ce à dire ? L'aurore ou le réveil matinal, thème assez fréquent dans le psautier, est le moment privilégié des largesses divines. Elle est également l'heure de la joie. Cf. ps 29.
Les expressions « réveil » et « aurore » peuvent, doivent même être interprétées comme une allusion voilée et lointaine à la résurrection de Jésus, source de toute victoire et de toute joie.

Et tout le poème décrit les tendresses de Yahweh envers Israël, sous des images quotidiennes et combien suggestives :

> *Ils (Israël) afflueront vers les biens du Seigneur,*
> *vers le froment, le vin nouveau et l'huile fraîche...*
> *Ils se sentiront revivre,*
> *tel un jardin bien irrigué.* (st. 2)

Remarquez encore que ce « cantique » n'est pas une prière que l'homme adresse à son Dieu, mais une « Parole de Dieu » que l'homme accueille :

> *Ecoutez, nations, la parole du Seigneur.* (st. 1)

*

Que faisons-nous de ces promesses messianiques ?
Pourquoi restons-nous si pauvres ?
Assis au bord d'une Eau Vive, nous préférons nous abreuver aux eaux stagnantes et infectées de la Vanité. « Nous nous sommes endormis sur nos trésors à nous confiés par Dieu » (J. Maritain), et nous voilà... tristes.
« Mes amis, demandez l'allégresse » et qui sait si Dieu n'ouvrira pas vos yeux et votre cœur pour vous en révéler la source, l'unique Source ?

Psaume (de Sion) 47 :
ACTION DE GRACE POUR LE SALUT DE LA VILLE SAINTE

La rose et la rosace

« La rose était au centre, mais de la rose à la rosace, il y avait continuité. C'était elle la cause, la source, le foyer, tout cela autour n'était que son exhalation, une réponse innombrable à cette invitation constituée par sa présence.

Et alors j'ai compris combien Dante s'est trompé quand il parle du paradis. Il y voit préparé pour Notre-Dame un trône simplement plus élevé que les autres. Il n'en est pas ainsi ; ce n'est pas Notre-Dame qui est dans le paradis, c'est le paradis qui est tout entier constitué sur Notre-Dame.

Au Livre des Proverbes on voit l'idée de la Vierge servant de provocation à toute la création future.

Seigneur Jésus, voici cette rose de l'Eglise qui est inextricablement mélangée à votre Règne ! » (Cardinal Journet)

Forts de ce texte d'un grand théologien, nous pourrions aujourd'hui, par ce psaume 47, célébrer le mystère de la Cité de Dieu réalisée en plénitude et perfection par MARIE et autour d'elle.

Il ne s'agira guère de faire un parallélisme strict entre chaque verset et le mystère de Marie. On tomberait dans le factice, voire l'absurde et un jeu de l'esprit qui cesserait d'être une prière. Nous proposons simplement ceci : dire ce « cantique de Sion » dans un climat marial en chantant, entre chaque strophe, un refrain à Marie, par exemple : « Réjouis-toi, Marie, toute aimée de Dieu, réjouis-toi, Mère de Dieu. » [5]

*

Cette manière de prier ne peut être féconde qu'à partir d'une connaissance exacte du psaume dans son sens littéral et son interprétation spirituelle.

On compte 6, éventuellement 9 « cantiques de Sion » [6]. Tous ils exaltent Jérusalem et son temple. Nous ne manquerons pas, en les abordant, de rappeler comment ces textes où l'Eglise de Jésus-Christ est préfigurée, affinent notre sens ecclésial, accroissent notre fierté et notre amour de la « Jérusalem d'en-haut ».

Ce psaume 47 évoque peut-être, en la st. 2, l'échec de la coa-

---

[5] La plupart des « cantiques de Sion » peuvent être priés dans le sens marial, selon l'antique tradition de la liturgie utilisant ces psaumes pour les fêtes de la Mère de Dieu.

[6] Ps 45, 75, 83, 86, 121, etc.

lition syro-éphraïmite contre Achaz, roi de Juda, en 735, ou la
retraite précipitée de Sennachérib assiégeant Jérusalem en 701.

En voici la structure :
- St. 1 : Louange de Yahweh en sa cité sainte.
- St. 2 et 3 : Salut de la cité assiégée.
- St. 4 : Action de grâces.
- St. 5 : Invitation à la procession autour de la ville.

Office du milieu du jour

Psaume 118, 17-24 : voir I Mardi jour.

Psaume 24 : SUPPLICATION CONFIANTE DANS LA NÉCESSITÉ

Seigneur, tu ne peux renier ta tendresse

Ce très beau psaume offre un modèle de contemplation.
Certes, le priant est plongé dans l'angoisse (on le voit bien aux
trois dernières strophes de II. en particulier), mais c'est d'abord
vers le Seigneur qu'il tourne son regard intérieur :

Vers toi, Seigneur, se porte tout mon être [7],
vers toi mon Dieu. (I. st. 1).

---

[7] PE traduit : « Je lève mon âme. » L'hébreu dit effectivement : âme.
Mais l' « âme » de la Bible ne correspond pas à notre concept occiden-
tal. La Bible ignore la distinction corps et âme ; l'âme signifie tout l'être
corporel animé du souffle de vie. La TOB (traduction œcuménique de la
Bible) laisse tomber le mot âme et traduit : « Je suis tendu vers toi. »

> *Je garde sans cesse mes yeux*
> *fixés sur le Seigneur.* (II. st 2)

Le souvenir même du péché conduit à la contemplation de Dieu :

> *Le Seigneur est si bon et si droit,*
> *lui qui remet les égarés sur le chemin.* (I. st. 5)

Et quand il s'agira - il le faut bien - d'envisager ses propres problèmes, le regard, redescendant de Dieu, sera pacifié et limpide :

> *Vois mes ennemis si nombreux,*
> *de quelle violence ils me haïssent...*
> *Je fais de toi mon abri,*
> *et je t'attendrai, Seigneur.* (II. st. 4)

★

Méditation sereine, tranquille.
Les yeux sont levés vers le Visage ineffable et son royaume, qui est « paix et joie dans l'Esprit Saint » (Rm 14, 17).

> *Seigneur, souviens-toi de ta miséricorde,*
> *tu ne peux renier ta tendresse éternelle.* (I. st. 2)

Office du soir

Psaume 29 : Action de graces pour une guérison

Fais confiance à la nuit

Elle est ton amie.
Dans leur bivouac de haute altitude, trois hommes se sentent inquiets à l'approche du soir : tempête, neige, brouillard. Au petit

matin, c'est à peine s'ils osent regarder par la lucarne. Or un vent du nord a balayé le ciel où s'éteignent les dernières étoiles. Tout est neuf. Joie ! Joie !

La nuit est ton amie.

Cet homme au front plissé n'entrevoit aucune solution à son problème. Qu'il dorme ! Le matin, il en tiendra peut-être la clef. Ou alors ce sera un être renouvelé et fort qui affrontera la vie.

La nuit est ton amie.

Faite pour ton repos, elle est encore l'heure où le Seigneur travaille en toi et pour toi. Et lui, le bon Dieu, fait du bel ouvrage.

*

Telle est la Parole de Dieu en ce psaume 29 :

> *Le soir s'attardent les pleurs,*
> *mais au matin crie la joie.* (st. 2)

*

Quant au cheminement de la pensée en ce psaume, il déroute notre logique et demande une explication.

- St. 1a : Le psalmiste annonce sa démarche d'action de grâces.
- St. 1b et c : Atteint d'une maladie grave, il a recouvré la santé grâce à Yahweh.
- St. 2 : Le psalmiste invite les fidèles rassemblés au temple à célébrer le Seigneur avec lui.
- St. 3 et 4 : Il reprend le récit du bienfait divin. A l'entendre dans ces deux strophes - ce procédé va se trouver dans plusieurs psaumes similaires - on pourrait croire que sa prière n'a pas été encore exaucée. Or, il n'en est rien, on le voit clairement à la dernière strophe. Alors pourquoi cela ? Le psalmiste revit la situation dramatique dont Dieu l'a tiré et il rapporte les sentiments d'alors, il répète la supplique qu'il avait jadis adressée au Seigneur, et en la répétant il l'actualise, pourrait-on dire. D'ailleurs nous saisissons parfaitement la mise en scène à la st. 3

qui est introduite par « Je me disais... » On doit imaginer la st. 4 introduite par « Voici la prière que je fis alors... »
- St. 5 : Conclusion de l'action de grâces.

*

Si haute soit la foi des psalmistes, elle n'est pas la révélation ultime de la vérité. Si certains psaumes frappent, pour ainsi dire, à la porte du NT, ce beau chant n'en est pas là. Il nous revient à nous, hommes d'Evangile, de le parachever, en particulier sur les deux points suivants : la survie et le sens de la vie.

LA SURVIE

Dans l'AT, jusqu'à Daniel et le Livre de la Sagesse, on ne décèle aucune foi précise en une plénitude de vie au-delà de la mort :

> *Que te rapporte ma vie, si je descends au tombeau ?*
> *La poussière des morts peut-elle te rendre grâce ?* (st. 4)

Cette ignorance nous permet de mieux mesurer la lumière et la réalité apportées par Jésus : « Qui mange ma chair et boit mon sang a la VIE ÉTERNELLE et je le RESSUSCITERAI au dernier jour » (Jn 6, 54).

LE SENS DE LA VIE

Cette vision limitée de la destinée humaine entraîne une optique *terrestre* du sens de la vie. Celui-ci consiste à vivre le plus longtemps possible sur cette terre.

Quant à nous, il est aisé de re-lire ce psaume dans la grande perspective chrétienne : en ce jour de ma mort

> *Tu convertiras mon deuil en danse,*
> *tu écarteras mon angoisse,*
> *tu m'envelopperas de joie*

pour faire monter en moi une louange
qui ne s'éteigne plus.
Seigneur, mon Dieu,
éternellement je te chanterai. (st. 4 et 5)

Psaume (de reconnaissance) 31 :
TÉMOIGNAGE ET ENSEIGNEMENT D'UN PÉCHEUR PARDONNÉ

Les fautes labourent l'homme
(M. Légaut)

Il faut préférer l'expérience de l'innocence à celle du péché.

O homme ! ne cherche pas à connaître le mal : il a le goût et la destination du néant.

Hélas ! tu ne l'éviteras guère.

Faut-il dire : tant pis ! ou faut-il dire : tant mieux ?

Les fautes creusent ton être, et ce vide, la miséricorde du Seigneur le comble à sa mesure divine.

*

C'est bien l'expérience du péché :
de cette terre labourée par la souffrance
et ensemencée par la grâce,
qu'atteste ce psaume de pénitence et de reconnaissance.

En voici les lignes de base :

- Introduction : *La béatitude du pardon.* St. 1.

- *L'expérience du péché pardonné.* St. 2-5.
  • Souffrance du péché ni reconnu ni avoué, alors qu'une maladie pernicieuse fait sentir au pécheur la main de Dieu. St. 2.

- Réalisant finalement sa culpabilité, le pécheur avoue sa faute. St. 3 [8].
- Il se sent libéré et désormais, quoi qu'il advienne, en sécurité dans l'amitié pardonnante de Yahweh. St. 4 et 5.

- *Enseignement de sagesse*, à partir de l'expérience précédente. St. 6 et 7a.

> *N'imite pas la bêtise des mules*
> *et rien de fâcheux ne t'arrivera.* (st. 6)

> *La misère du pécheur est profonde,*
> *mais la bienveillance*
> *et la tendresse du Seigneur*
> *enveloppent qui compte avec lui.* (st. 7)

- Conclusion liturgique. St. 7b.

Ap 11 et 12 : HYMNE AU JUGEMENT DIVIN

Je crois à la justice et à l'espérance
(P. Casaldaliga)

Tel est le titre du livre autobiographique d'un évêque brésilien.

Le pasteur lutte jusqu'à ses dernières forces pour la justice envers son peuple de pauvres, qui semble submergé par les puissances de l'argent et qui toujours surnage et espère.

*

---

[8] Le texte porte « grâce », que nous avons rendu par « bienveillance et tendresse ». Si l'on voulait désenvelopper la densité de ce mot biblique de grâce, il faudrait dire encore : miséricorde, fidélité, amour, justice, paix et joie de Dieu.

C'est tout cela que nous affirmons de Marie en répétant la salutation de l'ange : « Pleine de grâce ».

De quelle ferveur un témoin de cette classe et, comme lui, tous les passionnés de justice arrivés à ce cantique de l'Apocalypse, ne doivent-ils pas chanter et célébrer la Justice de Dieu, avec les paroles mêmes de la liturgie céleste, telles que Jean nous les transmet ! Ils y entrevoient par anticipation l'aboutissement de leur combat pour le royaume de Dieu :

La fureur des peuples s'était déchaînée,
mais ta propre Colère est venue
et le temps de juger et de récompenser
tes serviteurs... (st. 2)

Ceux-ci ont vaincu par le sang de l'Agneau,
par leur témoignage éloquent
et leur mépris de la vie
jusqu'à la mort [9]. (st. 3)

Cieux, faites-en votre joie ! (st. 4)

*

Et maintenant ?

A nous de rester sensibles à ces graves problèmes du monde contemporain.

A nous d'agir, quand et là où nous le pouvons et devons.

A nous de porter, dans la prière, « l'espérance désespérée du peuple », comme le dit encore Mgr Casaldaliga.

---

[9] A propos de la st. 3 : « Il est vaincu l'accusateur de nos frères » y est-il dit. Allusion à Satan. Il se trouve là comme témoin à charge - on voit cela également en Job 1, 6 et Zacharie 3, 1-5 - rappelant les péchés commis par ceux qui se présentent au tribunal de Dieu.

I Vendredi

Office des lectures

Psaume (de supplication) 34 :
APPEL D'UN ACCUSÉ A LA JUSTICE DIVINE

Vous m'avez mal jugé...

Qui de nous, un jour ou l'autre, n'a pas senti douloureusement peser sur son âme tel ou tel jugement sévère ?
On parlait de nous,
on divulguait,
on déformait,
on accusait et condamnait.
Nos sentiments se faisaient violents et se transformaient en ressentiments vindicatifs.
A la manière de notre psalmiste, d'ailleurs.
Si seulement, comme lui, au lieu d'en parler à n'importe qui et n'importe comment, nous avions fait recours à Dieu !

*

JÉSUS a vécu le tragique de ce psaume. Les ressemblances entre la situation du psalmiste et la sienne face à ses adversaires ne réclament pas d'éclaircissement, tant elles sont frappantes.
Dans PE, le psaume a été fortement raccourci et on peut regretter, en particulier, que le verset 19 soit tombé, alors que Jésus se l'applique à lui-même en Jn 15, 24-25 : « Ils ont vu (des

œuvres que nul autre n'a faites) et ils nous haïssent, moi et mon Père. Mais c'est pour que s'accomplisse la Parole écrite dans leur loi : ' Ils m'ont haï sans raison '. » (v. 19 de ce ps 34).

Pour nous, en disant ce psaume [1], il importe d'avoir présent à l'esprit à quelle perfection Jésus a porté cette prière :
- par sa *douceur* face à l'opposition qui, après avoir longtemps couvé, éclata brutalement au procès du Jeudi et du Vendredi saint ;
- par son *pardon :* « Père, pardonne-leur, parce qu'ils ne savent pas ce qu'ils font. »

A travers ce psaume, Jésus nous apprend à prier puis à dominer les situations difficiles créées par des jugements malveillants ou faux, et, selon sa manière, à rendre le bien pour le mal.

Office du matin

Psaume 50 :
AVEU DU PÉCHÉ, DEMANDE DE PARDON ET ACTION DE GRACES

**Si l'essentiel dont notre monde manque
était une bonne conscience ?**
(K. Barth)

Voici le Miserere.
C'est le psaume de l'enfant prodigue.

---

[1] Si nous ne développons pas la structure de ce ps 34, nous voudrions cependant rendre attentif au fait que supplication, action de grâces et complainte s'entremêlent d'une façon déroutante pour notre logique, mais selon un procédé constant dans les psaumes de supplication. Une explication partielle en a été donnée au ps 29.

111

Il retrace le même itinéraire que la parabole évangélique :
de la famine au banquet,
de la misère à la fête.

La compréhension en est aisée. Il peut cependant être utile de relever quelques grands thèmes [2].

- « Je reconnais mes torts. » (st. 2)

Afin que la « vérité soit en moi ».
Terrible, une humanité... innocente ! On a tellement voulu déculpabiliser l'homme qu'on en a fait un innocent. Et comme les choses vont mal sur la planète, les autres, tous les autres sont coupables. Tous, sauf moi. D'où condamnation, haine, violence, torture même.
La « bonne conscience » de Karl Barth n'est pas la conscience pharisaïque mais celle qui est habitée par la vérité : humble, contrite, pardonnée.

- « Je suis né dans la faute. » (st. 3)

Cette impureté foncière sera développée par Paul dans la doctrine du péché originel, en corrélation avec le mystère de la Rédemption (cf. Rm 5, 12-21).

- « Les os que tu broyas... » (st. 4)

Est-ce qu'on n'attribuerait pas à Dieu, avec le manque d'intériorisation et d'analyse des lois humaines propre à une époque archaïque, le mal que l'homme se fait à lui-même par le péché ? Ne se broie-t-elle pas elle-même, l'humanité pécheresse ?

- « Crée en moi un cœur pur. » (st. 5 et 6)

Le pardon ne passe pas un coup d'éponge sur une saleté quelconque. Un être nouveau est créé, re-créé par la tendresse de Dieu. Un être spirituel. « Affermis en moi un esprit nouveau. »

---

[2] Ce psaume n'est pas de David, contrairement à l'opinion courante. La pensée théologique évoluée qui le caractérise permet de le situer dans le rayonnement des grands prophètes, en particulier Isaïe et Ezéchiel, 400 ans plus tard.

« Ne me ravis pas ton esprit saint. » - « Soutiens-moi de ton esprit magnanime. »

- « Le sacrifice, pour Dieu, c'est un esprit brisé. » (st. 8)

C'est un cœur humble, offert à la miséricorde divine.
Ils ne sont pas rares, ces psaumes post-exiliques qui marquent un tournant vers un culte intérieur et spirituel [3].

★

La dernière strophe gagne à être traitée séparément. Deux thèmes :

- Les 2 premiers vers : la prière (individuelle jusqu'ici) s'élargit sur la détresse nationale et implore la restauration de Jérusalem et du temple.

- Les derniers vers : ils s'accordent mal avec la strophe précédente. Ils pourraient être une addition de prêtres, plus soucieux que notre psalmiste, de sacrifices liturgiques traditionnels.

Is 45, 15-26 :
UN ORACLE DE YAHWEH : « JE SUIS LE SEUL SAUVEUR »

Un Dieu caché
dont la seule force est l'amour
(O. Clément)

Vraiment, tu es un Dieu caché,
Dieu d'Israël, Sauveur ! (st. 1)

---

[3] Cf. ps 49, ou Dn 3, 26... 41, à IV Mardi matin, ps 23.

Montrez-nous votre Dieu ! nous provoque-t-on parfois.

Force est de reconnaître qu'un Dieu caché est insupportable à l'esprit humain. On veut le voir, un peu comme lors d'une catastrophe, on guette l'avion de la Croix Rouge. Ou le constater scientifiquement, à la manière des bienfaits des rayons solaires sur les plantes.

Parce qu'il est caché, ce Dieu n'existerait-il pas ? L'homme ne pourrait-il pas le connaître ? Tendre vers lui ?

*

Ainsi parle le Seigneur,
créateur des cieux,
Dieu qui fit la terre et la forma. (st. 4)

N'y a-t-il pas le monde créé pour parler de lui ?

Les splendeurs de l'univers pour révéler sa beauté ?

N'y a-t-il pas, pour dire sa providence, cette terre qui nourrit trois milliards d'hommes et tous les animaux et toutes les plantes ?

Ici encore Dieu est caché : il ne signe pas ses dons.

Et il faut, pour le découvrir, autre chose que l'esprit scientifique ou le froid raisonnement.

Il faut avoir foi en ce que dit le cœur.

*

Ce n'est pas en cachette que j'ai parlé,
ni en un lieu ténébreux. (st. 5)

Caché, ce Dieu a pourtant fait retentir sa voix. Il a annoncé les choses à venir (« Qui l'avait révélé d'avance ? », st. 8), lesquelles seront réalisées un jour en l'homme parfait Jésus, et son Royaume.

*

Rassemblez-vous, venez,
approchez tous ! (st. 6)

114

Dieu, pourquoi est-il caché, si ce n'est parce qu'il est L'AMOUR ?
L'amour est une force intérieure.

Son Amour ! Ce mot n'est pas prononcé une seule fois dans
cet oracle d'Isaïe, mais ne le sentez-vous pas vibrer à travers
toutes les stances, comme le vent dans le feuillage ? Dieu clame
sa soif de *sauver :*

> *Israël est sauvé par le Seigneur.* (st. 3)
> *Moi, Dieu juste et sauveur.* (st. 8)
> *Tournez-vous vers moi pour être sauvés.* (st. 9)

*

Vraiment, *un Dieu caché, dont la seule force est l'amour.*

Psaume 99 : HYMNE PROCESSIONAL D'ENTRÉE AU TEMPLE

J'ai signé avec Dieu un pacte de joie
(H. Camara)

Comment s'approcher du Seigneur ?
Comment le rencontrer,
comment le servir
autrement que dans l'allégresse ? (st. 1)
En effet

> ... *le Seigneur est bon,*
> *éternel est son amour,*
> *d'âge en âge*
> *inlassablement fidèle.*

Office du milieu du jour

Psaume 118, 25-32 : voir I Mardi jour.

Psaume 25 : Supplication et protestation d'innocence

**Si nous n'avions pas devant nous
la précieuse image du Christ...**
(Starets Z.)

Qui de nous peut faire sienne la prière de ce psaume ?
Par exemple, dire à Dieu :

> *Plonge en moi ton regard...*
> *ma conduite est sans reproche.*
> *En signe d'innocence, je lave mes mains.* (st. 1 et 3)

Nous le penserions et le dirions que ce serait grave : « Je ne
suis pas venu appeler les justes, mais les pécheurs », dit Jésus.

★

Essayons d'abord de comprendre le psaume dans sa genèse et
son sens littéral.

C'est un malade qui prie, apparemment un prêtre, dont les
jours sont menacés (« Ne m'ôte pas la vie », st. 4) ou qui est
faussement et gravement accusé (« Ne me donne pas le sort de
l'assassin », st. 4).

Or nous le savons, dans l'AT la maladie est signe de punition,
tandis que la droiture de vie attire la bénédiction des longs jours.
« Alors, Seigneur, guéris-moi ! Car enfin je suis innocent. » Le
psalmiste plaide sa propre cause et comme tout bon avocat force
la note : qui voudrait l'en blâmer ?

S'il s'agit en ce psaume d'une accusation en justice, nous pouvons adopter une interprétation semblable.

Une autre chose à remarquer à ce propos : quand nous-mêmes, nous nous trouvons accusés, même légèrement, que nous sommes habiles à nous faire notre propre avocat ! Même en face de Dieu seul, nous avons tendance à minimiser notre cas, à nous trouver toutes sortes de clauses atténuantes.

Le psalmiste est bien notre frère !

*

Le psalmiste est notre frère.

Mais notre *Maître*, c'est le *Christ*, dont nous portons la précieuse image dans notre cœur.

C'est en lui que nous dirons ce psaume :

- Nous contemplons Jésus, le « Saint de Dieu » [4], dont

    la vie est ôtée comme au pécheur. (st. 4)

Oui, « celui qui n'avait pas connu le péché, Dieu l'a fait péché pour nous, afin qu'en lui nous devenions justice de Dieu » [5].

- Nous pécheurs : justice de Dieu ! Oui, « en LUI », le seul innocent et l'innocence de tous ceux qui se tournent vers lui.

- Enfin, c'est l'Eglise de Jésus-Christ qui, par notre voix, dit ce psaume. Composée de pécheurs, elle reste cependant « sainte et immaculée » [6], puisque tout pécheur, par son péché et dans la mesure de son péché, se met hors de l'Eglise, le Corps du Christ trois fois saint.

---

[4] Lc 4, 34.
[5] 2 Co 5, 21.
[6] Ep 5, 27

I Vendredi

Psaume 27 :
SUPPLICATION D'UN MALADE MENACÉ D'UNE MORT PRÉMATURÉE

Au-delà de la maladie

C'est presque chaque jour que le psautier nous met en contact avec le mystère et le drame de la maladie.

Certains psaumes de malades se limitent à confier à Dieu la détresse présente, attendant, avec une foi de granit, le salut des mains de l'Allié d'Israël. Notre psaume 27 contient les éléments habituels de ces prières de souffrants :

invocation du nom et de la grandeur de Dieu (st. 1) ;
supplication confiante (st. 2 et 3) ;
action de grâces (st. 4)

*

Reste la dernière strophe.

Elle nous amène, si imperceptible que cela soit, « au-delà de la maladie ». On voit ici le malade déborder son propre cas et appeler sur son peuple et « son messie » (son roi) la bénédiction qu'il attend (ou qu'il vient de recevoir) de Yahweh :

> *Le Seigneur est la force de son peuple,*
> *la forteresse qui sauve son messie.*
> *Sauve ton peuple, bénis ton héritage,*
> *sois leur berger et porte-les toujours !*

*

Nous, chrétiens, nous ferons dans ce sens un pas de plus, grâce à la CROIX DE JÉSUS.

Plongés, immergés en Christ par le baptême, nous souffrons *avec* lui, ou *lui* souffre en nous et sa souffrance rachète le monde *en nous* et *par nous.*

118

Cette fécondité spirituelle, acceptée et vécue dans la foi, fait que les saints aiment la souffrance [7], quelle qu'en soit l'origine. Comme dit Jacques Maritain, « ils disent merci à Dieu quand il leur donne du pain, et merci encore quand il leur donne une pierre et pire encore ». Tandis que les psalmistes souhaitent parfois tant de mal à leurs ennemis et persécuteurs - ils n'ont pas encore touché à la montagne des Béatitudes - la manière des hommes évangéliques est de sauver, dans le Christ, les méchants par les souffrances mêmes que les méchants leur infligent.

Office du soir

Psaume 40 :
SUPPLICATION D'UN MALADE REJETÉ PAR LES SIENS

Jésus n'a pas éliminé, mais illuminé la souffrance

La maladie, avec sa traînée de souffrances physiques et morales, fut pour l'homme de tous les temps une interrogation brûlante.

Finalement, elle reste un mystère.

Jésus ne l'a pas éliminée, et il l'a moins expliquée qu'illuminée et transfigurée.

Ce n'est pas du dehors, comme en théorie, qu'il lui a donné

---

[7] Ils ne l'aiment pas pour elle-même, bien sûr, mais pour sa relation à Jésus, pour la communion qu'elle crée avec le Seigneur souffrant, et s'ils s'en réjouissent, c'est dans la partie spirituelle de leur être.

un sens, mais bien du dedans : il s'y est abîmé et en a fait jaillir la lumière pour tous les âges à venir.

★

Ainsi n'a-t-il pas expliqué ce psaume de malade, il l'a vécu et accompli. Il nous le fait savoir lui-même en Jn 13, 17-18 : « Je connais ceux que j'ai choisis ; mais il faut que l'Ecriture s'accomplisse (et voici notre psaume, st. 3) : ' Celui qui mange mon pain a levé contre moi son talon '. »

Psaume de la Passion, où déjà la Résurrection est mystérieusement évoquée :

> *Tu m'auras rétabli pour toujours*
> *devant ta face.* (st. 4)

★

Avec quel respect ne convient-il pas d'aborder pareil psaume ?

- St. 1 : Introduction : la béatitude de celui qui fait miséricorde [8].

- St. 2 et 3 : La maladie a réveillé dans le psalmiste une conscience aiguë de son péché. Il s'humilie, tout en suppliant Dieu de le délivrer des malveillants qui l'entourent et se réjouissent de son malheur.
  L'épreuve la plus douloureuse : la défection de l'ami intime, à laquelle Jésus fait allusion en Jn 13.

- St. 4 : Que Yahweh accorde la guérison ! A ce signe le psalmiste reconnaîtra l'amitié de Dieu retrouvée et vivra en sa présence au temple [9].

- St. 5 : Conclusion liturgique.

---

[8] On pourrait la concevoir dite par le prêtre accueillant le ou les pénitents au temple. Le même procédé se retrouve au psaume 31.
[9] Il s'agit donc d'un prêtre ou d'un lévite.

Psaume (de Sion) 45 :
HYMNE A L'EMMANUEL, SAUVEUR ET FORCE DE JÉRUSALEM

Nous avons besoin d'espaces d'Eglise

La question de l'Eglise est souvent à la « une » des grands journaux. Elle n'a jamais autant préoccupé nos contemporains, même s'ils s'en éloignent. Finalement leurs critiques et leurs refus dévoilent une attente... déçue.

Notre temps, sous peine d'étouffer, a besoin d'espaces d'Eglise.

*

Ce psaume 45 est un psaume d'Eglise, comme tous les « cantiques de Sion ».

Comment l'interpréter ?

D'une manière générale, on peut qualifier ce chant de « Psaume de l'Emmanuel », du Dieu-avec-nous, comme cela apparaît dans le refrain - qu'il faut normalement intercaler encore entre la 1re et la 2e st. :

Avec nous, le Seigneur de l'univers !
Citadelle pour nous qui sommes son peuple.

Toujours d'une manière générale, l'application à l'Eglise en est immédiate : « MOI, dit Jésus, JE SUIS AVEC VOUS POUR TOUJOURS » (Mt 28, 20).

Entrons maintenant dans les précisions.

- St. 1 : Cette présence du Christ en elle fait toute *l'assurance* de l'Eglise devant les puissances hostiles de toute nature :

Si le monde est bouleversé
et la terre sens dessus dessous
pour nous, aucune raison de craindre [10].

---

[10] Pour signifier les dangers encourus par la Ville sainte et sa délivrance (probablement devant la menace de Sennachérib, en 701), le psal-

- Un réalisteur de télévision disait à un évêque, après l'enregistrement d'une émission sur l'Eglise - et c'est le prélat lui-même qui nous le confie - : « Pourquoi donc avez-vous si peur ? Pourquoi l'Eglise a-t-elle si peur, alors que le monde l'attend ? »

- St. 2 : *Dieu est en elle.*
De quelle manière Dieu n'est-il pas dans l'Eglise ! Elle possède l'Eucharistie, qui sera célébrée jusqu'au dernier des jours. Et « un fleuve la réjouit », l'*Esprit,* cette Eau vive, vivifiante, qui coule irrésistible. A l'Eglise d'être assez pure et en même temps si solidaire du monde pour que les hommes, brûlés d'espérance, puissent se nourrir de ce Pain et se restaurer à cette Source [11].

- St. 3 : « Qu'il (Dieu) arrête les combats jusqu'au bout de la terre, casse les arcs et brise les lances ! » Ainsi sera instaurée sur la terre la paix de Dieu. L'Eglise, telle que le Christ la veut et la fait, est une « VISION DE PAIX », un « espace de communion » ou une fraternité à travers le monde entier, dans le partage et l'acceptation de la diversité des êtres et des situations. Alors et alors seulement le monde trouvera ce Dieu qu'il cherche et reconnaîtra son vrai visage !

Reconnaissez que Je suis Dieu ! (st. 3)

---

miste se sert des images les plus fortes et qui évoquent le chaos : la terre tremble, les montagnes s'effondrent, les flots inondent. Ce sont des images. Considérons-les donc comme telles. En revanche, à la st. 2, le langage se fait historiquement objectif : « les peuples mugissent, des règnes s'effondrent ».

[11] L'image de l'eau revêt en ce psaume deux sens opposés. Dans la st. 1, comme en de nombreux psaumes d'ailleurs, les eaux déchaînées symbolisent les forces destructrices. Mais un fleuve traversait et fécondait le paradis (Gn 2, 10). « Le fleuve dont les bras réjouissent la ville de Dieu » (st. 2) ne peut être qu'une allusion au paradis, car ni fleuve ni mince rivière ne touchent Jérusalem. Jérusalem, image du paradis : peut-on dire chose plus belle ?

Ap 15, 3-4 :
CANTIQUE DE VICTOIRE DE L'AGNEAU CÉLESTE

Les choses du ciel

Voici comment l'Apocalypse introduit ce cantique !

« Moi, Jean, je vis comme une mer de cristal mêlée de feu, et ceux qui ont triomphé de la Bête [12]... debout près de cette mer de cristal. S'accompagnant sur les harpes de Dieu, ils chantent le cantique de Moïse, le serviteur de Dieu [13], et le cantique de l'Agneau. »

Ce « cantique de l'Agneau », appelé « cantique nouveau » (Ap 14, 3) célèbre la nouvelle délivrance du Peuple de Dieu et l'ordre nouveau instauré par l'Agneau immolé.

C'est lui qui nous est proposé aujourd'hui.

---

[12] La Bête représente toutes les forces dressées contre le Christ et l'Eglise.
[13] Moïse y célèbre la délivrance d'Egypte. Nous prions ce cantique à I Samedi matin.

I Samedi

Office des lectures

Psaume (de confiance) 130 : HUMBLE ABANDON A DIEU

L'homme : un néant environné de Dieu
(Cardinal Bérulle)

Il n'est pas que néant, cet homme complexe et mystérieux. Bérulle dit encore : « C'est un ange, un animal, un miracle, un centre, etc. » Mais néant, il l'est aussi. Qu'il en garde conscience, s'il veut se situer dans la vérité !

> *Seigneur, je n'ai pas le cœur fier*
> *et mon regard ne se fait pas hautain.* (st. 1)

Néant... environné de Dieu, de l'amour infini de Dieu. Le sein maternel ne serait-il pas l'image la plus évocatrice de cette tendresse enveloppante de Dieu ?

> *Mon âme est comme un enfant*
> *tout contre sa mère.* (st. 2)

Alors là, en Dieu, tout se tait et se fait intérieur :

> *Je garde mon âme en paix et silence :*
> *Mon cœur enfin a trouvé son repos.* (st. 2)

★

Ce psaume est peut-être le plus évangélique de tous.
Il est caractérisé par

- L'*humilité* et *la pauvreté* spirituelle, ce que Thérèse de Lisieux avait d'instinct compris comme le cœur de l'Evangile. « Ce qui plaît à Dieu en mon âme, avouait-elle très simplement, c'est de me voir aimer ma petitesse et ma pauvreté. »

- L'*attitude filiale*. L' « Abba, Père ! » résonne à travers tout l'Evangile et jaillit sans cesse de l'âme de Jésus. En traduisant ce vocable araméen « Abba » par Père, le sens n'en est pas totalement rendu. Il faudrait dire : Père bien-aimé ou même, à la manière du petit enfant : Papa.

*

Le cœur croyant se plaira à voir en ce psaume un portrait de MARIE.

Se situant déjà dans la lignée mystique la plus pure d'Israël, elle s'est imprégnée, comme aucune autre créature, durant les trente années de cœur à cœur avec son Fils, de cet esprit filial d'enfance.

Psaume (royal et de Sion) 131 :
CHANT DE PROCESSION POUR L'ANNIVERSAIRE
DE LA TRANSLATION DE L'ARCHE D'ALLIANCE EN SION

Pas d'autre horizon que le Christ

Jésus, en qui « habite toute plénitude »[1] est l'horizon de tous les horizons.

---

[1] Col 1, 19.

Il fut d'abord l'horizon de l'Ancien Testament,
sa frange lumineuse,
sans cesse présente, parfois devinée.

Cette clarté du Christ illumine tout le psaume 131.

Si nous l'oublions, nous ne pourrons pas faire de ce texte ancien *notre* prière et nous nous trouverons contraints à le lire
comme un document historique.

*

Connaissons d'abord la signification littérale du psaume.

- Dans une première partie (I. de PE), les Juifs, vivant à une
  époque où il n'y a plus ni royauté ni Arche d'Alliance (les
  deux ayant disparu à l'invasion babylonienne), représentent
  en une procession commémorative la montée de l'Arche
  d' « Ephrata et du Champ-du-Bois » (st. 3) où elle résida
  d'abord, jusqu'à Sion [2]. Ces croyants, en mimant un événement
  religieux du passé, revivent le mystère de l'alliance et de la présence divines.

- Dans la deuxième partie (II. de PE), on rappelle à Dieu la promesse qu'il fit à David [3] de garder la royauté à sa descendance,
  d'en faire sortir le messie et d'établir sa domination sur la terre
  entière.

*

---

[2] A propos de la ferveur de David exprimée dans I. st. 2 :
   Je n'irai pas habiter ma maison...
   ni accorder du sommeil à mes yeux...
   avant de trouver un lieu à mon Seigneur,
   une demeure au puissant de Jacob,
saint Ambroise a le beau commentaire suivant : « Médite toujours,
aie toujours à la bouche les réalités divines. Parle dans ton sommeil, pour
que le sommeil de la mort ne te surprenne pas. Que tu te lèves ou te
relèves, parle du Christ. »

[3] 2 S 7, 1.

Reportons maintenant ce psaume à Jésus qui, lui, réalise pleinement la promesse divine, et nous aurons un très bel hymne au Christ, à son Humanité sainte et à l'Eglise.

Voici un peu comment opérer cette re-lecture [4].

DAVID

David est, parmi les figures de l'AT, celle qui annonce le plus parfaitement le messie. En lieu et place de « David » lisez « Jésus » et interprétez certaines expressions telles que « trône » ou « siéger » dans le sens du Royaume de Dieu.

L'ARCHE D'ALLIANCE

Elle est l'un des signes les plus constants de la présence et de la gloire de Yahweh au milieu de son peuple. Or à la présence de Dieu par l'Arche succède, dans l'Incarnation du Verbe, sa présence humaine :

Le Verbe s'est fait chair
et il a demeuré parmi nous,
et nous avons vu sa gloire [5].

Quand il s'agit d' « Arche » (elle est désignée par « Elle » en I. st. 3), pensons à l'Humanité du Verbe et... adorons-la !

---

[4] Une pareille transposition est si dense de pensée théologique qu'elle dépasse les possibilités d'une récitation chorale. Elle est plutôt le fait d'une étude et d'une lecture préalable de ce psaume.

[5] Jn 1, 14. La « gloire » était, dans l'AT, la manifestation éclatante et redoutable de Yahweh et précisément reposait sur l'Arche : 1 S 4, 22. Dans le NT, elle repose sur Jésus et parfois se manifeste à quelques privilégiés, par ex. au Thabor, le jour de la Transfiguration.

Sion

Sion [6], la cité de David, est l'Eglise. Grâce à cette transposition, les trois dernières strophes de II. prendront une signification intense et une beauté inattendue : à votre ferveur de les découvrir !

Psaume (d'instruction) 104 :
Louange a Dieu pour l'histoire d'Israel

Chacun de nous peut, à chaque instant, commencer un nouvel avenir

Pourquoi l'amour de Dieu aurait-il un terme ?
Il s'est manifesté autrefois, en faisant passer le peuple élu de la captivité d'Egypte à la Terre promise.
Il a éclaté dans la mort et la résurrection de Jésus.
Maintenant ces merveilles passées vont se « désenvelopper » jusqu'à la fin des temps et ne cesser de se réaliser en chacun de nous. Aujourd'hui même. Jésus ressuscité a « ouvert une brèche à l'horizon des hommes. Chacun de nous - chaque génération - peut, à chaque instant, commencer un nouvel avenir » (Roger Garaudy).

*

L'histoire d'Israël, sujet de ce psaume 104, relate finalement notre propre histoire, l'éclaire et nous aide à la vivre. La louange qu'il contient devient la nôtre pour les merveilles de libération et de vie que le Christ ressuscité accomplit encore aujourd'hui en nous.

*

---

[6] Le mont Sion est la résidence du roi d'Israël et site du temple, au cœur de Jérusalem. Parler de Sion, c'est parler du cœur de Jérusalem.

En voici la structure et le sens littéral [7].

- Invitation à la louange, à l'occasion de quelque grande assemblée juive. I. st. 1-4.
- Histoire des Patriarches et alliance avec Abraham. I. st. 5-8.
- Histoire de Joseph. II.
- Mission de Moïse. III. st. 1-11
- Terre promise. III. st. 12

Office du matin

Psaume 118, 33-40 : voir I Mardi jour.

Ex 15, 1-18 : ACTION DE GRACE
POUR LA SORTIE D'EGYPTE ET L'ENTRÉE EN TERRE PROMISE

Etre debout au matin de Pâques

« Ce que je souhaite, c'est d'être debout au matin de Pâques et d'éclater de rire en voyant l'Eglise ressusciter de partout, de par-

---

[7] La préoccupation didactique du psalmiste apparaît dans le fait qu'il n'énumère pas seulement des événements bruts, mais fait ressortir leur signification, les « titres de gloire » de Yahweh, les témoignages de la fidélité, de la loyauté, de la patience et de la miséricorde de Dieu. De cette vue rétrospective se dégagent des attitudes pratiques de vie.

tout. Car il faut que l'Eglise vive le mystère pascal. Nous sommes pour l'instant au Samedi saint » (Ivan Illich).

*

Mystère pascal ! C'est précisément lui que célèbre Moïse [8] en ce chant de la Pâque, c'est-à-dire du passage de la captivité d'Egypte à la liberté de la Terre promise.

En voici la structure :

- Annonce du thème par un chantre ou le chef de l'assemblée. St. 1 et 2.
- Récit de l'œuvre de Yahweh :

  sortie d'Egypte. St. 3-8.
  marche vers la Terre promise. St. 9.
  installation en Terre promise. St. 10.
- Acclamation du peuple en réponse à ce récit. St. 11.

*

Quant à l'Eglise d'aujourd'hui, par nous ses délégués à la louange, elle revit, à travers ce cantique, qui est le plus ancien et le plus célèbre de la Bible, le mystère même du Christ et de son Eglise. Cette réalité s'exprime pleinement en un mot : *Pâques* (ou *passage*) où, il est vrai, s'entremêlent encore mort et résurrection (le « Samedi saint » et le « matin de Pâques » de Illich). Cette alternance transparaît d'ailleurs dans l'avant-dernière strophe où l'Eglise, comme l'Israël libéré, doit tendre vers la Terre promise de l'Espérance chrétienne :

---

[8] Il est tout à fait improbable que Moïse ait chanté cet hymne tel qu'il nous est parvenu, pas plus que le Magnificat ou le Benedictus auraient été « enregistrés » tels quels. Moïse, avec sa sœur Marie, en a fourni le thème, qui plus tard fut élaboré littérairement et cultuellement. Ainsi ce cantique reproduit-il strictement le type classique des psaumes ultérieurs d'action de grâces.

Tu les mèneras et les planteras
sur la montagne de ton héritage,
au lieu dont tu fis, Seigneur, ta demeure.

Psaume 116 : INVITATION A LA LOUANGE

Joie et émerveillement

Voici le psaume le plus court de tout le psautier.

Il constitue le noyau primitif des *hymnes* (ou chants de louange) d'Israël.

Cette louange de Yahweh n'est faite que de joie et d'émerveillement, tant notre Dieu est grand, bon et beau.

Office du milieu du jour

Psaume 118, 33-40 : voir I Mardi jour.

Psaume (d'action de grâces et d'instruction) 33 :
LOUANGE A LA JUSTICE ET LA BONTÉ DIVINES

Et les pauvres m'évangélisaient
(Mgr G. Riobé)

L'évêque d'Orléans a cette humble et touchante phrase au retour de multiples voyages dans le Tiers-Monde. Les « petits » rencontrés là-bas pouvaient bien... l'évangéliser, car ils sont si parfaitement accordés à la Bonne Nouvelle : « Je te bénis, Père... d'avoir caché cela (le mystère du Royaume) aux sages et aux habiles et de l'avoir révélé aux tout petits [9]. »

*

Ce psaume [10] est la prière d'un « pauvre », « d'un malheureux », d'un « cœur broyé » (I. st. 1 et 3 ; II. st. 4) qui, désapproprié de tout, marche à la quête de Dieu. Il lui est alors donné à cause de son dépouillement (peut-être plus intérieur qu'extérieur) de faire une expérience ineffable :

> *Goûtez et voyez*
> *comme est bon le Seigneur !* (I. st. 4) [11]
> *Ceux qui regardent vers lui resplendiront.*
> *Nul trouble jamais n'assombrira leur visage.* (I. st. 3)

Riche de cette illumination du cœur, le psalmiste n'hésite pas à se présenter en maître de spiritualité, dans le style propre à l'AT. C'est le II. de PE [12].

> *Venez, mes fils, écoutez-moi.* (st. 1)
> *Le méchant est voué à son mal : il mourra.*
> *Le Seigneur, lui, veille sur ses amis :*
> *il se tient près des cœurs broyés.* (st. 6 et 4)

*

---

[9] Lc 10, 21.

[10] « L'un des plus beaux et des plus grands textes du psautier et qui nous conduit à un sommet de l'AT » (L. MONLOUBOU, *L'âme des psalmistes*).

[11] Le bel hymne latin aimé des anciennes générations : *Jesu dulcis memoria* s'inspire de ce verset.

[12] A vrai dire, ce besoin de communiquer son expérience de Dieu aux autres « pauvres » réunis au temple se remarquait déjà dès le début du psaume :

> *Que les pauvres m'entendent...* (I. st. 1)
> *Magnifiez avec moi le Seigneur,*
> *exaltons tous ensemble son nom !* (I. st. 2)

Il n'est pas sans intérêt de savoir que ce psaume, particulièrement cher à l'apôtre Pierre, se trouve cité trois fois dans le NT :

- 1 P 2, 3 : « Comme des enfants... désirez le lait spirituel non frelaté, afin que vous croissiez pour le salut, si du moins ' vous avez goûté comme est bon le Seigneur '. »

- 1 P 3, 10-12 : « Bénissez, car c'est à cela que vous avez été appelés, afin d'hériter la bénédiction. » Et Pierre de citer les st. 1-3 de II. en PE.

- Jn 19, 36 : L'évangéliste nous apprend qu'on ne brisa pas les jambes de Jésus, tandis qu'on le fit pour les deux autres condamnés, « afin que s'accomplît l'Ecriture : ' On ne lui brisera pas un os ' », ceci étant une citation de notre psaume, II. st. 5.

Office du soir

Psaume 118, 105-112 : voir I Mardi jour.

Psaume (de confiance) 15 :
LE SEIGNEUR EST MON SEUL HÉRITAGE

Le royaume de Dieu est une expérience du cœur
(Nietzsche)

Ce psaume brûle.
Si bien que le cœur sincère hésite à le reprendre à son compte : Non ! je ne suis pas au diapason de cette prière. J'avoue que je

demande mon bonheur à tant d'êtres et de choses plutôt qu'à Dieu, et lorsqu'ils me sont ravis, non seulement la vie se décolore à mes yeux, mais elle perd son sens.

Qu'est-ce que ma vie, si mes amis m'abandonnent ? si l'estime et la confiance de mon entourage me sont retirées ?

Qu'est-ce que ma vie, si la douceur de la foi disparaît ? si la santé flanche ?

Qu'est-ce que ma vie, si le travail fait défaut ou ne correspond pas à mes aptitudes et mes goûts ?

Qu'est-ce que ma vie sans journaux, TV, auto et loisirs ? (Et ne parlons pas de choses moins avouables....)

Non ! A moins de me jouer la comédie, je n'ose pas dire que Dieu fait tout mon bonheur et que tout le reste peut manquer sans altérer ma raison de vivre.

*

Le psalmiste, lui [13], tire son bonheur fondamental de Dieu. Le reste n'est qu' « image de rien ».

Pour mieux sensibiliser les modernes que nous sommes à l'idée-force de cette antique prière, nous en donnons une traduction libre, presqu'une paraphrase, mais - du moins le pensons-nous - en toute rigueur et fidélité.

> *Dieu, Dieu ! Tu es Dieu.*
> *Tu es mon Dieu.*
> *Vois ! je me réfugie en ton amitié,*
> *car je ne suis heureux qu'auprès de toi.* (st. 1)
>
> *Les Vanités que d'autres poursuivent*
> *et auxquelles, un temps, j'ai demandé tout mon plaisir,*
> *je m'en détourne et perdrai jusqu'à leur souvenir.* (st. 2) [14]

---

[13] Nous savons combien ces hommes de la Bible sont vrais dans leurs sentiments, qu'ils soient mystiques ou vindicatifs, ou les deux à la fois...

[14] Strophe obscure dont les interprétations varient fortement.

Yahweh,
tu es l'unique héritage que je convoite.
Tu es le tout de ma vie [15].
Oh ! le merveilleux patrimoine.
Joie. Joie. Pleurs de joie. (st. 3)

Yahweh, sois béni !
Enfin tu m'as ouvert les yeux
et même la nuit tu parles à mon cœur.
Je ne te lâche plus du regard.
Combien je te sens à mes côtés
et voici :
toutes mes peurs tombent. (st. 4)

Mon cœur non partagé est en fête
et tout en moi jubile.
Mon corps même est envahi d'une paix nouvelle. (st. 5)

J'en ai la conviction :
Je ne verrai pas la mort [16],
car tu ne peux me laisser disparaître, moi ton ami.
Tu dégages devant moi le chemin de Vie
où seront plénitude de joie
et, dans le face à face,
le bonheur sans déclin de notre amitié. (st. 6).

Gloire à toi dans les siècles !

---

[15] C'est ainsi que nous rendons l'expression hébraïque : « tu es ma coupe » et qui signifie : ma part, ma destinée, ma vie.

[16] L'expérience intime de Dieu touche tellement l'être dans ses aspirations les plus profondes que le psalmiste est favorisé d'une intuition exceptionnelle, à une époque où Israël n'entrevoit, par-delà la mort, qu'une existence d'ombre et de sous-conscience : ' Ce n'est pas possible que CELA qui est le sens et le tout de ma vie soit brisé par la mort. ' Alors il s'écrie, peut-être lui-même surpris de ses paroles :

Tu ne peux m'abandonner à la mort
ni laisser ton ami voir la corruption.
Allégresse devant ta face,
joie qui ne finit pas. (Texte de PE)

Cette intuition encore imprécise prélude déjà à la foi en la résurrection, laquelle se verra vérifiée par Jésus.

Ph 2, 6-11 : HYMNE PASCAL

La grande trajectoire de la vie du sauveur Jésus
(Cardinal Journet)

De paliers en paliers, lui, « de condition divine », a touché le fond de l'abaissement (st. 1-3), pour être élevé au-dessus de tout et pour que

> *toute langue proclame :*
> *Jésus-Christ est Seigneur,*
> *à la gloire de Dieu le Père.*

*

« Ce sont là des vérités qu'il faut recevoir à genoux, comme des choses d'un autre monde » (Père Molinié). [17]

---

[17] Notre commentaire est extrêmement bref, car nous pensons que chaque usager de PE s'est depuis longtemps familiarisé avec ce grand texte paulinien.

II Dimanche

Office des lectures

Psaume 103 : HYMNE AU CRÉATEUR

La transparence du créé

Les psalmistes, célébrant la création en poètes qu'ils sont, ne « font » cependant pas de la poésie.

Leurs chants témoignent beaucoup plus d'une *contemplation religieuse de l'univers* que d'un sentiment lyrique : le créé manifeste, par *transparence,* l'Etre de Dieu et c'est cette présence qu'ils proclament et qu'ils adorent [1].

*

Nous pensons que cet hymne, pour être compris dans sa pleine signification et goûté dans toute sa pureté, ne réclame pas de commentaire détaillé.

Il n'est cependant pas sans intérêt de savoir qu'il s'inspire d'un très beau poème d'Akhenaton, pharaon d'Egypte de l'an 1300 av. J.-C.

---

[1] « La création ne peut voir, elle se montre. Elle ne peut adorer, elle nous y porte ; et ce qu'elle n'entend pas, elle ne nous permet pas de l'ignorer » (BOSSUET).

Plus d'une fois nous constatons, dans le psautier, que l'Esprit Saint, qui souffle où il veut, récolte également où il veut la lumière par lui répandue.

Quant aux psalmistes, ils « ne pastichent pas ; s'ils empruntent, ils assimilent ; leur alchimie transmue tout : leur Seigneur ne se confond pas avec une force cosmique ; il est d'abord le Dieu de l'Histoire et de l'histoire d'Israël » (TOB, introduction aux psaumes).

Office du matin

Psaume 117 : voir I Dimanche jour.

Dn 3, 52-57 :
L'ADORATION DES TROIS JEUNES GENS DANS LA FOURNAISE

Avec un amour toujours nouveau

Dans ta prière, ne rabâche pas mécaniquement.
Ce n'est pas digne de toi.

Cependant ne crains pas de dire et dire encore les mêmes paroles brèves et simples, pourvu que tu y fasses passer tout ton être et que ce soit avec un amour toujours nouveau.

Le refrain de ce cantique de Daniel est cette parole brève et comme incantatoire :

A toi, louange et gloire éternellement !

Il n'y a pas ici que la répétition d'une phrase unique et son incantation mystique. De verset en verset s'accomplit une progression dans la contemplation de Dieu, comme une spirale qui creuse toujours davantage le mystère abyssal de la Gloire et de la Sainteté :

> *Béni sois-tu,*
> *Dieu de nos pères.*
>
> *Béni soit*
> *ton nom de gloire et de sainteté.*
>
> *Béni sois-tu,*
> *au temple saint de ta gloire.*
>
> *Béni sois-tu,*
> *toi qui sièges au-dessus des Chérubins, etc.*

Voyez en ce cantique comme un modèle, nous dirions presque une méthode d'oraison [2], de prière silencieuse. Qui ne sait la difficulté de fixer son attention sur les choses de Dieu ? Or la répétition lente, consciente, patiente et rythmée d'une petite phrase est comme une chaîne qui ramène constamment notre mental fugitif à son Centre. Entre deux répétitions il est utile d'intercaler des touches multiples, des approches « en spirale » du mystère de Dieu, telles que le cantique de Daniel nous en donne un exemple achevé.

Psaume 150 : DOXOLOGIE FINALE DU PSAUTIER

Pourquoi prie-t-on ? Pour rien

Telle fut la question du disciple et la réponse de l'ami.
Oui, à certaines heures, ne demande rien à Dieu.

---

[2] L'Ecriture, et en particulier les psaumes et cantiques semés en d'autres livres inspirés (Exode, Isaïe, Jérémie, Tobie, etc.) sont l'apprentissage que l'Esprit Saint fait faire à son peuple de la prière, et cela pour toutes les époques de l'humanité.

Célèbre sa grandeur et exalte son amour.
Cela suffit. « Tout le reste te sera donné par surcroît » [3].
Connais enfin la joie de t'oublier et la paix de te perdre
dans l'adoration et la louange :

> « Il n'est pas vrai que moi je l'invoque seulement,
> mais avant tout je crois à sa grandeur [4]. »

Pour traduire au plus juste son expérience de la grandeur de
Dieu (« louez-le en toute sa *grandeur* », st. 1), le psalmiste fait
appel aux instruments de musique utilisés au temple.

C'est bien connu que chaque instrument a son âme propre. Il
y a des sentiments intimes qui se murmurent sur la harpe ; la
trompette, elle, est le cri de la fête - ou de la guerre.

Le *corps*, plus que n'importe quel instrument, n'a-t-il pas son
« âme » propre et n'est-il pas capable des modulations les plus
variées et les plus évocatrices ? Les liturgistes du temple ne
l'ignoraient pas. Dans ce psaume 150, par exemple, la louange
s'exprime aussi par la danse :

> *Louez-le par la danse !* (st. 2)

D'autres psaumes invitent avec insistance à l' « expression cor-
porelle [5] » :

> *Entrez, inclinez-vous... prosternez-vous.* (ps. 94)
> *Peuples, battez des mains.* (ps. 46)
> *Je lève mes mains vers toi.* (ps. 62)
> *Que ma prière devant toi s'élève comme un encens
> et mes mains comme l'offrande du soir !* (ps. 140)

*

---

[3] Mt 6, 33.
[4] Grégoire de Narek, 10ᵉ siècle.
[5] Dans quelle attitude figée ne prions-nous pas ces textes inspirés ?
Comment en sommes-nous venus à éliminer de notre prière toute une
partie de notre être ? Le « renouveau charismatique » a, dans ce domaine
particulier, son rôle à jouer, un rôle providentiel.

C'est vers un sommet unique qu'en ce final du psautier convergent tous les sentiments : la *joie*.

Joie ! l'ultime message des psaumes.

Office du milieu du jour

Psaume (de confiance) 22 :
« CANTIQUE DU BERGER » POUR UN SACRIFICE
D'ACTION DE GRACES

Une douceur qui envahit l'âme inexplicablement

Voici votre Dieu,
voici le Seigneur Dieu !
Tel un berger qui fait paître son troupeau,
il recueille les agneaux dans ses bras
et les serre sur sa poitrine.
Les brebis mères, il les conduit
doucement au repos [6].

A contempler Dieu sous cette image du berger, comment le cœur ne serait-il pas envahi de sérénité ? Oui, la tendresse du Seigneur ainsi révélée le remplit d'une paix et d'une douceur inexprimables : Seigneur, tu es mon berger et

si je traverse le « Ravin de la Mort »
je ne crains absolument rien,
car toi, tu es avec moi. (st. 3)

---

[6] Is 40, 10-11.

Tu es avec moi !

Un jour est apparu sur notre terre le « Grand Pasteur des Brebis [7] », le « bon Berger » prêt à mourir et qui mourut effectivement pour ses brebis. Et il n'a eu et n'aura de cesse qu'il n'amène en son bercail le pauvre homme que je suis et sur qui il veille avec un soin redoublé, tant ma fragilité et mon inconstance sont grandes.

Que la vie est bonne, quand le Seigneur est mon berger !

*

Dans les deux dernières strophes, il n'est plus du tout question de berger ni de bercail. En effet, on ne voit pas bien un berger préparant la table pour sa brebis, répandant le parfum sur sa tête et emplissant sa coupe de vin. Nous sommes ici en présence d'un autre psaume.

La difficulté se résout aisément de la manière suivante : un prêtre [8] impliqué dans une situation difficile et sauvé par Yahweh, promet un sacrifice d'action de grâces. Pour cette liturgie, il utilise ou compose ce petit chef-d'œuvre du « Cantique du Berger » et ajoute deux strophes, tout aussi belles que les précédentes et qui reflètent le rite du repas sacré.

Avec plus de précisions que d'autres psaumes, celui-ci reflète le rite du sacrifice et du repas d'action de grâces. Le fidèle, sauvé d'un grave péril, monte au temple remercier Dieu. Il invite les témoins à écouter le récit de la Providence à son égard. Après cette « liturgie de la Parole » vient le sacrifice, tel que le men-

---

[7] He 13, 20.

[8] La traduction de la Bible de Jérusalem indiquerait qu'il s'agit d'un prêtre :
Ma demeure est la maison de Yahweh
en la longueur des jours.
L'hébreu propose :
je reviendrai à la maison du Seigneur...
et évoquerait plutôt un pèlerin habitant loin de Jérusalem. Dans ce dernier cas, nous serions en face d'un psaume de pèlerinage.

tionne explicitement le ps 53, 8 et auquel il n'est pas fait allusion ici. Puis s'organise au temple même le repas sacré au cours duquel l'on consomme les restes de la victime offerte. C'est ce repas dont nous avons ici une description détaillée :

- « Tu prépares la table pour moi » : ce repas de fête est un don de toi, mon Dieu, puisqu'en m'accordant le bienfait demandé, tu es à l'origine de cette réunion.

- « Face à mes adversaires » : cette fête célébrant le salut accordé par Yahweh à son fidèle, confond les adversaires et les jaloux, sans doute présents au temple en ce jour de fête religieuse, et témoins de ce banquet.

  « Tu répands le parfum sur ma tête » : tel est le geste d'honneur fait, par Dieu lui-même, à son hôte, suivant la coutume orientale de l'accueil [9].

- « Ma coupe m'emplit de joie » : le vin est symbole et stimulant de joie [10].

*

Ces deux strophes du repas sacré contiennent une grande richesse théologique et spirituelle que très tôt l'Eglise utilisa pour l'initiation chrétienne aux sacrements :

- La « table préparée » est le corps même du bon Berger.

- La « coupe » d'allégresse est le sang versé dans les larmes et devenue aujourd'hui joie de Vie éternelle.

- L' « huile parfumée » répandue sur la tête est le signe de l'amitié divine et le symbole de l'Esprit qui fait du chrétien un consacré.

- La « demeure » de l'ami de Dieu est la maison même du Seigneur, son Eglise.

---

[9] On retrouve dans l'Evangile la permanence de cette coutume, par exemple quand la pécheresse ou Marie de Béthanie répand le parfum sur la tête et les pieds de Jésus.
[10] « Le vin réjouit le cœur de l'homme » (Ps 103, 15).

Psaume (de Sion) 75 :
ODE AU DIEU VICTORIEUX DES ENNEMIS DE JÉRUSALEM

Chanterai-je un cantique de Sion ?

- Chantez-nous un cantique de Sion, nous demandent les impies qui nous ont déportés.
- Comment chanterions-nous Sion en terre étrangère ? leur avons-nous répondu [11].

Aucun pays n'est étranger au chrétien. Son Eglise, le Christ l'a faite universelle et, tout en la laissant dans le temps, intemporelle. La Sion nouvelle et spirituelle se répand désormais sur toute la terre et s'étend aux hommes de toute nation et de toute race.

En quelque lieu et en quelque situation que nous nous trouvions, nous, nous chanterons un cantique de Sion.

*

Le psaume 75 se présente comme un chant de triomphe pour la délivrance de Jérusalem. Mieux qu'un hymne de victoire, il est une louange au Seigneur tout-puissant qui a choisi le mont Sion pour demeure et qui, face à ses ennemis, a manifesté sa puissance en faveur d'Israël [12].

Il n'y a de réelle victoire que définitive. Aussi l'unique victoire est-elle la victoire sur la Mort, telle que Dieu l'a manifestée dans la résurrection de Jésus et qui se répand sur son Corps, l'Eglise, si humble son cheminement terrestre et provisoire puisse-t-il apparaître.

---

[11] Ps 136.

[12] Tout le psaume est caractérisé par le style épique, la mise en scène dramatique et l'emphase orientale. Face aux psaumes, nous ne devons jamais perdre de vue qu'il s'agit d'un genre poétique, même si nos traductions sont parfois... prosaïques.

« Les colères de l'homme te glorifient » (dernière st.), car dans leur impuissance elles rendent témoignage à ta puissance et à ta justice divines.

Un texte fondamental de Paul sur la victoire du Christ éclaire ce psaume et notre prière liturgique : « Tous revivront (et ressusciteront) dans le Christ. En tête le Christ, ensuite ceux qui seront au Christ. Puis ce sera la fin, quand il remettra la royauté à Dieu le Père, après avoir détruit toutes les puissances hostiles. Car il faut qu'il règne, jusqu'à ce qu'il ait placé tous ses ennemis sous ses pieds. *Le dernier ennemi détruit, c'est la mort...* Alors le Fils lui-même se soumettra à Celui qui lui a tout soumis, afin que Dieu soit tout en tous » (1 Co 15, 22-28).

L'Eglise aura alors atteint son achèvement final, elle sera devenue à jamais la demeure du Très-Haut :

> *Dieu a fait connaître la grandeur de son Nom :*
> *il a fixé son séjour à Jérusalem*
> *et en Sion sa demeure.* (st. 1)

Office du soir

Psaume 109 : voir I Dimanche soir.

Psaume 113b : Louange a Yahweh, seul vrai Dieu

Ce qui a valeur d'éternité plus que d'avenir
(Mgr Etchegaray)

Paul VI, à Noël 1975, parlait du « vacarme assourdissant de mille voix qui remplissent l'atmosphère moderne ».

Que c'est vrai ! L'homme du 20e siècle est terriblement conditionné ; son esprit, plus encombré qu'un supermarché. Est-il encore lui-même au milieu de tant d'idoles ? Car c'est bien d'idoles qu'il faut parler, de ces choses creuses dont le monde vit - ou croit vivre.

*

Elles se trouvent décrites d'une façon saisissante dans la st. 3 de notre psaume [13].

Elles ont une bouche : que disent-elles ?
des yeux : que voient-ils ?
leurs oreilles sont sourdes à l'appel du cœur ;
le nez ne flaire que le néant ;
les mains tentent de saisir le vent ;
les pieds se fatiguent à aller nulle part.

Et les adorateurs de ces idoles finissent par leur devenir semblables, *vides* :

> *Que ceux qui les ont faites*
> *leur deviennent semblables*
> *et tous ceux qui comptent sur elles !* (st. 5)

Quelle actualité brûlante dans ce vieux poème !

*

Alors que faire ?
Précisément ce qui est proposé en ce psaume :
- *Chercher la gloire de Dieu*, d'abord :

> *Ce n'est pas pour nous, Seigneur,*
> *ce n'est pas pour nous, mais pour toi,*
> *que nous voudrions te voir connu*
> *dans ton amour et ta vérité.*

---

[13] Cette insistance sur la vanité des idoles devait fortifier les Juifs dans la foi et la fidélité au vrai Dieu, face aux séductions sans cesse renaissantes des cultes païens, souvent soutenus, voire imposés par les puissances politiques.

Que les hommes ne demandent plus :
« Où est leur Dieu ? »
Dieu est mystérieux,
tout ce qu'il veut, il le fait [14].

- *Miser sur le Seigneur,* bâtir avec lui, chercher sa présence et sa bénédiction :

Fils d'Israël, comptez sur le Seigneur !
Se souvenant de vous, le Seigneur vous bénira,
il bénira petits et grands. (st. 5 et 6)

- *Vivre des valeurs essentielles* sur cette terre que Dieu nous a donnée : changer de rythme de vie ; retrouver le primat de l'en-dedans ; rechercher « ce qui a valeur d'éternité ».

Les morts [15] *ne louent point le Seigneur,*
mais nous, les vivants,
bénissons notre Dieu. (dernière st.)

Ap 19, 1-7 : voir I Dimanche soir.

---

[14] Traduction de *Nous te prions,* op. cit.
[15] « Laisse les morts enterrer leurs morts », dit Jésus en Lc 9, 60.

II Lundi

Office des lectures

Psaume 30 :
SUPPLICATION CONFIANTE ET ACTION DE GRACES D'UN MALADE

Le psaume inachevé de Jésus

Certaines œuvres, leur auteur n'a pu les mener à terme. Qui ne connaît la *Symphonie inachevée* de Schubert ?

Ce psaume 30, qui est la prière d'un malade[1], peut être appelé le « psaume inachevé » de Jésus.

Il en a dit et vécu les aspects les plus tragiques, mais c'est auprès de son Père, dans l'éternité et la lumière, que son action de grâces s'est prolongée (III. de PE).

- Dans ce drame de *solitude* que connaissent tant de malades :

Je suis un épouvantail pour mes amis,
s'ils m'aperçoivent dehors, ils m'évitent.

---

[1] Il s'agit en effet d'un malade :
La douleur me ronge les yeux,
la gorge et les entrailles.
Le mal s'attaque à ma vigueur
et me ronge les os. (II. st. 1 et 2)

> *On m'oublie, comme un mort inconnu,*
> *comme une chose qu'on jette,* (II. st. 3)

se trouve décrit, en termes voilés et précis à la fois, le vide progressif qui se fit autour de Jésus et qui atteignit son point culminant à Gethsémani : « Alors les disciples l'abandonnèrent *tous* et s'enfuirent [2]. »

Quant aux adversaires, ils sont parfaitement reconnaissables en II. st. 4, par exemple :

> *J'entends leurs propos féroces,*
> *de partout on me terrifie ;*
> *ils se sont mis d'accord contre moi :*
> *ils voudraient m'ôter la vie.*

- Ce malade en détresse se tourne vers son Dieu dans une *confiance* bien caractéristique des psaumes, se servant des expressions classiques de la Bible :

> *Sois le rocher qui m'abrite,*
> *la maison bien défendue qui me sauve.*
> *Ma forteresse et mon roc, c'est toi.*
> *Tu m'arraches au filet qu'on m'a tendu.* (I st. 2 et 3)

Or Jésus va exprimer sa remise filiale entre les mains de Dieu à travers cette prière de confiance. Il y ajoute ce nom unique qui fut, toute sa vie durant, sur ses lèvres saintes : Père.

> *Père, je remets mon esprit* [3] *entre tes mains.* (I. st. 4)

- A peine a-t-il dit : « Père, je remets mon esprit... » que, précise Luc (23, 46), *il expira.* Jésus acheva *son* psaume dans *son* Royaume :

---

[2] Mt 26, 56.
[3] « Esprit » signifie ici l'élément essentiel et insaisissable qui fait vivre, l'étincelle jaillie du Souffle divin, l'unique richesse, l'être même de l'homme.

> *Ta bonté, Seigneur, est immense :*
> *tu la tiens en réserve pour tes serviteurs.*
>
> *Tu les caches où se cache ton visage,*
> *à l'écart des intrigues.*
>
> *Béni soit le Seigneur qui fit pour moi*
> *des merveilles d'amour !* (III. st. 1, 2 et 3)

Et c'est comme si, du haut du ciel, ayant terminé sa course et son combat, Jésus nous adressait à nous qui peinons en cette vie, la monition finale :

> *Soyez fort et reprenez cœur,*
> *vous tous qui espérez dans le Seigneur !*

Office du matin

Psaume 41 : CHANT DU LÉVITE EXILÉ DE JÉRUSALEM

L'homme : une nature sublime
exilée dans l'imparfait
(Baudelaire)

Bien que fils de lumière, souvent dans la nuit nous nous égarons.

Bien que séduits par ce qui est noble, souvent de la médiocrité nous nous contentons.

Bien que rassasiés de Dieu seul, un poids terrestre et charnel nous tient loin de sa joie.

Vraiment, « une nature sublime exilée dans l'imparfait ».

★

C'est précisément en exil que vit notre psalmiste et avec lui nous retrouvons notre condition humaine d'exilés.

Suivons-le pas à pas dans cette complainte, qui est un joyau du psautier. Nous y trouvons quatre thèmes qui s'entremêlent en un va-et-vient de l'âme angoissée.

LA SOIF DE DIEU

Un prêtre a été éloigné du temple et de la gloire de Dieu qui le remplit. Se retournant vers la Ville sainte, son premier cri va proclamer le désir et l'amour de Dieu. A aucun instant, il ne mentionne une situation familiale et sociale dont il est coupé brutalement : Dieu seul compte.

> *Comme au désert une biche*
> *languit après l'eau vive,*
> *ainsi mon âme languit*
> *vers toi, mon Dieu.* (st. 1)

> *Mon âme a soif de Dieu,*
> *le Dieu vivant.* (st. 2)

LES LARMES DE L'EXIL

Le psalmiste se trouve relégué au lointain Liban [4].

Pour bien saisir le déchirement de cet exil, il faut se rappeler que le Dieu d'Israël est d'abord présent en Sion et son temple. Représentez-vous une âme chrétienne et fervente reléguée au désert sans Eucharistie toute une année ou plus. Aussi

> *Mon pain quotidien : mes larmes.* (st. 3)

---

[4] Ce qui permet d'identifier le Liban est la mention de l'Hermon (st. 6) - en comparaison duquel Sion n'est qu'une « humble montagne » (st. 6), mais quelle montagne ! - et des terres où le Jourdain prend naissance et s'élance en cataractes fracassantes (st. 7).

LES VOIX PERFIDES

Elles ne manquent pas, symbolisées par les flots mugissants et le vertige de « l'abîme appelant l'abîme » et qui minent la foi du lévite. Elles proviennent de l'entourage :

> *Chaque jour on me défie en disant :*
> *où est-il, ton Dieu ?* (st. 3 et 10)

Elles se font également entendre à l'intérieur de l'homme :

> *Pourquoi te replier sur toi-même*
> *et te plaindre, ô mon âme ?* (st. 5, 6 et 10)

tandis que la voix rassurante de Dieu se tait :

> *Je dis à ce Dieu ma plainte :*
> *ô toi, ma sauvegarde,*
> *pourquoi m'oublies-tu ?* (st. 9)

L'ESPÉRANCE PLUS FORTE QUE TOUT

Si les zones inférieures de l'âme sont agitées, sa « fine pointe » demeure sereine, et tout est sauvé :

> *Espère en Dieu.*
> *Oui, une fois de plus je proclamerai*
> *qu'il est mon Sauveur et mon Dieu.* (dernière st.)

Si 36, 1-5 :
PRIÈRE POUR LA DÉLIVRANCE ET LA RESTAURATION D'ISRAEL

Un espace de spiritualité et de communion

D'un livre récent où de nombreuses personnalités non croyantes sont invitées à s'exprimer sur l'Eglise, une conclusion s'impose :

la seule chance de l'Eglise, aujourd'hui, est d'être un « espace de spiritualité et de communion ».

★

Voilà la chose urgente que nous sommes appelés à demander - et à réaliser selon nos moyens - dans cette prière de Sirac le Sage. A vrai dire, rien de tel n'apparaît à première vue, mais nous savons que l'Ecriture se lit à divers niveaux de profondeur et qu'il nous appartient, à nous qui vivons de cette parole, d'y pénétrer toujours plus avant.

Un peu d'histoire s'impose pour comprendre le sens littéral de cette prière en faveur de la délivrance de Jérusalem. Elle se situe vers 190 av. J.-C., à la veille du soulèvement national des Maccabées contre la domination étrangère et impie du roi Antiochus Epiphane qui alla jusqu'à profaner le temple de Jérusalem [5].

En voici l'articulation :

- Appel à Dieu contre les « peuples étrangers » et profanateurs [6]. (St. 1 et 2)

- Prière en faveur de Jérusalem. (St. 3-5)

★

Si nous pouvons interpréter les deux premières strophes dans le sens de la crise de l'Eglise contemporaine, humiliée aux yeux des

---

[5] Cf. 1 M 1, 10-26.

[6] Comment interpréter en la st. 2 le verset suivant :
Tu leur montras à nos dépens ta sainteté,
à leur dépens, montre-nous ta gloire.
« Tu nous a punis à cause de nos péchés et les païens ont alors vu ta sainteté qui ne tolère pas le mal ; maintenant manifeste-nous ta gloire en punissant les crimes de nos oppresseurs. »

« peuples étrangers » par le péché de ses membres, nous sommes amenés, dès la 3ᵉ strophe, à prier l'Esprit Saint de renouveler dans l'Eglise le don de Pentecôte :

> *Renouvelle les prodiges,*
> *refais les merveilles... (st. 3)*

d'en faire un « espace de communion », de rassemblement :

> *Rassemble tous les clans de Jacob,*
> *comme autrefois qu'ils reçoivent ton héritage* (st. 4)

et de « spiritualité » :

> *Remplis Sion de tes louanges,*
> *et ton temple, de ta gloire.* (st. 5)

Psaume (de louange) 18 A :
LES CIEUX RACONTENT LA GLOIRE DE DIEU

L'infini retentit dans la finitude des choses

Quelques psaumes, parmi les plus beaux [7], détaillent avec faste et poésie les merveilles semées sur la terre.

Ici en revanche nous est livrée l'émotion d'un homme qui, de jour et de nuit, scrute le ciel et perçoit ce message venant de l'autre rive du silence :

> *Pas de récit ; pas de mots.*
> *Ce n'est pas une voix que l'on peut entendre.*
> *C'est pourtant un langage sensible à toute la terre*

---

[7] Ps 103, par ex.

> *et comme une parole prononcée*
> *d'un bout à l'autre du monde* [8]. (st. 2)

★

Et voici !
Sur l'infini de l'horizon surgit « sa majesté soleil » :

> *... tel un époux qui,*
> *dans sa joie de conquérant,*
> *va courir sa route.* (st. 3)

Le soleil est comparé à un époux royal. Belle image antique !
Que le psalmiste n'ait pensé qu'à une comparaison à la fois fami-
lière et solennelle, nous voulons bien l'admettre, mais le Saint
Esprit, auteur de l'Ecriture, que suggère-t-il par cette image ?

L'Incarnation du Verbe de Dieu va en révéler le sens profond
et caché. En effet Jésus lui-même s'est désigné plus d'une fois
comme l'Epoux et une vision de l'Apocalypse [9] nous fait assister
aux « noces » de l'Agneau.

Or celui-là même qui est l'Epoux s'est présenté comme « la
lumière du monde », lui qui va d'un bout du ciel à l'autre, car
il est « l'Apha et l'Oméga, le Premier et le Dernier, le Commencement et la Fin » de tout le créé (Ap 22, 13) :

> *Où commence le ciel, il surgit,*
> *il ne s'arrête que là où s'achève le ciel,*
> *et rien n'échappe à son ardeur.* (dernière st.)

---

[8] Traduction *Nous te prions*, op. cit.
[9] Ch. 19, texte repris partiellement à la PE le dimanche soir.

Office du milieu du jour

Psaume 118, 41-48 : Voir I Mardi jour.

Psaume 39. Ce psaume est un ajustement peu cohérent de deux textes différents, d'ailleurs séparés en I. et II. dans PE. Nous les dissocions complètement dans notre commentaire.

Psaume (de reconnaissance) 39 I :
OFFRANDE DU SACRIFICE SPIRITUEL

Une religion du cœur

Etre vrai.

Ces deux mots suffisent à galvaniser nos contemporains. A l'opposé, rien ne rebute les jeunes, ces hommes d'aujourd'hui, autant que l'hypocrisie.

Or vrai, on ne l'est réellement qu'au plus profond de son cœur.

C'est là que le Christ, le seul être totalement vrai, nous a convoqués. Sa religion est intérieure ; tout sacrifice, fût-il rituel, doit y jaillir du cœur.

*

Voilà le grand et évangélique enseignement de ce psaume d'action de grâces. Le psalmiste, « tiré de la fosse (= tombe = mort) fatale » (st. 2), monté au temple pour exprimer sa gratitude, devrait le faire par un sacrifice sanglant d'animal ou une offrande de nourriture. Il renonce à ce geste cultuel, car il comprend [10] que le *vrai culte dû à Dieu est un don intérieur,* un abandon de notre liberté entre les mains du Seigneur [11] :

---

[10] « Tu m'as ouvert l'oreille » (st. 5). On perçoit ici l'influence des grands prophètes. Cf. Is 1, 11.

[11] L'exigence du culte intérieur et spirituel apparaît tout au long du psautier, en particulier dans les ps 49 et 50.

Tu ne voulais ni sacrifice ni offrande,
alors j'ai dit : Voici, je viens.
Il est écrit pour moi dans le Livre [12],
que je dois faire ta loi
du plus profond de mon cœur. (st. 6 et 7)

*

Telle fut l' « Eucharistie » de Jésus : « Ma nourriture est de faire la volonté de mon Père. » La lettre au Hébreux (10, 5-10) le dit explicitement, qui lui applique les st. 6 et 7 de ce psaume et les commente longuement, pour conclure : « Jésus abroge le premier régime (celui des sacrifices sanglants et des rites extérieurs) pour fonder le second », la *religion du cœur.*

Psaume 39 II : Supplication d'un malheureux

Dis sans te lasser : Dieu est grand

Sadia, le Maure, qui accompagnait Psichari dans le désert, dit, au lever de l'aurore, en étendant les bras vers l'horizon : *Dieu est grand.* « Sa voix tremblait un peu, note Psichari. Il n'y eut pas d'autre parole dite ce matin-là » (*Voyage du Centurion*, V.).

Dieu est grand.
Dis-le non seulement devant la majesté des paysages.
Dis-le au plus profond des ténèbres, quand « le cœur te manque » (st. 3).
Dis-le jusque dans le péché, quand « tes torts retombent sur toi à t'enlever la vue » (st. 2).

---

[12] L'Ecriture. L'étymologie de Bible signifie livre.

Dis encore que Dieu est grand dans sa « tendresse », dans son « amour » et sa « vérité » (st. 1).

Dis qu'il est grand envers les petits et les pauvres qui l'invoquent (st. 5).

Alors tu connaîtras son salut et sa joie :

> *Joie et allégresse*
> *Au cœur de ceux qui te cherchent !*
> *Qu'ils redisent sans se lasser :*
> *Dieu est grand* [13],
> *eux qui attendent ton salut !* (st. 4)

Office du soir

Psaume (royal) 44 : Chant de noces royales

Quand je tourne mon âme vers toi, tu es, ô Dieu, le premier

La recherche de Dieu la plus ardue - celle d'un saint Augustin - n'est qu'une réponse à un appel préalable : « Quand je m'éveille le matin, tu es le premier, Seigneur, tu me devances.

---

[13] L'expression « Dieu est grand » ou « grand est son Nom » revient fréquemment dans les psaumes : 47, 2 ; 95, 4 ; 88, 8 ; 76, 14 ; 134, 5, etc. Puisque les psaumes sont un apprentissage de la prière que Dieu fait faire à son peuple, qu'on nous permette d'ajouter ce bref propos qui déborde les thèmes du ps 39 II auquel nous devrions ici normalement nous limiter. La prière « Dieu est grand » qui exprime et développe d'abord les grandeurs de Dieu (sainteté - gloire - justice - miséricorde - fidélité, etc.) doit s'étendre encore à son action dans l'humanité. Le ps 98, 2, par exemple, chante : « Dieu est grand en Sion. » Oui, Dieu, tu

Quand je me retire de la distraction et recueille mon âme pour penser à toi, tu es le premier » (Kierkegaard).

★

Voici, en ce psaume 44, le beau poème de l'Amour « premier » de Dieu. Comme le « Cantique des Cantiques », ce poème n'est originellement qu'un chant profane, célébrant le mariage fastueux d'un roi d'Israël avec une princesse étrangère [14]. La première partie (I. de PE) exalte le roi avec une emphase tout orientale :

> *Tu es le plus beau des enfants des hommes...* (st. 2)

La deuxième partie (II. de PE) concerne la nouvelle reine à qui un prophète adresse ses recommandations.

★

Pleine de noblesse et riche en valeurs religieuses, cette ode nuptiale fut accueillie dans le psautier pour annoncer et célébrer le règne messianique. Au-delà de la figure du *roi* se dessine celle du Christ. L'épître aux Hébreux l'affirme explicitement : « Dieu dit à son Fils - et c'est la citation de notre psaume - : 'Ton Trône, ô Dieu, subsiste dans les siècles des siècles' et 'le sceptre de droiture est le sceptre de ta royauté. Tu as aimé la justice et

---

es si grand dans ton Eglise ! Et là nous n'en finirons pas de chanter les merveilles qu'il y répand. C'était d'ailleurs l'une des manières de prier de Marie, telle que nous la révèle le Magnificat : « Celui qui est le Puissant a fait de grandes choses en sa petite servante. »

Un mot encore sur l'oraison de simplicité. Qu'il fait bon, le front contre terre, selon l'attitude des Musulmans en adoration, ne dire que : « Tu es grand, Seigneur.» Rien que ces 4 mots, lentement, longuement, avec de bons silences.

[14] Il s'agit probablement d'Achab (874-853) épousant Jézabel.

tu as haï l'impiété. C'est pourquoi Dieu t'a oint d'une huile d'allégresse de préférence à tes compagnons ' » (He 1, 3, 8 et 9).

Quant à la *reine,* elle est l'image de toute âme invitée à répondre aux avances de l'Amour « premier » de Dieu qui

> *s'est épris de sa beauté.* (II. st. 1)

Elle est, à une échelle plus large, la figure de l'Eglise qui souvent dans le NT est présentée sous les traits de l'épouse. Nous accueillons ici le beau chant de l'Amour du Christ Sauveur et de son Eglise rachetée [15].

Ep 1, 3-10 : voir I Lundi soir.

---

[15] On retrouvera ce psaume en deux circonstances liturgiques : aux fêtes de la sainte Vierge, car Marie se situe non seulement au cœur de l'Eglise mais est son image et sa réalisation la plus parfaite, et aux fêtes des Apôtres, « princes », colonnes de l'Eglise universelle et témoins de sa fécondité :
> *A la place de tes pères te viendront des fils ;*
> *tu en feras des princes par toute la terre.* (II. st. 5)

II Mardi

Office des lectures

Psaume (d'instruction) 36 :
LE SORT DU JUSTE ET CELUI DE L'IMPIE

Programmer l'espérance

La terre, à qui doit-elle appartenir ?
Comment pourrait-on mieux l'organiser et partager plus équitablement ses biens ?
Est-ce que les super-puissances financières, les ambitieux et les sans-conscience seront toujours les seuls possédants face au dénuement des justes, des humbles, des petits ?

*

C'est à ce problème brûlant que s'affronte, en un style et contexte antiques, le Sage de ce psaume.
Sa réponse n'est pas le dernier mot sur le sujet et ne saurait satisfaire nos sociologues [1], mais sa sagesse reste sagesse. Cueillons-la au niveau où elle nous est offerte, celui de l'AT.

---

[1] Les « sociaux » et les sociologues se trouveront mieux à l'aise avec d'autres psaumes, par exemple le ps 111 ou 71. Cependant voici comment un prêtre et poète du Nicaragua, E. CARDENAL, qui connut la lutte et la

Que dit notre Sage ? La victoire de l'iniquité n'est pas définitive.

Comme l'herbe,
comme les fleurs,
comme la fumée,
la prospérité de l'exploiteur - ou même de l'homme honnête - ne dure pas. Mais si celui qui accomplit la volonté de Dieu sait attendre et se taire, paix et bonheur viendront inévitablement le combler. Qu'il se confie au Seigneur, le Seigneur prendra soin de lui.

Cette leçon s'incruste de plus en plus ferme dans l'esprit tout au long des nombreuses strophes et finit par emporter la conviction. Elle se dégage de très beaux passages tels que :

———————

prison pour la justice, a trouvé dans ce psaume vieux de 25 siècles, le mouvement de son espérance :
    Ne t'impatiente pas
    si tu les vois faire beaucoup de millions.
    Leurs actions commerciales
    sont comme l'herbe des champs.
    N'envie pas les millionnaires ni les étoiles de cinéma,
    ceux qui figurent sur huit colonnes dans les journaux,
    car bientôt leurs noms ne seront dans aucun journal
    et les érudits eux-mêmes ne connaîtront pas leurs noms :
    bientôt ils seront fauchés comme l'herbe des champs.
    Que leurs inventions ne t'impatientent pas
    ni leurs progrès techniques.
    Le leader que tu vois maintenant,
    bientôt tu ne le verras pas.
    Tu le chercheras dans son palais
    et tu ne le trouveras pas.
    Et nous,
      ton peuple,
        Seigneur,
    nous te louerons éternellement
    et nous te chanterons
        de génération
          en génération.

(*Cri. Psaumes politiques*, Cerf, Paris.)

Compte sur Dieu et fais le bien.
Place en Dieu ton désir :
il comblera ton cœur. (I. st. 2)

Remets ton sort au Seigneur
et fais confiance : lui agira.
Il fera éclater ta justice
comme soleil à midi. (I. st. 3)

A quoi bon t'emporter ?
Un jour les exploiteurs seront déracinés
et le peuple de l'espérance possédera la terre. (I. st. 4-6)

Office du matin

Psaume (de confiance) 42 : PRIÈRE D'UN EXILÉ DU TEMPLE

Mais il y a Dieu...

Me voici « assombri » (st. 2)
   mais il y a Dieu.

Me voici « trahi » (st. 1), « rejeté » (st. 2)
   mais il y a Dieu.

Mais il y a sa « lumière », sa « vérité » (st. 3), sa « joie » (st. 4).

Il y a Dieu qui est « mon Dieu, mon Sauveur » (st. 5).

Alors, ô mon âme,

Pourquoi te replier sur toi-même,
pourquoi gémir ?

N'est-il pas auprès de toi,
ton Dieu, ton salut ?
Proclame-le et espère en lui (st. 5)

Is 38, 10-20 : Prière d'un malade gravement atteint
et action de graces pour la guérison

La vie est un songe, un peu moins inconstant
(Pascal)

Quel paradoxe !

A ce songe, on demande tant de choses, on lui demanderait tout.

Cette attente se résume en un mot : VIVRE.

Puisque la vie nous est donnée, vivons-la à toutes ses dimensions, goûtons au tout de la vie.

★

Tout cela apparaît nettement en ce psaume d'une profonde vérité humaine [2] :

- Je veux vivre tout mon compte de vie : st. 6 et 7.

> *Ce que mon cœur attend de toi,*
> *c'est la vie, Seigneur,*
> *et j'entends aller jusqu'au bout de mes années* [3].

---

[2] Ce psaume, conservé dans le livre d'Isaïe, est attribué par erreur ou par procédé littéraire et similitude au roi Ezechias (716-687). Il doit lui être postérieur.

[3] La st. 6 dit encore :
Dans mon épreuve, comment parler ?
mais c'est toi qui agit.
Le passage est peu clair. L'ensemble du texte original est en mauvais état.

- J'ai besoin de la présence d'humains et que la maladie est cruelle qui me retranche de leur compagnie ! st. 2.

    De ceux qui habitent la terre
    je ne verrai plus jamais personne.

- Et quitter les siens ? Qui ose y penser ? st. 3 :

    Mon foyer m'est arraché, éventré,
    comme une tente de berger.

- Cette vie m'est combien précieuse par la paix du cœur que moi, pécheur, j'ai récouvrée grâce à Yahweh : st. 8.

    Tu as rejeté derrière moi
    tous mes péchés.

- Absurdité de la vie, alors qu'un instinct viscéral porte l'homme non seulement à vivre, mais à se projeter et se prolonger en ses enfants : st. 10.

    Le père apprendra à ses fils
    à connaître la vérité.

C'est tout cela que le psalmiste allait perdre, et voici qu'il revit !

    C'est le vivant,
    c'est le vivant qui te rend grâce
    comme moi en ce jour. (st. 10)

Vraiment, un très beau psaume de malade.

*

Cependant dans l'euphorie de la santé recouvrée, l'homme dont la pensée dépasse les événements immédiats, ne peut oublier que la vie reste « un songe un peu moins inconstant ». Un Juif condamné à la chambre à gaz en réchappe de la manière la plus inattendue. Sa joie n'est que partielle : « Rien de fondamentalement changé puisque ma chance n'est qu'un délai », dit-il. La guérison n'est qu'un délai. Un jour, tout finira. Ou tout recommencera - et voici notre vision chrétienne qui doit achever, accomplir ce psaume vétéro-testamentaire, si plein, trop plein d'espoir terrestre en Dieu. Laissons saint Paul résumer notre espérance : « Nous savons que si cette tente [4] - notre demeure terrestre - vient à être détruite, nous avons une maison qui est l'œuvre de Dieu, une demeure éternelle qui n'est pas faite de main d'homme, et qui est dans les cieux. Aussi bien gémissons-nous dans cet état, ardemment désireux de revêtir, par-dessus l'autre, notre habitation céleste... afin que ce qui est *mortel* soit *englouti par la vie* » (2 Co 5, 1-5).

La vie : finalement un très beau songe.

Psaume 64 :
ACTION DE GRACES A L'OCCASION DES PLUIES DU PRINTEMPS

Tout chante, tout éclate de vie

Tout.
Le peuple de Dieu.
Les étrangers à Israël.
La terre nourricière.

LE PEUPLE DE DIEU (st. 1-4)

L'homme que « le péché avait dominé » (st. 3) mais qui est pardonné, monte au temple pour s'acquitter d'une promesse (« C'est pour toi qui exauças ma prière que je viens accomplir mon

---

[4] Saint Paul reprend de notre psaume la comparaison de la tente qui, dans la Bible, évoque la précarité de la vie humaine.

vœu », st. 2) et son cœur se trouve porté par l'allégresse générale de cette fête du printemps :

> *Toutes tes créatures* [5]
> *peuvent venir jusqu'à toi.* (st. 2)

> *Heureux ceux que tu as choisis*
> *et que tu invites*
> *à se tenir en ta présence !*
> *Nous y goûtons le bonheur de ta maison*
> *nous nous remplissons de la sainteté* [6]
> *de ta demeure.* (st. 4)

Les étrangers au peuple de Dieu (st. 5-7)

Le « Dieu de Sion » déborde les frontières d'Israël, il devient « l'espoir des horizons de la terre » (st. 5), se révèle à tous les hommes dans les forces cosmiques (st. 6) et alors

> *Les habitants des bouts du monde*
> *s'émerveillent de tes signes ;*
> *du levant comme du couchant*
> *tu fais jaillir le chant et la joie.* (st. 7)

---

[5] Littéralement « toute chair », expression hébraïque qui signifie l'ensemble des hommes.

[6] Le mot de *sainteté* et ses dérivés reviennent fréquemment dans les psaumes. Comment saurait-il en être autrement ? Qu'est-ce que la sainteté ? Dieu est saint non seulement parce qu'il est séparé de tout ce qui est bas et souillé - cette notion purement négative ne peut satisfaire l'esprit - mais parce qu'il est au-dessus de tout, dans la pureté totale, la lumière et la vérité de son Etre.

Les fidèles, pénétrant dans la demeure du Dieu trois fois saint, s'ouvrent à sa sainteté et s'en remplissent, suivant la grande exigence de Lv 19, 2 : « Rendez-vous saints, puisque *moi je suis saint.* »

La sainteté de Dieu s'est incarnée en Jésus. C'est de lui, par son Esprit Saint, que descend et se répand dans les pécheurs toute sanctification et consécration :

Je me sanctifie moi-même,
afin qu'ils (mes disciples) soient eux-mêmes
sanctifiés en vérité. (Jn 17, 19)

Si nous nous référons à Jésus et sa sainteté à propos de ce psaume, c'est pour rappeler, une fois de plus, que son Humanité *sainte* est le vrai temple de la Nouvelle Alliance et le lieu de la présence divine.

LA TERRE NOURRICIÈRE (st. 8-11)

Cette fécondité spirituelle de Dieu, Israël en a un signe sensible en ce printemps palestinien où, fécondée par d'abondantes pluies, la terre revit :

> *Tu visites la terre et tu l'abreuves,*
> *tu la combles de richesses.* (st. 8)
> *Tes dons couronnent notre année,*
> *sur ton passage ruisselle l'abondance.*
> *Tout chante, tout éclate de vie.* (st. 10)

Office du milieu du jour

Ps 118, 49-56 : voir I Mardi jour.

Psaume 52 : il correspond au psaume 13. Voir I Mardi jour.

Psaume (de supplication) 53 : APPEL A LA JUSTICE DIVINE

Tu auras pour refuge le nom du Seigneur
(So 3, 12)

Le nom est plus que la désignation extérieure de notre personne. Il nous fait, pour ainsi dire, exister.

L'absence de nom, en revanche, rend brutalement anonyme. Si on nous interpellait : « Hé ! le Suisse » ou « Hé ! la fille »... Il est significatif que dans le monde concentrationnaire où le régime se propose d'annihiler l'homme, le nom soit remplacé par un numéro.

Le nom fait exister. Du même coup il établit une liaison interpersonnelle entre l'appelant et l'appelé.

Que dire alors du Nom trois fois saint de Dieu et de son invocation ? Les psaumes en sont remplis, et il peut être opportun d'en prendre conscience plus explicitement.

*

Notre psaume 53 attribue une puissance de salut au nom même de Dieu :

> *Par ton nom, Dieu sauve-moi.* (st. 1)
> *Je rendrai grâce à ton nom,*
> *car il est bon,*
> *lui (le nom) m'a délivré de toute angoisse.* (st. 3)

En effet, le nom de Dieu est présence et énergie même de son Etre. A travers toute la Bible, Dieu s'identifie à son nom.

*

Un jour, Dieu sera appelé d'un nom d'homme. Désormais *Jésus* sera le « nom au-dessus de tout nom » (Ph. 2, 9), le nom tout-puissant de la prière chrétienne : « Demandez en mon nom », c'est-à-dire : demandez dans ma force et avec mon amour de Sauveur, identifiez-vous à ma prière. Et alors « tout ce que vous demanderez en mon nom, je le ferai, pour que le Père soit glorifié dans le Fils » (Jn 14, 13) [7].

---

[7] De tout temps, l'Eglise orientale a répondu à cette parole de l'Evangile : « Demandez en mon nom » par la pratique constante, parfois ininterrompue, du nom de Jésus. Cette manière, appelée aussi « prière du cœur » se répand en Occident grâce, principalement, aux très beaux *Récits d'un pèlerin russe*.

Office du soir

Psaume (d'instruction) 48 :
LES RICHESSES SONT TROMPEUSES

Pauvres riches

Ce matin, les manchettes de journaux titrent : « L'héritier le plus riche du monde se tue dans un accident d'avion. Il est âgé de 24 ans. »

24 ans !

La vie ne s'achète pas à coups de dollars.

*

La richesse constitue le thème de ce psaume didactique qui exprime une sagesse antique, pré-chrétienne certes, mais combien précieuse : néant que la richesse et toute cette apparente et très provisoire plénitude de vie qu'elle procure.

Voici la pensée du Sage dans sa suite logique :

- Il présente son enseignement en s'accompagnant de la cithare : I. St. 1 et 2.

- La richesse ne sauvera pas l'homme, car la mort est le sort de tous : I. st. 3-6 et II. st. 1 et 2 a.

- Aussi n'envie pas le riche : II. st. 3 et 4.

> *A sa mort, il ne peut rien emporter,*
> *sa gloire ne peut le suivre.* (st. 3)

- Quant au juste, il sera enlevé auprès de Dieu [8] : II. st. 2b.

> *Dieu me rachètera des mains de la mort*
> *et il me prendra.*

Ap 4-5 : voir I Mardi soir.

---

[8] Par cette phrase nous dépassons sûrement la pensée du Sage de l'AT. « On ne peut affirmer, dit la Bible de Jérusalem, que le psalmiste entrevoit la possibilité d'être enlevé au ciel comme Hénok et Elie, mais il pense que le sort final des justes doit être différent de celui des impies et que l'amitié divine, plus précieuse que la vie, ne doit pas cesser. Mais cette foi encore implicite dans une rétribution future prépare la révélation ultérieure de la résurrection des morts et de la vie éternelle. »

II Mercredi

Office des lectures

Psaume (de supplication) 38 :
<small>Plainte et recours a Dieu dans une maladie grave</small>

Tout s'ouvre sur plus vaste que soi

Si l'homme ne s'ouvre pas « sur plus vaste que soi », il aboutit à une impasse : sa vie n'a plus de sens et il étouffe.

C'est le cas de notre psalmiste.

L'oxygène lui manque :

> *Ma douleur devint insupportable,*
> *mon cœur brûlait dans ma poitrine.*
> *Obsédé, brûlé par un feu... (I. st. 2)*

Si cet homme est pareillement tourmenté, c'est qu'il médite en profondeur et se trouve amené à des considérations proprement pascaliennes sur la misère de l'homme et du pécheur :

> *L'homme debout n'est rien qu'un souffle,*
> *celui qui marche, rien qu'une ombre ;*
> *rien qu'un souffle, les richesses qu'il entasse,*
> *et il ne sait qui les ramassera. (I. st. 4)*

> *Eloigne de moi tes coups,*
> *car je succombe aux assauts de ta main.*

En reprenant les torts, tu corriges l'homme ;
comme une teigne, tu ronges ses désirs. (II. st. 2)

Hélas ! sur quelle sombre perspective débouchent ces réflexions. Certes ce pauvre homme, jeune encore, gravement malade et conscient de ses fautes, se tourne vers Dieu :

Maintenant, que puis-je attendre, Seigneur ?
mon espérance repose en toi. (II. st. 1)

mais attendre quoi ? quelques années supplémentaires de vie - de vie éphémère, inconsistante - et un jour se heurter le front au même dilemme : tout finit irrémédiablement. Sa conclusion n'est-elle pas décevante ?

Détourne (ô Dieu) ton regard, que je respire,
avant que je m'en aille et ne sois plus. (dernière st.)

*

Non, nous ne pouvons faire nôtre la conclusion de ce psaume [1].
Il ne s'agit pas, pour nous, de vivre longuement une vie enfermée sur elle-même. L'homme n'est pas une sphère mais une parabole,
il n'est pas fait pour se centrer sur soi,
mais s'ouvrir à la transcendance :

Tout s'ouvre sur plus vaste que soi.
Tout devient chemin, route et fenêtre
Sur autre chose que soi-même (Saint-Exupéry).

---

[1] Cette insuffisance fondamentale de la pensée et de la foi relève de l'inachèvement de l'AT. Cependant certains psalmistes, tout en ignorant encore la « vie éternelle » de l'Evangile, étaient parvenus, dans leur intuition mystique et leur amour de Dieu, à une ouverture « sur plus vaste que soi ». Cf. ps 15 et 48, entre autres.

Psaume 51 : YAHWEH JUGERA LE MÉCHANT ET LE JUSTE

La force explosive de la vérité
(Soljenitsyne)

Elle explosera, la vérité.
Mais pourquoi suis-je si impatient ?

Pourquoi serais-je plus pressé que Dieu ? Je voudrais qu'il intervienne immédiatement, à la manière d'un règlement de comptes, punissant les méchants sur le fait et sur le fait rétablissant les justes dans la vérité.
La justice de Dieu interviendra.
Elle intervient.
Mais le Seigneur a le temps et la sagesse pour lui. Dans la parabole évangélique de l'ivraie, le maître de la moisson dit : « En ramassant l'ivraie (déjà maintenant), vous risquiez d'arracher en même temps le blé. Laissez l'un et l'autre croître ensemble jusqu'à la moisson, et au moment de la moisson je dirai aux moissonneurs : ' Ramassez d'abord l'ivraie et liez-la en bottes que l'on fera brûler, et puis vous recueillerez le blé dans mon grenier ' » (Mt 13, 29-30).

★

Face au Mal, attendre l'heure de Dieu dans la confiance : tel est l'enseignement de ce psaume, qui se présente dans le style d'une exhortation prophétique. La composition en est simple :

- St. 1 et 2 : portrait du méchant
- St. 3 et : Dieu va l' « extirper de la terre des vivants ».
- St. 5 et 6 : salut et action de grâces du juste :

> *Comme un olivier verdoyant* [2]
> *dans la maison de Dieu,*

---

[2] Si l'huile est le signe de la bénédiction de Dieu (cf. Dt 6, 11), l'olivier verdoyant est le symbole du juste béni de Dieu (cf. ps 127, 3).

*je compte sur l'amour du Seigneur
aujourd'hui et demain.*

*Je te rendrai grâce jusque dans l'éternité
pour tes interventions sur la terre.
Tu es bon envers tes amis,
toujours j'espérerai en toi.*

Office du matin

Psaume (de supplication) 76 :
L'ESPÉRANCE AU-DELA DU DOUTE

Le silence de Dieu

Il fut une époque de notre vie où Dieu se faisait si proche à notre cœur que sa présence nous comblait.

Mais aujourd'hui...

Seigneur, où es-tu ? Pourquoi cette absence ? Vois, mon âme est troublée, triste, triste.

Après des années de foi joyeuse, presque d'évidence qui suivirent sa conversion, J. Maritain se trouva brusquement plongé dans la nuit de l'âme : la vision s'était éteinte, ne restait que la certitude, et le cri à la limite de la désespérance.

*

C'était un cri semblable à celui de ce psaume, en st. 1-4 :

*Je crie vers mon Dieu à haute voix,
oui, à haute voix, car il faut qu'il m'entende...*

> *Même la nuit* [3]*, sans faiblir,*
> *mes mains sont tendues vers lui.* (st. 1)

> *Mon esprit se brouille,*
> *je suis troublé, les mots me manquent.* (st. 2)

Seul demeure le souvenir des « merveilles d'autrefois » que Yahweh fit pour son peuple : st. 5-9. Elles sont longuement développées sous la forme classique de la « théophanie » [4] du Dieu redoutable et sauveur de l'Exode et du Sinaï. Ces interventions du passé fondent la foi d'aujourd'hui d'Israël en détresse [5] :

> *Je me redis toutes tes actions,*
> *ô Dieu dont la route est sainteté et grandeur.* (st. 5 et 6)
> *C'est ton bras qui a sauvé ton peuple.* (st. 6)
> *Comme un troupeau, tu le guidais,*
> *par la main de Moïse et d'Aaron.* (st. 9)

1 S 2, 1-10 : ACTION DE GRACES D'UN « PAUVRE DE YAHWEH »

Ce qu'il y a de faible dans le monde...

... *voilà ce que Dieu a choisi pour confondre la force.*
Pourquoi ?
« Afin que l'homme n'aille pas se glorifier devant Dieu [6]. »

---

[3] La nuit est, dans la Bible, le symbole de l'épreuve, comme l'aurore et le jour celui de la faveur du Seigneur.

[4] Au sujet de la théophanie, cf. ps 17 A et 28, et les notes y relatives.

[5] Apparemment le psalmiste exprime une épreuve purement personnelle. En réalité il expose la détresse de tout Israël, soit durant l'exil de Babylone soit peu après le retour au pays dévasté. Nous aussi, nous adopterons une perspective générale et ferons de cette supplication déchirante « le psaume de l'Eglise du Silence ».

[6] 1 Co 1, 27 et 30.

Dieu se détourne des orgueilleux, mais regarde aux pauvres et aux humbles, car eux se situent dans le vrai et, par leur désistement radical, lui permettent d'agir en eux et à travers eux selon sa grandeur.

Peu d'époques auront compris - réalisé ? c'est une autre question ! - avec autant d'acuité que la nôtre, grâce à Vatican II mais également sous l'effet de facteurs socio-culturels, que l'Eglise de Jésus est l'Eglise des Pauvres ; qu'elle-même doit être servante et que sa force et sa victoire, elle les tirera des moyens humbles et cachés.

*

Ce « cantique d'Anne [7] » est l'action de grâces du « Pauvre ». On l'a appelé à juste titre le « prototype du Magnificat », Marie se plaçant dans la lignée de ces *anavim*, de ces *ebyionim* [8], de ces petits du bon Dieu que le génie de saint Paul va situer dans la grande perspective de la Croix de Jésus : « Le langage de la croix est folie pour ceux qui se perdent, mais pour ceux qui se sauvent, pour nous, *il est puissance et sagesse de Dieu...* Ce qui

---

[7] Ce psaume se trouve attribué à la mère de Samuel à cause de ce passage de la st. 3 : « La stérile enfante 7 fois », mais par le style et la pensée il lui est postérieur de plusieurs siècles.

[8] « Anavim » signifie pauvres et « ebyionim » mendiants, quémandeurs. Nombreux sont les psaumes des « Pauvres de Yahweh ».

Qui sont les « Pauvres de Yahweh » ? Ce sont des malheureux engagés dans les multiples difficultés de la vie : misère matérielle, expatriement, maladie, deuil, insécurité des veuves et des orphelins, injustices judiciaires, oppressions sociales et économiques. Cependant la Bible, dépassant la condition extérieure de la pauvreté, éduque ces petits - et tous les autres avec eux - à une disposition intérieure dont elle révèle la richesse spirituelle. L'Evangile achèvera cette pédagogie en reconnaissant dans les « pauvres en esprit » les héritiers privilégiés du Royaume de Dieu.

Le psautier se trouve imprégné de la *spiritualité de la pauvreté*. « Il faut l'affirmer : la principale révélation qu'une lecture assidue des psaumes infuse lentement dans les cœurs attentifs est celle de la pauvreté spirituelle » (L. MONLOUBOU).

est faiblesse de Dieu est plus fort que les hommes... Ce qu'il y a de faible dans le monde, voilà ce que Dieu a choisi pour confondre la force ; ce qui dans le monde est sans naissance et ce que l'on méprise, voilà ce que Dieu a choisi [9]... »

Psaume (du Règne) 96 :
LA VENUE DE YAHWEH ET SES EXIGENCES

Présence responsable dans l'ici-bas

« Le Seigneur est Roi » (st. 1) et qu'il est beau, ce Règne qu'il veut instaurer sur la terre : il est
« joie »,
« justice »,
« droiture »,
« gloire »,
« libération »,
« lumière » et « sainteté » (st. 1, 3, 5 et 6).

*

Mais quelle foi étriquée et défigurée n'aurions-nous pas si nous attendions que ces grandes choses nous « tombent dessus » ou nous soient offertes comme du « prêt à porter ». Ce beau royaume qui vient d'en-haut, qui est don gratuit, ne s'instaurera cependant pas *sans nous*. Loin de signifier une quelconque « évasion dans l'au-delà », le Royaume des Cieux réclame de chacun de nous, selon la belle expression du Père Chenu, une « présence responsable dans l'ici-bas ».

*

---

[9] 1 Co 1, 17-31.

Quant à la manière dramatique, typiquement biblique de présenter la venue du Dieu transcendant, en st. 1-3 [10], nous l'interprétons selon la conception intériorisante et intérieure de l'Evangile lui-même : « La venue du Royaume de Dieu ne se laisse pas observer, et on ne saurait dire : Le voici ! le voilà ! car sachez-le, le Royaume de Dieu est au-dedans de vous [11]. »

Office du milieu du jour

Psaume 118, 57-64 : voir I Mardi jour.

Psaume (de supplication) 54 :
PRIÈRE D'UN LÉVITE PERSÉCUTÉ ET TRAHI PAR UN AMI INTIME

La force de l'espérance désespérée
(P. Casaldaliga [12])

C'est d'une douleur extrême qu'il s'agit en ce psaume, dont les accents déchirants rejoignent le lyrisme des grands prophètes :

Je frémis sous les cris de l'ennemi,
sous les huées de l'impie. (I. st. 2)

---

[10] Une explication en est donnée au ps 17 A.
[11] Lc 17, 20-21. On traduit également : « au milieu de vous ». L'une ou l'autre traduction a finalement le même sens, car comment ce Royaume est-il au milieu de nous s'il n'est pas au-dedans de nous ?
[12] Evêque brésilien.

> *Mon cœur se tord en moi,*
> *les affres de la mort m'encerclent.* (I. st. 3)

De fait, la jungle humaine se déchaîne : haine, hypocrisie, querelles, divisions, « brutalités et tricheries » et surtout machinations d'un intime « qui vivait avec moi dans la maison de mon Dieu » (II. st. 2).

La victime ne sait comment s'y dérober :

> *Qui me donnera des ailes ?*
> *Je fuirais très loin au désert*
> *pour y vivre en sécurité.* (I. st. 4)

*

Ce psaume est, de toute évidence et dans son intégralité, prophétique des angoisses qui ont précédé et accompagné la Passion de Jésus. Quant à la trahison de ce Judas qu'il avait choisi, parmi de nombreux disciples, pour être son « familier, son intime » (II. st. 2), on sait combien le Christ en fut tourmenté [13].

Désespérance n'est pas désespoir.

Comme la tension extrême du psalmiste se résout entre les mains de Dieu :

> *Décharge ton fardeau sur le Seigneur*
> *et lui te soutiendra* [14].
> *Non, jamais il ne laissera*
> *le juste s'écrouler,* (II. st. 7)

ainsi Jésus, après avoir « clamé en un grand cri : ' Mon Dieu, mon Dieu, pourquoi m'as-tu abandonné ? ' » prononce [15] : « Père, je remets mon esprit entre tes mains. »

*

---

[13] Vingt fois environ les Evangiles mentionnent, sous une forme ou l'autre, le crime de Judas.

[14] Saint Pierre cite ce passage dans sa première lettre : 1 P 5, 7.

[15] Mt 27, 46 et Lc 23, 46. Remarquez comment Jésus, son Heure venue, prie avec les psaumes.

En contemplant le Christ souffrant et mourant, nous aurons parfois à prier notre propre passion : une situation extrême où les ailes nous manquent pour fuir, mais où jamais Dieu ne nous manquera. Et toujours ce sera la souffrance de l'Eglise entière que nous assumerons, de cette Eglise hélas ! trahie par ses enfants, par ceux qui vivent « dans la maison de Dieu ».

Prier sa souffrance et accueillir la « FORCE DE SON ESPÉRANCE DÉSESPÉRÉE » :

> *Dieu a entendu ma prière :*
> *il m'a rendu liberté et paix*
> *dans le combat que je soutiens.* (II. st. 4)

Office du soir

Psaume (de confiance) 61 :
YAHWEH, SEUL SOUTIEN DU MALHEUREUX

Dieu, océan de paix
(Catherine de Sienne)

Oh ! l'agitation des humains.
 Etres mesquins
qui se trémoussent,
manœuvrent,
échafaudent plans et contre-plans,
élaborent toutes sortes de menées ténébreuses.

Comme si, n'ayant pas la paix en eux, ils devaient la détruire, en tous cas la poursuivre chez les autres (st. 2 et 3).

Vaut-il la peine que Dieu s'en irrite ?
Il s'en amuse : c'est si petit, petit !
Que son fidèle vienne le rejoindre, là où il est,
dans cette altitude sereine et tranquille :

> *Ne cherche ton repos qu'en Dieu seul, ô mon âme !*
> *Lui est mon rocher imprenable,*
> *ma citadelle invincible.* (refrain)
>
> *Mon salut et ma gloire*
> *se trouvent auprès de Dieu...* (st. 5)

Psaume (d'action de grâces) 66 : Joie de la moisson

Déjà le moissonneur amasse le grain

L'humanité est la moisson de Dieu.

Jésus lui-même le dit et l'expression revient plusieurs fois sur ses lèvres : « Levez les yeux : les champs sont blancs pour la moisson... Déjà le moissonneur amasse du grain pour la vie éternelle [16]. »

D'ailleurs quelques siècles plus tôt le prophète Joël parlait du jugement et du salut comme d'une moisson :

> *Je siégerai pour juger*
> *toutes les nations à la ronde.*
> *Lancez la faucille : la moisson est mûre ;*
> *venez, foulez : le pressoir est comble,*
> *les cuves débordent...* [17]

La récolte annuelle s'achève en Palestine. Elle fut bonne, Dieu merci [18]. Mais ce beau psaume de la moisson déborde largement

---

[16] Jn 4, 35-36.
[17] Jl 4, 12-13.
[18] La Fête de la Moisson se célébrait 50 jours après la Pâque (d'où son nom grec de Pentecôte = 50) et marquait la fin de la moisson du

les réalités matérielles, qui ne sont d'ailleurs qu'évoquées brièvement dans la dernière strophe, et célèbre, en une vision universaliste propre à Isaïe [19], cette immense moisson humaine qui mûrit
lentement à la rencontre de l'éternité. L'action de grâces se trans-
forme alors en une ardente supplication :

> *Que les peuples proclament que tu es Dieu,*
> *que les peuples te chantent tous ensemble !* (refrain)

*

Tel est le psaume de notre ferveur missionnaire et de la vocation universelle de l'Eglise de Jésus-Christ.

Col 1, 12-20 : voir I Mercredi soir.

---

froment. D'aucuns rattachent ce psaume à la Fête des Tentes qui con-
cluait la saison plus tardive des fruits.
[19] Is 42, 1-4 ; 45, 14-16 ; 49, 6, etc.

II Jeudi

Office des lectures

Psaume 43 : SUPPLICATION NATIONALE APRÈS UN DÉSASTRE

Livrés en spectacle aux hommes et aux anges

La complainte tragique de ce psaume 43 concerne, selon une solide probabilité, la ruine de Jérusalem, en 587 av. J.-C.

Que voilà, proposée à notre prière, une histoire fort ancienne. Et tragique par surcroît, comme si notre époque n'avait pas son lot de catastrophes !

*

Cette histoire était déjà ancienne pour saint Paul. Il y lisait pourtant le destin de la jeune Eglise du Christ, puisqu'il applique le v. 12 (III. st. 2) :

> *C'est pour toi qu'on nous massacre tout le jour,*
> *qu'on nous traite en brebis d'abattoir,*

aux épreuves des Apôtres [1], desquels il dit ailleurs : « Nous avons été livrés en spectacle au monde, aux anges et aux hommes [2]. »

---

[1] Rm 8, 36.
[2] 1 Co 4, 9.

Oui, « l'Israël élu continue à vivre dans le mystère de l'Eglise, » (de Lubac). Alors cette situation tragique du peuple de Dieu et sa prière, telles qu'elles se reflètent dans ce psaume (effondrement de la dynastie davidique, destruction du temple et de l'Arche d'Alliance, dispersion et déportation, et la fidélité d'un « petit reste » de croyants) est de tous les temps. De *notre* temps. Un tiers de l'humanité est sous régime totalitaire, matérialiste et athée. « La sainte Russie » qui comptait plus de 50 000 églises - et quelles églises ! - n'en a plus qu'une centaine. Que reste-t-il de la religion en Chine ? Et qui est encore chrétien dans les pays de liberté ?

★

Comment portons-nous cette épreuve de l'Eglise, nous qui sommes délégués à sa prière[3] ? Cette épreuve, ou plus exactement cette immense purification, la portons-nous avec la foi de Paul disant : « MAIS EN TOUT CELA, NOUS N'AVONS AUCUNE PEINE A TRIOMPHER PAR CELUI QUI NOUS A AIMÉS » (Rm 8, 37).

★

Si l'indication de la structure du psaume devait en faciliter la compréhension, la voici :

- Rappel des victoires passées d'Israël obtenues par la puissance de Yahweh : I.

- La défaite présente : II.

- Pourtant Israël est resté fidèle à l'Alliance : III. st. 1 et 2.

- Appel au secours divin : III. st. 3 et 4.

---

[3] « Désormais, il ne suffit plus d'être porté par l'Eglise, il faut la porter » (M. LÉGAUT).

Office du matin

Psaume 79 : Supplication pour Israel ravagé et dispersé

Notre prière épouse toutes les attentes de l'humanité
(Cardinal Daniélou)

Multiples attentes !
Celle de *l'unité* n'en serait-elle pas l'une des plus fondamentales ?
Unité des hommes.
Unité des chrétiens.
Des chrétiens surtout, appelés à être un ferment dans le monde.

Ce psaume implore *l'unité*.
Le psautier étant souvent le destin d'Israël prié, sa bonne intelligence suppose quelques connaissances d'histoire sainte. Donc, après la mort de Salomon, vers 930, un schisme politico-religieux déchire Israël, qui sera désormais scindé en deux royaumes. Celui du Nord, abandonnant le temple de Jérusalem, vraie demeure de Dieu, érigera des sanctuaires... concurrents [4]. En 722, les Assyriens détruisent le royaume du Nord. C'est alors qu'Ezékias, roi de Juda à Jérusalem, mettra à profit les circonstances pour tenter la réunification religieuse et politique de tout Israël [5].
Le présent psaume s'inscrit probablement - d'une manière assez voilée, il est vrai - dans ce contexte historique. Il exprime la supplication des Israélites du Nord de « revenir » de l'exil à leur patrie, de la division à l'*unité* du peuple élu :

> *Dieu, fais-nous revenir ;*
> *que ton visage s'éclaire* [6] *:*
> *alors nous serons sauvés.* (refrain)

---

[4] Cf. 1 R 25.
[5] Cf. 2 Ch 30.
[6] Dans la colère, le visage de Dieu s'assombrit ; dans la bienveillance, il s'éclaire.

Structure du psaume :

- Invocation au Pasteur d'Israël : St. 1.

   Ce thème du pasteur, si riche d'évocation pour un peuple de bergers nomades, sera repris par Jésus lui-même. C'est donc Lui que le chrétien invoque ici, et qui a dit : « Il y aura un seul troupeau et un seul berger [7]. »

- Complainte sur le désastre national : St. 2.

- Les faveurs passées de Dieu pour Israël : st. 3 et 4.

   Elles sont les motifs de son espérance [8].

   Quant au thème de la « vigne » choyée de Dieu, il est familier aux prophètes :

   > *Que je chante à mon bien-aimé*
   > *le chant de mon ami pour sa vigne.* (Is 5, 1)

   Jésus révèle, en Jn 15, le mystère de la « vraie vigne », qui est aussi le mystère de l'unité de tous les chrétiens, rameaux multiples et divers d'un même et unique cep et vivant d'une vie unique [9].

- Nouvelle complainte. st. 5 et 6.

- Supplication et promesse de fidélité. st. 7.

   Déjà la st. 6 mentionnait le « Fils », puis le « fils d'homme » et enfin « ton protégé ». Qui est ce personnage ? Peut-être le roi

---

[7] Les « chérubins » mentionnés en cette strophe ne désignent pas des anges, mais ces figures, sortes de sphinx ailés, qui encadraient l'Arche d'Alliance. On dira ainsi de la présence de Dieu autour de l'Arche : « il siège sur les chérubins ».

« Ephraïm et Manassé », fils de Joseph, auxquels est parfois rattaché « Benjamin », le préféré de celui-ci, sont les ancêtres des deux principales tribus du nord.

[8] Ce rappel des faveurs passées pour fonder la foi actuelle est fréquent dans les psaumes. Il se trouve particulièrement développé dans le ps 76.

[9] Le « fleuve » évoqué dans la st. 4 est l'Euphrate. Jamais Israël n'a poussé si loin ses frontières. Il s'agit d'une amplification lyrique.

Ezékias, successeur légitime de David et porteur de l'Alliance unique.

Is 12, 1-6 :
HYMNE AU « SAINT D'ISRAEL », SOURCE DE SALUT

La source a soif d'être bue
(Grégoire de Nazianze)

« Le dernier jour de la Fête (des Tentes, l'une des trois principales dates religieuses en Israël), le grand jour (qui rassemblait les foules les plus nombreuses), Jésus, debout, lança à pleine voix :

> *Celui qui a soif, qu'il vienne à moi*
> *et qu'il boive.*
> *Oui, qu'il boive,*
> *celui qui croit en moi* [10].

Que symbolise cette Eau mystérieuse ? Jean l'explique : « Il parlait de l'Esprit. »
Et d'où jaillit l'Esprit ? du Cœur transpercé du Fils de Dieu : « Un soldat, de sa lance, perça le côté de Jésus et aussitôt il sortit du sang et de l'eau [11]. »

*

Au nom de Dieu, les prophètes de l'AT promirent pour les temps messianiques ce don de l'Eau vivifiante :

> *Vous serez enivrés de joie,*
> *le jour où vous puiserez l'eau*
> *à la source de vie* [12]. (st. 3)

---

[10] Jn 7, 37.
[11] Jn 19, 34.
[12] PE traduit : « source de salut ». Les deux expressions sont équi-

Elle jaillira à l'intérieur même du peuple de Dieu :

Il est grand au milieu de toi,
le saint d'Israël [13]. (st. 6)

Quant aux strophes 4-6a, elles ne sont que l'acclamation de cette « merveille » de l'effusion de l'Esprit.

*

Reportons-nous maintenant aux deux premières strophes.

Il est aisé de reconnaître qu'elles ne sont pas de la même veine que les strophes 3-6 : celles-ci sont caractérisées par le *vous ;* celles-là, où l'on s'exprime par le *je,* sont un bref psaume de reconnaissance d'un affligé secouru par Yahweh. PE, par le titre : « Cantique des rachetés » tente de ne faire de toutes les strophes qu'un seul psaume. Il est vrai que le mot « salut » des 2ᵉ et 3ᵉ strophes le suggérerait. Quant à nous, nous préférons les dissocier.

Psaume (d'exhortation) 80 :
SI ISRAEL ÉCOUTAIT YAHWEH, YAHWEH LE SAUVERAIT

L'amour ne se résigne pas au refus

Les interpellations douloureuses et insistantes de ce psaume [14] :

O Israël, si tu pouvais M'écouter ! (st. 5)
Mais mon peuple n'a pas écouté ma voix,

---

valentes car sans eau la terre n'est qu'un désert où hommes et bêtes meurent. Parce que l'eau est vie, elle est salut.

[13] De Jésus, Gabriel avait annoncé : « Il sera saint et appelé Fils de Dieu. » Les esprits impurs eux-mêmes le proclamaient : « Tu es le Saint de Dieu » (Mc 1, 24).

[14] Notes exégétiques.
- St. 1. Elle est une invitation à célébrer dans la joie la Fête des Tentes

> *Israël n'a pas voulu de Moi.*
> *Ah ! si mon peuple suivait mon chemin,* (st. 7)

Jésus par deux fois les a faites siennes : « (Jérusalem), si en ce jour tu avais compris le message de paix. Mais hélas ! il est demeuré caché à tes yeux... Tu n'as pas reconnu le temps où tu fus visitée. »

Interpellation douloureuse, disions-nous. En effet, « quand Jésus fut proche de Jérusalem, il pleura sur elle » (Lc 13, 34-35 ; 19, 41).

Ici et là, c'est le même *Cœur de Dieu* qui sollicite les hommes :

> *Ecoute, mon peuple, je t'en adjure,* (st. 5)

parce qu'il désire les combler des biens du Royaume :

> *Ouvre large la bouche et je l'emplirai.* (st. 5)
> *Je nourrirais mon peuple, je le rassasierais*
> *des meilleures choses qui soient.* (st. 8)

★

« Les dons et l'appel de Dieu sont sans repentance » dit saint Paul en Rm 11, 29 et cette voix de l'Amour divin se répercu-

---

qui commémorait le séjour d'Israël au désert (où l'on vivait sous tentes), et la loi reçue au Sinaï. Elle avait lieu à la « pleine lune » de juillet.
- St. 2. Elle rappelle que cette célébration est, de par la volonté de Dieu, « une loi pour Israël » (Cf. Ex 23, 14).
- St. 3. Dans l'assemblée, une voix prophétique se lève et transmet l'appel pressant de Dieu à la foi et l'obéissance.
« Une voix inconnue » : la voix mystérieuse de Dieu qui soudain retentit dans l'âme du psalmiste.
« J'ai déchargé son épaule » fait allusion aux corvées de travail imposées à Israël en Egypte.
« Caché dans l'orage » : rappel de l'apparition de Dieu au Sinaï.
« Mériba » : nom géographique du désert qui signifie « contestation » et fut donné à l'endroit où Israël, souffrant de la soif, manqua de foi en Yahweh.
- St. 8. Littéralement « graisse (ou fleur) de froment » et « miel du rocher ». C'est une manière concrète de dire : les aliments les meilleurs.

tera à travers toute l'histoire de l'humanité. Jamais Dieu ne peut se résigner au refus.

Quelle est ma réponse aujourd'hui ?

Resterai-je insensible aux avances du Cœur de Dieu ?

Office du milieu du jour

Psaume 118, 65-72 : voir I Mardi jour.

Psaume 55 : SUPPLICATION CONFIANTE EN DANGER DE MORT

Les larmes de l'humanité montent toujours vers toi
(Dostoïevski)

Ayant atteint le fond de la souffrance, certains ne peuvent plus pleurer.

D'autres pleurent encore des larmes perdues, celles, par exemple, d'une épouse abandonnée et révoltée.

Mais quand les larmes, au lieu de tomber, montent vers le « Dieu de toute consolation » (2 Co 1, 3),

quand elles sont recueillies entre ses Mains :

> *Recueille mes larmes dans ton outre ;*
> *toutes mes épreuves ne sont-elles pas comptées*
> *dans ton livre* [15] *?* (st. 3)

---

[15] Is 25, 8 et Ap 7, 17 : « Dieu essuiera toute larme de leurs yeux. »

l'âme éprouve un apaisement et ses peurs tombent :

> *Sur mon Dieu dont je magnifie les promesses,*
> *sur mon Dieu je compte*
> *et j'abandonne toutes mes peurs.*
> *Car que pourraient encore contre moi*
> *ces pauvres humains* [16] *? (refrain, st. 2 et 4)*

pour faire place à la certitude la plus forte et la plus douce :

> *Tu m'as délivré de la mort* [17]
> *pour que je marche en présence de Dieu,*
> *dans la lumière des vivants. (st. 5)*

Psaume 56 : voir **I** Jeudi matin.

Office du soir

Psaume (royal) 71 : Prière pour un nouveau roi d'Israel

Saint Paul, Jésus lui sortait toujours par la bouche
(Thérèse d'Avila)

Dans son autobiographie, Thérèse d'Avila, parlant de l'humanité du Christ, a ces paroles fortes et savoureuses : « Dieu veut que nous tenions tout de cette humanité sacrée... Je l'ai vu très

---

[16] « Pauvres humains » : litt. « êtres de chair », chair signifiant l'homme dans sa faiblesse.

[17] Dans sa certitude, le psalmiste se considère comme déjà exaucé et secouru.

souvent, par expérience ; le Seigneur me l'a dit. Regardons saint Paul, on eût dit que Jésus lui sortait toujours par la bouche, tant il le gardait présent en son amour. Depuis que j'ai compris cela, j'ai considéré avec attention quelques saints, grands contemplatifs, et ils ne suivaient pas d'autre voie. Saint François le montre par les stigmates, saint Antoine de Padoue par l'Enfant, saint Bernard faisait ses délices de l'humanité de Jésus. »

★

Ce très beau psaume royal 71 va nous permettre une longue contemplation de l'Humanité du Verbe. En effet, au delà de ce roi d'Israël pour lequel il est fait une prière, nous entrevoyons Celui-là seul, descendant de David et Fils d'Homme, qui est à même de réaliser toutes les grandes choses annoncées et demandées.

Suivons de près cette effusion du Royaume de Dieu à travers l'Homme *Jésus* :

- Son règne est un règne de *justice* et de *prospérité :* I. st. 1 et 2a ; II. st. 3.

> *Il deviendra un grand manteau de blé sur la terre,*
> *comme le Liban, ses épis onduleront ;*
> *on les verra, depuis la ville, florissants,*
> *comme l'herbe sur la terre.* (II. st. 3)

- Un règne favorable aux *petits* et aux *humbles :* I. st. 1 et 2 ; II. st. 1 et 2a.

> *Qu'il fasse droit aux malheureux de son peuple,*
> *qu'il sauve les pauvres gens !* (I. st. 2)

> *Il prendra souci du faible et du pauvre,*
> *du pauvre dont il sauve la vie.* (II. st. 1)

- Le règne de ce Fils d'Homme ne sera point soumis aux fluctuations terrestres mais *subsistera à jamais :* I. st. 3 et 4a ; II. st. 4.

> *Qu'il dure autant que le soleil*
> *... jusqu'au dernier des siècles !* (I. st. 3)

- Ce règne *pénétrera les cœurs* avec la douceur et la fécondité de la pluie : I. st. 3b.

> *Qu'il descende comme la pluie sur les regains,*
> *une pluie qui pénètre la terre !*

- Sa bénédiction s'étendra à *tous les hommes* de toute latitude et de toute race : I. st. 4b et 5 ; II. st. 4b.

> *Qu'il domine d'une mer à l'autre*
> *et du Fleuve* [18] *jusqu'au bout de la terre.* (I. st. 4)

- Le roi sera *béni* de toutes les nations et toutes les *nations seront bénies* en lui : II. st. 4 b.

> *En lui seront bénies toutes les races de la terre,*
> *et toutes les nations diront son bonheur.*

- La dernière strophe de II. forme une doxologie qui clôt cette célébration du Messie et de son Règne et qui marque, comme à l'accoutumée, la fin d'une partie du psautier.

Ap 11 et 12 : voir I Jeudi soir.

---

[18] Le « Fleuve » désigne en général l'Euphrate. La strophe 5 comporte quelques autres lieux géographiques :
« Tarsis » pourrait être l'Espagne.
« Iles » sont les pays situés outre-Méditerranée.
« Saba » indique le sud de l'Arabie et « Séba » une partie de l'Ethiopie ou de l'Arabie. Nous reconnaissons aisément dans ce texte universaliste celui que la liturgie utilise pour l'Epiphanie.

II Vendredi

Office des lectures

Psaume (de supplication) 37 :
<small>Prière d'un malade pécheur et persécuté</small>

Ce sont les membres les plus fidèles qui portent la souffrance de l'Eglise

Souffrances de l'homme :
maladie,
solitude,
hostilité.

Parfois :
une conscience nouvelle ou accrue du péché qui devient « un poids trop pesant » (I. st. 2).

Dans cette solitude de larmes,
une Présence : « Mon Dieu, ne sois pas loin de moi » (III. st. 4).

Voilà en quelques mots ce psaume de supplication.

*

Psaume prophétique de la solitude et de l'agonie de Jésus. Luc cite presque textuellement le verset 12 (II. st. 4) : « Tous ses amis se tenaient à distance[1]. » Jésus, le Juste, porte *seul* le péché de toute l'humanité malade, et son poids d'agonie.

Quant à nous, n'aurions-nous pas mérité, par nos fautes connues, inconnues ou non reconnues, telles de nos souffrances ?

Et si nous nous trouvions innocents, ce serait notre orgueil qui s'étalerait devant la vérité de Dieu...

D'autre part, sommes-nous bien certains de ne pas « être pour quelque chose » dans les épreuves de l'Eglise du 20ᵉ siècle ? Solidaires, ne serions-nous pas aussi *responsables* ? Les saints manquent à l'Eglise, notre sainteté fait défaut à l'humanité malade. Est-ce que cela ne nous pèse pas ? Si nos déficiences sont un poids... léger, serait-ce que nous sommes nous-mêmes... légers ?

Ce psaume ne doit ni ne peut rester sans un profond retentissement dans notre conscience.

Office du matin

Psaume 50 : voir I Vendredi matin.

Ha 3, 2-4 ; 13-9 : Hymne a la justice divine

L'axe secret de l'histoire

Pas d'or sans feu.

Le feu purifie, qui sépare impitoyablement les scories du métal précieux.

---

[1] Lc 23, 49.

Pas d'humanité pure et noble sans un Dieu qui ne la traverserait comme un feu dévorant. Ne serait-il pas à désespérer de notre monde, si la justice divine faisait défaut ? Où irait-il, si le mal partout triomphait, et toujours ?

L'axe secret de l'Histoire est un axe de feu.

Gloire à Dieu !

★

Ce psaume du prophète Habaquq célébrant l'intervention de Dieu en donne une idée grandiose. Elle est présentée à la manière des prophètes : imagée et dramatique.

Quant à nous, nous savons bien, grâce à une réflexion théologique, que cette justice du Dieu trois fois saint est aussi une infinie patience de l'Amour qui chemine silencieusement mais irrésistiblement.

★

Voici la structure du psaume :

- Appel à l'intervention de Yahweh : st. 1.

- Venue du Dieu de majesté et de lumière : st. 2 et 3 [2].

- Combat de Yahweh pour la justice : st. 4-6 [3].

- Action de grâces pour l'intervention de Dieu : st. 8.

★

Paul VI, le 1er janvier 1976, a interprété courageusement, dans la ligne des prophètes, l'agir de Dieu dans le monde con-

---

[2] « Téman » était un district d'Edom, région désertique entre le Sinaï et la Palestine. « Paran » est une montagne d'Edom. Le prophète veut sans doute suggérer que le Dieu qui vient du côté du Sinaï est le Dieu de Moïse et de l'Alliance.

« Deux rayons (de feu) lui sortent des mains. » L'un serait-il pour juger les méchants et l'autre pour sauver les fidèles ?

[3] La strophe 7, un tableau de misère agricole, est peut-être une ajoute tardive, en temps de guerre. En la laissant de côté, on obtiendrait une unité plus cohérente du psaume.

temporain : « Le jugement de l'histoire, disait-il, attend les responsables du sort des peuples, mais plus sévère et plus infaillible le jugement de Dieu. »

Psaume (de Sion) 147 :
HYMNE A LA GLOIRE DE YAHWEH, SAUVEUR DE JÉRUSALEM

Nous sommes nés dans la lumière de la parole

Ce psaume, qui célèbre la Jérusalem rénovée sous Néhémie, après l'exil de Babylone, vers 450 av. J.-C., devient sur nos lèvres un hymne à l'Eglise et contient, d'une manière implicite, une fort belle théologie ecclésiale.

- St. 1 : Invitation à la louange.

- St. 2 : « Lui qui renforce les barres de tes portes » évoque la solidité inébranlable de l'Eglise de Jésus : « Tu es Pierre, et sur cette pierre je bâtirai mon Eglise et les puissances du mal ne prévaudront pas contre elle » (Mt 16, 18).
« Il veille sur la paix à tes frontières. » La paix dans la communion fraternelle est l'essence même de l'Eglise, hélas ! si souvent lacérée par nos péchés.
« Et de la fleur de froment te rassassie » : voici évoquée l'Eucharistie, sacrement de l'unité de l'Eglise.

- St. 3-5 : Le sens littéral des strophes 3 et 4 est le suivant : une simple parole (décision) divine provoque en hiver neige, givre et glace, tandis qu'une volonté ultérieure les fait fondre bientôt, afin de vivifier le sol aride de Palestine et assurer sa prospérité.
Il faut maintenant remarquer que la « Parole » est présentée ici presque comme une personne (« il *envoie* sa parole »). Nous y lisons, comme au Livre des Proverbes ou de la Sagesse, l'an-

nonce mystérieuse et prophétique de ce Verbe de Dieu vivifiant l'Eglise par les sacrements et lui faisant don de l'Eau vive, qui est l'Esprit. Quelle résonance ces versets ne prennent-ils pas pour un chrétien :

Il envoie sa Parole : survient le dégel ;
il faut souffler l'Esprit, et l'Eau s'écoule.

*

« Nés dans la lumière de la Parole, nous devons l'expliciter sans fin » [4] dans et par l'Eglise qui en a le dépôt.

Office du milieu du jour

Psaume 118, 73-80 : voir I Mardi jour.

Psaume 58 [5] :
CONFIANCE EN LA FORCE DE DIEU SAUVEUR

Le Dieu de mon amour

Dans PE, ce psaume, dont l'auteur inspiré attend l'avènement d'un monde de justice et d'amour et dénonce violemment des « situations de tyrannie et d'exploitation » [6], a été largement

---

[4] PAUL RICŒUR.
[5] Ce psaume, dans son intégralité, serait un appel à Dieu contre les impies.
[6] Dans le style des psaumes, les responsables de ces situations d'injustice se nomment « agresseurs... hommes criminels... meurtriers » (st. 1) qui « attirent (le faible) dans un guet-apens », « gens puissants à l'affût... » (st. 2).

amputé (les passages signalés par /.../) de la partie la plus dure, les imprécations contre les impies et les hommes sans Dieu. Une note plus sereine domine ainsi par-dessus le tumulte. Sa confiance paisible, le psalmiste la résume en de très belles stances :

> *Je regarde vers toi, qui es plus fort que tous,*
> *et le Dieu de mon amour vient jusqu'à moi.* (st. 3)
>
> *O ma Force, je te chante*
> *et dès le matin j'acclame ta tendresse.*
> *O ma Force, à toi mes hymnes,*
> *Dieu de mon amour.* (st. 4 et 5)

Psaume (de supplication) 59 :
APPEL A DIEU APRÈS LA CHUTE DE JÉRUSALEM

Une nouvelle naissance d'humanité

Que de défaitistes sur notre globe !

Les fervents gémissent : « Que devient la foi ? où va la jeunesse ? »

Les sceptiques ricanent : « Le Pape parle, qui l'écoute ? votre Eglise a perdu toute crédibilité. »

Un immense majorité reconnaît avoir peur de l'avenir.

*

Il leur en fallait une foi et une espérance à ces Juifs qui, en 587, virent tomber la cité de Dieu, assistèrent à la dispersion du peuple élu, furent témoins de la destruction du temple et de la profanation de l'Arche !

Dans ce chaos, ils ne cherchèrent pas d'autre issue que Yahweh. Ils firent confiance, et totalement, à la promesse d'un ralliement futur de tout le peuple de Dieu en un territoire reconquis et agrandi.

Cette promesse est annoncée, en la st. 4, par un oracle prophétique. Les frontières de ce nouveau territoire sont bien précisées : à l'est et à l'ouest : Sichem et Sukkot ; au sud-est et au sud-ouest : Moab, Galaad et la Philistie ; au nord : Ephraïm et Manassé ; au sud : Edom.

★

L'histoire n'a pas montré la réalisation littérale de cette prophétie. Mais l'Ecriture ne peut être éliminée. Les événements successifs et qui s'étalent tout au long des millénaires en font découvrir et le sens caché et une ampleur insoupçonnée. Le Royaume de Dieu - car c'est de lui qu'il s'agit à propos du peuple élu - se construit dans l'immense patience du temps et sur la totalité de la planète.

Dans cette maturation du Royaume, chaque période est comme une NOUVELLE NAISSANCE D'HUMANITÉ.

Serions-nous les vrais porteurs de la prière de l'Eglise si nous n'étions pas envahis par la grande Espérance qui renaît à chaque époque et de chaque époque de l'Histoire ?

Office du soir

Psaume (de confiance) 120 :
CANTIQUE DU PÈLERIN MONTANT VERS JÉRUSALEM

Comment dormirait-il, celui qui meut les étoiles ?

A observer la marche de l'humanité, ne serait-on pas parfois tenté de croire que Dieu « sommeille », voire qu'il est mort, comme disent certains ?

Non !
Il ne sommeille pas,
il ne s'endort pas,
le gardien d'Israël,
lui qui a fait le ciel et la terre. (st. 2 et 1)

Voyageurs qui nous épuisons sous le soleil du désert humain ou tremblons parmi les embûches nocturnes, nous demeurons pourtant en confiance, car

Le Seigneur est ton gardien,
le Seigneur est ton ombrage...
De jour, le soleil ne te fera aucun mal,
ni la lune, durant la nuit [7]. (st. 3)

*

Touchant poème, tout saturé de l'assurance sereine qu'inspire le « gardien [8] d'Israël » et que Jésus, à la veille de sa mort, nous légua en testament :

J'ai gardé en ton nom,
Père,
ceux que tu m'as donnés.
J'ai veillé sur eux,
et aucun d'eux ne s'est perdu.
sauf le fils de perdition.

Père,
ceux que tu m'as donnés,
je veux que là où je suis,
ils soient aussi avec moi. (Jn 17, 12 et 24)

---

[7] On sait le danger du soleil dans les pays de la chaleur. Quant à la lune, si familière chez nous, on lui attribuait des influences néfastes.

[8] Le mot ou la racine « garder » revient 6 fois en ce court psaume.

Psaume 114 : Prière pour une liturgie d'action de graces

Entrevoir la lumière même depuis les profondeurs
(Saint Augustin)

De quelles profondeurs s'agit-il ?
De profondeurs obscures, sans doute :

> le péché ;
> l'angoisse ;
> l'absurde de la vie ;
> de faux amis ;
> la maladie ;
> la mort.

Un jour ou l'autre, je me trouverai aux prises avec ces forces ténébreuses, à l'exemple de notre psalmiste :

> *J'étais pris dans les liens de la mort,*
> *dans les filets infernaux,*
> *envahi par l'angoisse*
> *et la tristesse.* (st. 2)

Mais la situation d'un croyant n'est jamais si désespérée qu'un rayon de lumière ne filtre à travers ces épaisseurs : si je crie, on va donc m'entendre, on va pouvoir me secourir, puisque quelque chose d'en-haut pénètre jusqu'à moi :

> *J'appelais le Seigneur par son nom :*
> *de grâce, viens me délivrer.* (st. 3)

C'est fait, ma voix fut entendue. Sauvé !
Je débouche à l'air, à la lumière et à la liberté.
Joie ! gratitude !

> *Retourne, ô mon âme, à ton repos...*
> *Je marcherai en présence du Seigneur*
> *sur la terre des vivants.* (st. 5)

Je le sais : cette lumière aperçue des profondeurs n'était rien moins que la bonté de mon Dieu. Aussi, en retour

Je suis saisi d'amour pour le Seigneur. (st. 1)

Ap 15, 3-4 : Voir I Vendredi soir.

II Samedi

Office des lectures

Psaume 135 : HYMNE A L'AMOUR DIVIN
DANS LA CRÉATION ET L'HISTOIRE D'ISRAEL

Dieu nous a transférés dans le royaume de son Fils

Il nous est bon de chanter ce psaume :

Rendez grâce au Seigneur,
car il est aimable.
Toute merveille nous vient de lui,
de lui seul,
car éternel est son amour. (I. st. 1 et 2)

*

Si nous sommes parfaitement à l'aise dans les 3 premières strophes (I. de PE), qu'allons-nous faire des suivantes ? comment prier, aujourd'hui, sur des passages tels que : « Il culbuta Pharaon et son armée... » ou « Il frappa des princes puissants et fit périr des rois redoutables » ?

Il est important de saisir la signification *spirituelle* de l'Exode (sortie d'Egypte et passage en Terre promise) dont le thème, parfois associé à celui de la création, revient fréquemment dans le psautier [1].

Saint Paul explique que « ces faits (l'Exode) se sont produits pour nous servir d'exemple » [2]. Ils sont la figure de réalités spirituelles apportées par le Christ et se trouvent accomplis dans l'œuvre de sa Rédemption. L'Exode spirituel et définitif consiste à « passer », à la suite du « nouveau Moïse », - collectivement pour l'humanité rachetée et individuellement pour chacun d'entre nous - de ce monde d'en-bas vers le monde d'en-haut. « Celui qui croit en moi est *passé* de la mort à la vie [3]. »

C'est donc notre cheminement spirituel et notre destinée « pascale » que nous célébrons et revivons à travers ces figures de l'AT [4]. Nous y chantons l'amour de « Dieu qui nous a arrachés à l'empire des ténèbres et *transférés dans le royaume de son Fils bien-aimé* » (Col 1, 13).

★

Jésus, nous le savons, a récité cet hymne le soir du Jeudi saint, à la Cène, les Juifs chantant à la Pâque le « grand Hallel » dont ce psaume fait partie.

---

[1] Nous nous répétons sur ce point à propos de quelques psaumes : d'abord pour bien faire entrer cette interprétation spirituelle dans les esprits, ensuite pour dispenser de recourir trop fréquemment à des psaumes similaires.

[2] 1 Co 10, 6.

[3] Jn 5, 24.

[4] « C'est (aujourd'hui) l'histoire d'Israël qui recommence : l'exode, le désert, l'insécurité... L'Eglise, nouvel Israël, n'est-elle pas sur le même chemin ? Ne parcourt-elle pas les mêmes étapes dans son histoire ? Il me semble que si. N'a-t-elle pas vécu son exode et son désert ?... » (C. CARRETTO, *Mon Père, je m'abandonne à Toi,* Cerf, Paris).

Psaume (d'instruction) 105 :
L'AMOUR MISÉRICORDIEUX DE YAHWEH DANS L'HISTOIRE D'ISRAEL

Ces êtres doubles, fragiles et inconstants que nous sommes

Telle est notre expérience personnelle.
Telle est également la vision que nous offre notre entourage.
Mais Dieu soit loué ! si nous, nous sommes si changeants, sa miséricorde sans limite est de toujours.
« Là où le péché s'est multiplié, la grâce a surabondé » (Rm 5, 20).

★

Cette alternance du péché et de la grâce se trouve développée en ce psaume historique, datant d'après le rapatriement des exilés de Babylone :

> *Tant et tant de fois ils les sauva,*
> *mais eux, pleins de malice, se rebellaient*
> *et s'enfonçaient encore plus dans leurs torts.*
>
> *Il se souvient pour eux de son alliance*
> *et il s'émut selon son grand amour.* (III. st. 6 et 7)

L'auteur n'élabore pas une théologie sur le thème : grâce et péché ; qu'il lui suffise de l'illustrer par l'histoire d'Israël, de la sortie d'Egypte à l'entrée en Canaan [5].

★

---

[5] Quelques notes exégétiques :
« Datan et Abiron » (II. st. 3) qui se dressèrent contre Moïse, fomentèrent la révolte du peuple dans le désert. Le sol s'ouvrit sous leurs pas et les engloutit. Cf. Nb 16.
« Béelphégor » (II. st. 9) est le nom du dieu Baal.
« Discorde » (II. st. 10) : la révolte du peuple contre Dieu et Moïse a donné naissance à un nom de lieu, précisément « Discorde » ou, en hébreu, « Mériba ».

Jésus, disant ce psaume, ne revivait pas simplement l'histoire du passé de son peuple, mais il entrait dans le drame des hommes de tous les temps.

De tous les temps.

Aujourd'hui encore il est vivant au milieu des hommes, pardonnant, relevant, conduisant son Eglise en cette Terre promise pour laquelle il mourut.

Nous disons ce psaume avec les yeux et le cœur même du Christ. Le jeu tragique du refus et sublime du pardon dans l'humanité contemporaine, nous le transformons en prière - « Prière du Temps Présent ! » - assurant la relève de Moïse, le grand intercesseur de son peuple, dont il est question en II.

Office du matin

Psaume (hymne didactique) 91 :
LE SORT HEUREUX DES JUSTES ET L'EFFONDREMENT DES MÉCHANTS

Il y a des amorces d'éternité
dans notre existence
(M. Légaut)

Etres superficiels, nous restons si souvent à la phériphérie de notre vie.

Les psalmistes, eux, s'acharnent à comprendre que les événements de l'existence ne sont pas uniquement ce qu'ils apparaissent ; qu'ils sont finalement des actes, des « œuvres », des « hauts-faits » du Seigneur [6] ; que l'histoire n'émane pas d'une force impersonnelle qui serait le Hasard, mais de la fidélité, de la tendresse et de l'appel de Dieu. Déjà ils pressentent ces « amorces d'éternité » semées dans nos destinées, et qui sont l'agir même de Dieu :

> *Tes actions, Seigneur, me réjouissent*
> *et, contemplant l'ouvrage de tes mains,*
> *je m'écrie :*
> *que ce que tu fais est grand*
> *et que tes desseins sont insondables !* (st. 2)

Découvrir l'axe intemporel des plans divins, les cœurs indociles en sont bien incapables :

> *L'homme stupide ignore ces grandes choses*
> *et l'esprit sans profondeur n'y comprend rien.* (st. 3)

Le Sage, lui, a réfléchi.

Il a vu les malfaisants florissants et même heureux, mais finalement, au milieu de leur prospérité et de leur bonheur provocants, ils ne sont que de « l'herbe » (st. 3) qui pousse le matin et se dessèche le soir. Mais

> *Le juste pousse comme un palmier* [7],
> *il grandit comme un cèdre du Liban.*

---

[6] Les expressions « œuvres », « hauts-faits », « merveilles » et d'autres semblables caractérisent, dans les psaumes, l'agir de Dieu dans l'humanité.

[7] Le psalmiste, qui a le don de poésie, multiplie les images. Il a rappelé l'inconsistance de l'herbe et maintenant il évoque la fécondité du palmier et la grâce, la vigueur et la longévité du cèdre. Notez encore, en st. 5, « l'audace du buffle » pour signifier force et courage, puis « Tu répands sur moi l'huile », afin de montrer que Yahweh est cet ami qui reçoit son fidèle et accomplit ce geste oriental de courtoisie envers les invités.

Planté dans la maison du Seigneur,
il atteint son plein développement.
Dans sa vieillesse il fructifie encore,
plein de sève et de verdeur. (st. 6 et 7)

C'est tout cela qui remplit le cœur du psalmiste et c'est pour tout cela qu'il avait entonné son hymne :

Que c'est bon de te rendre grâce, Seigneur,
de publier au matin ton amour,
avec toute la joie des lyres,
des harpes et des cithares. (st. 1)

Ex 32, 1-12 :
HYMNE A L'AMOUR DE YAHWEH ENVERS SON PEUPLE INCONSTANT

Emportés sur les ailes de l'aigle (Ex 19, 4)

Moïse, grand parmi les grands de l'AT, va mourir. Il devra auparavant proclamer à l'assemblée d'Israël le cantique que Yahweh lui-même va inspirer à son prophète [8]. Ce sera un cantique-témoin de l'inconstance et de l'infidélité du peuple aimé :

Engeance fourbe et tortueuse,
peuple insensé et stupide !
Est-ce ainsi que vous payez
l'amour du Seigneur ?
N'est-ce pas lui ton père
qui t'a fait et te maintient ? (st. 3)

---

[8] Yahweh dit à Moïse : « Ecris maintenant pour votre usage le cantique que voici... Alors aux oreilles de toute l'assemblée d'Israël, Moïse prononça jusqu'à la dernière les paroles de ce cantique » (Dt 31, 19 et 30).

Et ce sera surtout le cantique-témoin de l'amour de Dieu pour son peuple :

> *Yahweh entoure et élève Israël,*
> *il veille sur lui*
> *comme la prunelle de son œil.*
>
> *Tel un aigle planant au-dessus de ses petits,*
> *ainsi Yahweh déploie ses ailes au-dessus d'Israël,*
> *il le saisit et l'emporte.*
> *Le Seigneur seul l'a conduit.* (st. 6 et 7) [9]

★

L'Amour de Dieu sera toujours plus fort que tout [10] :

> *Comment t'abandonnerais-je*
> *et te livrerais-je, Israël ?...*
> *Mon cœur en moi est bouleversé*
> *et ma pitié s'est émue...*
> *car je suis Dieu, moi, et non pas homme.* (Os 11, 8-9)

Je suis Dieu et non pas homme :
telle est l'espérance et telle est la joie de notre vie.

----

[9] Voici la structure de la partie du cantique de Moïse retenue par PE pour notre louange :
- Introduction dans le style des psaumes sapientiaux : st. 1.
- Grandeur de Yahweh et perfection de ses œuvres : st. 2.
- Infidélités d'Israël : st. 3.
- Amour de Yahweh pour son temple et brève évocation de l'Exode : st. 4-7.

[10] « Amour fou », « amour-passion » aimait à dire à ce sujet le cardinal Journet.

Psaume (de louange) 8 : Souveraineté de l'homme

Qu'est-ce que l'homme ?

Seigneur, notre Dieu...
à voir les cieux, ouvrage de tes doigts,
la lune et les étoiles que tu créas,
qu'est-ce que l'homme,
pour que tu penses à lui,
un fils d'homme, que tu en prennes souci ? (st. 2)

Si les strophes suivantes tentent d'y répondre, montrant sa prédominance sur toutes les créatures :

Tu l'établis sur les œuvres de tes mains,
tu mets toute chose à ses pieds,

Jésus, « l'Homme parfait » (Vatican II) sera lui-même *la* réponse. La lettre aux Hébreux, citant ce psaume 8 précisément et lui donnant son sens plénier, va montrer la domination absolue sur l'univers et nous inciter à la louange et l'adoration de celui que nous invoquons comme le « Seigneur Jésus » : « Ce n'est pas à des anges qu'il a soumis le monde à venir. Un psaume (ps 8) dit : ' Qu'est-ce que l'homme pour que tu te souviennes de lui, ou le fils de l'homme pour que tu le prennes en considération ? Tu l'as un moment abaissé au-dessous des anges. Tu l'as couronné de gloire et d'honneur. Tu lui as tout soumis sous ses pieds '. Actuellement nous ne voyons pas encore que ' tout lui soit soumis '. Mais Jésus, nous le voyons déjà ' couronné de gloire et d'honneur ', parce qu'il a souffert la mort » (He 2, 5-9), sa mort étant sa victoire [11].

---

[11] Outre le texte cité, 5 autres passages du NT attestent le caractère messianique de ce psaume : Mt 21, 15-16 ; 1 Co 15, 27 ; Ep 1, 21 ; Ph 3, 21 et 1 P 3, 22.

Office du milieu du jour

Psaume 118, 81-88 : voir Mardi jour.

Psaume 60 :
PRIÈRE D'UN PRÊTRE EXILÉ POUR RETROUVER LA DEMEURE DE DIEU

Tu ne me chercherais pas, si tu ne m'avais trouvé
(Saint Augustin)

Cette prière présente une situation et aussi une structure semblables à celles du beau psaume 62 de I Dimanche matin :
Un prêtre exilé du temple, aspire de tout son être à retrouver
la présence et la proximité divines et de toute sa ferveur supplie
Yahweh :

> *Dieu, du bout de la terre, je t'appelle,*
> *quand le cœur me manque.*
> *Sur le rocher trop élevé pour moi* [12]
> *tu me conduiras.* (st. 1 et 2)
> *Je voudrais être reçu sous ta tente*
> *pour des siècles,*
> *et m'y réfugier, caché sous tes ailes.* (st. 3)

Comme au psaume 62, nous trouvons, à notre surprise, une
prière pour le roi : st. 4. Que vient-elle faire ici ? Peut-être est-elle
une prière emphatique, afin de gagner la faveur du roi qui inter-
viendrait pour le retour du proscrit. Plus vraisemblablement cette
partie fut ajoutée plus tard, dans une perspective typiquement

---

[12] Ceci est une allusion au rocher sur lequel se dresse le temple de
Jérusalem, objet de la nostalgie du psalmiste et qui, pour l'instant, lui
est inaccessible, si Yahweh lui-même ne l'y ramène.
  Le spirituel verra volontiers dans ce « rocher trop élevé » un symbole
de l'Etre transcendant de Dieu qu'il tente de rejoindre.

messianique. En effet, le roi dont il est parlé se trouve doté d'attributs *divins* : « Que ses années deviennent des siècles et qu'il trône à jamais. » Eclairés que nous sommes par la révélation du NT, nous découvrons en ce roi le Seigneur Jésus, que nous ne chercherions pas, si nous ne l'avions déjà trouvé.

Psaume (de supplication) 63 :
APPEL A LA JUSTICE DE DIEU CONTRE LES CALOMNIATEURS

Tant que nous demeurons des brebis...

Ils parlent, ils parlent.
De 21 heures à 4 heures du matin.
Pas de pauses.
Ils se coupent la parole, ils se « tuilent ».
La plupart du temps, pour dire quoi ?
Veuille Dieu qu'il ne s'agisse que de paroles oiseuses !
Hélas !

> *Comme une lame, ils aiguisent leur langue*
> *et comme une flèche,*
> *ils ajustent leur parole empoisonnée.* (st. 2)

Et que tout cela reste strictement confidentiel :

> *Calculant leurs pièges, ils se disent :*
> *qui nous verra ?*
> *qui pourrait percer nos secrets ?* (st. 3)

Mais

> *Celui qui lit au fond des cœurs les perce à jour.*
> *C'est Dieu qui leur décoche sa flèche.* (st. 3 et 4)

Que va faire la victime de ces langues perfides ?
Va-t-elle courir après ces paroles lâchées et s'en rendre malade ?

Va-t-elle rendre le mal pour le mal ? Non. Le cœur droit se tait et s'en remet pleinement au Seigneur :

Le juste se réfugie auprès de Lui. (st. 5)

Déjà nous percevons en ce psaume comme une aurore de l'Evangile : « Soyez des brebis parmi les loups. » « Tant que nous demeurons des brebis, nous sommes vainqueurs. Mais si nous devenons des loups, nous sommes dominés, parce que le secours du berger nous abandonne » (Saint Jean Chrysostome).

*

Une seule petite strophe, la dernière, pour dire cela qui est l'essentiel. Le reste du psaume est rempli, pour ainsi dire, de la méchanceté et de l'agitation des langues venimeuses. Il y a comme une lutte : le psalmiste se débat et soudain, un coup d'aile, et il émerge dans la paix de Dieu :

Que le juste mette sa joie dans le Seigneur. (st. 5)

Office du soir

Psaume 115 :
CANTIQUE POUR UNE LITURGIE D'ACTION DE GRACES

S'orienter pour une raison verticale
(Cardinal Journet)

Ce psaume ira droit au cœur des âmes consacrées dans le sacerdoce ou la profession religieuse et qui ont orienté leur vie « pour une raison verticale ».

Quant aux laïcs, de plus en plus nombreux à dire, ne fût-ce que partiellement, l'Office liturgique, ils savent que eux aussi, par le baptême, sont cette « race élue, ce sacerdoce royal, cette nation sainte qui annonce les louanges de Celui qui les a appelés... à son admirable lumière » (1 P 2, 9).

*

De quoi s'agit-il dans ce beau psaume ? En reconnaissance et par fidélité à quelque vœu, un fidèle, délivré d'une grave épreuve, vient au temple offrir un sacrifice d'action de grâces qui sera suivi d'un repas sacré. De la prière accompagnant ces rites vont jaillir de multiples évocations qui peuvent être interprétées de notre consécration baptismale et religieuse :

- « Je suis resté fidèle... » (st. 1).
  Et pourtant, que de tempêtes intérieures, quelle usure quotidienne, que d'épreuves au sein même de l'Eglise ou d'une communauté religieuse !

- « Que rendrai-je au Seigneur » (st. 2).
  Inouï, tout ce que le Seigneur m'a donné à travers et dans ma vocation.
  « J'élèverai la coupe du salut » [13], faisant mienne la grande prière quotidienne d'action de grâces de Jésus dans l'Eucharistie.
  « J'accomplirai mes vœux » que je renouvelle, car une chose est de les prononcer un jour dans la ferveur et la demi-conscience de la jeunesse, une autre de les « accomplir ».
  « Devant tout son peuple. » Oui, je me sais lié d'un engagement public d'Eglise.

---

[13] Le sens littéral en est le suivant : après le sacrifice rituel, on célèbre un repas d'action de grâces (cf. ps 22). La coupe de vin est une « coupe de salut », puisque ce repas signifie précisément le « salut » reçu des mains de Yahweh.

- « Tu as brisé mes liens » (st. 3).
Il m'a fallu d'abord mourir à moi-même :

> *Quelle est précieuse aux yeux du Seigneur*
> *la mort de ses amis !*

Et voici ma liberté :

> *Tu as brisé mes liens.*

- « Dans le parvis de la maison du Seigneur » (st. 4).
Ta maison est devenue ma maison, soit que j'y habite physiquement soit que tu aies fait de moi ta demeure.
« Au milieu de toi, Jérusalem » : je vis, je loue, j'intercède au milieu, au cœur de ma Mère l'Eglise, au milieu de tous les hommes, mes frères.

*

Nous savons avec certitude que ce psaume fut prié par *Jésus,* le soir même du Jeudi saint. « Ils partirent pour le mont des Oliviers, après le chant des psaumes [14]. » De quels psaumes ? des psaumes 112 à 118 formant le « grand Hallel ».

Voici, en ce psaume 115, la prière dite par Jésus au moment même où il la réalise :

- « Je suis resté fidèle » : Au jardin des Oliviers, la lutte à mort de Jésus se résout en un Oui total dans la fidélité à la volonté du Père.

- « J'élèverai la coupe... » : voici la sainte Cène.

- « Qu'elle est précieuse la mort... » : Le texte original semblerait plutôt être le suivant [15] :

---

[14] Mt 26, 30.
[15] Ainsi la Bible de Jérusalem. La Traduction œcuménique de la Bible (TOB) a compris le passage dans le même sens :
> *Il en coûte au Seigneur*
> *de voir mourir ses amis.*

> *Elle coûte aux yeux de Yahweh*
> *la mort de ses amis,*

la mort horrible du Fils de Dieu, horrible au cœur du Père, de Marie, de l'Eglise.

- « Tu as brisé mes liens » : Jésus sort vivant et libre du tombeau.

- « Je t'offrirai le sacrifice... au milieu de Jérusalem » : Le sacrifice sanglant de Jésus restera présent dans l'Eglise jusqu'à la fin des temps par le rite non sanglant de l'Eucharistie.

Psaume 112 : HYMNE AU SAUVEUR DES HUMBLES

La fondamentale espérance au cœur de l'homme

Voici une prière toute vibrante de joie :

> *De l'aurore au coucher du soleil,*
> *vive le nom du Seigneur !* (st. 1)
> *Il est plus grand que tous les peuples, le Seigneur,*
> *et sa gloire plus haute que les cieux.*
> *Qui peut être comparé au Seigneur notre Dieu,*
> *quand il s'élève jusqu'à sa demeure ?* (st. 2)

Qui donc exulte ainsi ?

Des « pauvres de Yahweh » :
  ces humbles,
  ces exclus,
  ces sans-voix de la société.

Ils exultent, parce que Dieu est leur ami :

> *De la poussière Dieu relève le faible,*
> *et du fumier il retire le pauvre...*

il met au foyer l'épouse stérile [16],
la joie d'une mère entourée de fils. (st. 3)

*

La troisième strophe est bien caractéristique de l'AT : le pauvre attend de Dieu des avantages terrestres.

Ne qualifions pas cette conception de « terre à terre ». Le salut de Dieu saisit *tout* l'homme et concerne aussi cette phase terrestre de notre destinée éternelle. Paul VI n'interprète-t-il pas l'Evangile dans ce sens quand il parle de la « promotion de tout homme et de *tout* l'homme » ?

Qu'est-ce que la promotion ?

Jésus, d'une phrase brève, la situe à son niveau le plus élevé et le plus totalisant :

Heureux les pauvres,
car le royaume des cieux est à eux.

Voilà ce qui est promis aux « petits et aux humbles » : ce Royaume d'En-Haut qui, dans sa plénitude, inclut, assume et transfigure tout le terrestre et qui est la réponse à la fondamentale espérance enracinée au cœur de l'homme.

Ph 2 : voir **I** Samedi soir.

---

[16] La femme stérile est, dans l'antiquité juive, la pauvre des pauvres : méprisée et souvent remplacée. Dieu ne peut pas lui faire plus grande faveur que de rendre son sein fécond. Cf. « Cantique d'Anne », II Mercredi matin.

III Dimanche

Office des lectures

Psaume 144 : HYMNE AUX PERFECTIONS DIVINES

Que se dévoile ton visage et qu'il me brûle !

L'indicible visage de Dieu !

A l'époque de notre psalmiste, il n'est pas encore apparu en Jésus, « resplendissement de la gloire de Dieu et effigie de sa substance [1] », mais déjà quelle pureté dans ce « portrait » divin : il porte en germe la plénitude révélée à l'Incarnation, tel un bouton de rose contenant déjà toute la rose.

Face à ce psaume, les intuitions les plus profondes des rishis hindous sur l'Etre de Dieu ne furent que des tâtonnements - sans doute les plus sublimes de la terre. Ici, ce n'est plus l'esprit humain qui balbutie Dieu, c'est Dieu lui-même qui se révèle. La st. 1 de II., par exemple, est la reprise des termes mêmes par lesquels Yahweh s'était fait connaître à Moïse [2] :

Le Seigneur est tendresse et pitié,
lent à la colère et plein d'amour ;

---

[1] He 1, 2.
[2] Ex 34, 6-7.

> *le Seigneur est bonté envers tous,*
> *et sa tendresse pour toutes ses œuvres.* (II. st. 1)

*

Psaume à chanter dans l'élan de la jubilation - c'est ainsi qu'il est né - puis à méditer, strophe après strophe, lentement, silencieusement, souvent.

Méditer ? C'est plutôt de contemplation qu'il s'agit, et qui sait si nous ne serons pas, un jour, BRULÉS PAR LA SPLENDEUR DE CE VISAGE ?

Office du matin

Psaume (du Règne) 92 : DIEU EST ROI DE MAJESTÉ

Adore ton Dieu et tu connaîtras la paix

La prière pourrait à la rigueur te replier sur toi-même, et alors ne te pacifierait guère.

Peut-être est-ce cette manière que pratiquent telles personnes, fort pieuses au demeurant, qui restent agitées, amères, vindicatives.

Savent-elles *adorer ?*

Qu'est-ce qu'adorer « en esprit et en vérité », sinon, au-delà des paroles, regarder vers Dieu, contempler et aimer sa grandeur, sa beauté et sa sainteté ? puis se laisser regarder par lui, le laisser descendre en soi, au plus profond de son être [3] ? Là, il installera sa paix, et ce sera très bon. Teilhard de Chardin aimait à dire : « La joie d'adorer comporte et apporte dans sa plénitude une merveilleuse paix. »

*

Voici un psaume d'adoration.
Il n'y est guère question des œuvres et de l'agir de Dieu dans le monde.
Dieu est contemplé en lui-même.

- Dieu est Roi de magnificence, de puissance et d'éternité : st. 1 [4].

- Sa royauté se manifeste par sa domination sur les forces cosmiques : st. 3 et 4 [5].

- Yahweh est encore Roi par ses « arrêts », sa Loi, sa Parole, aussi immuables que l'univers matériel et qui sont le fondement de son Règne : st. 5a.

- Roi dans les cieux et dans l'univers, Yahweh habite un palais terrestre : st. 5b. Il s'agit du temple qu'il emplit de sa sainteté et où il est adoré par les hommes.
« Pour la suite des temps », dit le psaume. Le temple de Jéru-

---

[3] Saint Bernardin de Sienne a un beau texte dans ce sens : « Bien que la joie de l'éternelle béatitude entre dans le cœur, le Seigneur a préféré dire : ' Entre dans la joie de ton maître ', pour faire comprendre mystérieusement que cette joie ne sera pas seulement en lui, mais qu'elle l'enveloppera et l'absorbera de tous côtés, qu'elle le submergera comme un abîme infini » (*Homélie sur saint Joseph*).

[4] Dans la vision biblique, le ciel est le palais de Dieu, la terre l'escabeau de son trône.

[5] N'est mentionné ici, parmi ces puissances de la nature, que le déchaînement des grandes eaux. Dans le sentiment d'Israël, une mer déchaînée est la plus indomptable des forces désordonnées et destructrices. C'est ainsi que l'un des miracles de Jésus qui a le plus impressionné les apôtres fut l'apaisement de la tempête : « Quel est celui à qui *même* les vents et la mer obéissent ? » (Mc 4, 41).

salem aura sa durée limitée. Le vrai temple de Dieu, c'est le
cœur des hommes qui lui disent oui. « Ne savez-vous pas que
vous êtes le temple de Dieu ? » [6]

> *O toi qui es chez toi au fond de mon cœur,*
> *laisse-moi te rejoindre*
> *dans le fond de mon cœur* [7].

Dn 3, 57-88 : voir I Dimanche matin.

Psaume 148 : HYMNE AU CRÉATEUR DE L'UNIVERS

Les fils du septième jour

Pour chanter la gloire de l'Incréé, les psaumes souvent mobi-
lisent les grandes orgues du créé.

Ainsi le cantique de Daniel, qui précède ce psaume en PE.

Et ainsi notre psaume 148.

L'un et l'autre hymnes suivent l'ordre même des jours de la
création, tels qu'ils nous sont livrés dans le récit de la Genèse,
mais avec une certaine liberté poétique.

- Jour Alpha. La Genèse ne relate pas la création des anges,
ceux-ci appartenant à un autre monde. Les psaumes pourtant
tiennent beaucoup à les associer à leur louange. Ils les suppo-
sent créés en ce jour mystérieux, antérieur à la création du
monde et que nous désignons par Jour Alpha :

---

[6] 1 Co 3, 16.
[7] Prière hindoue.

> *Depuis les cieux, louez le Seigneur...*
> *vous tous, ses anges, louez-le.* (st. 1)

- Premier jour. Création de la lumière. Dans la Genèse, elle est conçue comme une créature en soi émergeant du chaos originel. Ici, elle n'apparaît pas indépendante des astres dont il sera question plus loin.

- Deuxième jour. Séparation des eaux célestes et terrestres et création du firmament, considéré comme une voûte ferme [8] :

> *Vous, cieux des cieux, louez-le,*
> *avec les eaux de dessus les cieux.* (st. 2)

- Troisième jour. La terre est séparée des eaux et se couvre de verdure :

> *Depuis la terre louez-le...*
> *Vous toutes, montagnes et collines,*
> *arbres à fruits, tous les cèdres.* (st. 4 et 5)

- Quatrième jour. Sont créés les luminaires :

> *Et vous, soleil et lune, louez-le,*
> *vous les astres de lumière.* (st. 2)

- Cinquième jour. Les êtres vivants apparaissent :

> *Les bestiaux et le petit bétail,*
> *le reptile et l'oiseau qui vole.* (st. 5)

- Sixième jour. Création de l'homme :

> *Et vous, rois de la terre, tous les peuples...*
> *jeunes filles et jeunes gens,*
> *les vieillards et les enfants.* (st. 6)

---

[8] La racine de firmament est *firmus*, ferme.

- Septième jour.

Nous voici arrivés à la dernière strophe dont le thème et l'accent diffèrent de l'ensemble du psaume. Elle pourrait avoir été ajoutée, toujours sous la motion de l'Esprit, au moment du rapatriement des exilés et de la restauration d'Israël.

C'est ici qu'interviennent les *fils du septième jour* :

> *Yahweh exalte la puissance de son peuple,*
> *fierté pour tous ses fidèles,*
> *pour Israël, le peuple de ses amis.*

Le septième jour est celui du repos de Dieu. C'est également le jour où l'homme, se libérant de ses occupations matérielles dans lesquelles il se trouve impliqué de par sa destinée terrestre, se *repose* dans le *Repos* même du Créateur. C'est le jour de l'Intimité et de l'Amitié divines.

« Son peuple », « le peuple de ses amis », le « peuple consacré... choisi par amour »[9], convoqué à chanter l'hymne de l'univers,

> c'est vous,
> c'est moi,
> c'est nous
> aujourd'hui.

Office du milieu du jour

Psaume 117 : voir I Dimanche jour.

---

[9] Dt 7, 6 et 8.

Office du soir

Psaume 109 : voir I Dimanche soir.

Psaume 110 : ELOGE DES PERFECTIONS ET DES ŒUVRES DIVINES

La providence se lèvera avant le soleil
(Lacordaire)

Voici un psaume de contemplation.

Il parle de lui-même, de sorte que nous nous contenterons, outre quelques brèves remarques, d'en donner une traduction libre, presque une paraphrase, non pas meilleure que celle de PE, mais dans un langage peut-être plus près de notre sensibilité.

*C'est de tout cœur que j'exalte mon Dieu
au milieu de vous tous, ses amis.
Voyez !
Ce que Dieu fait est prodigieusement grand :
plus l'homme approfondit son œuvre,
plus il va de découvertes en découvertes.*

*Sa création, splendeur et magnificence.
Infaillibles, les lois qui la régissent.
Dieu veut que nous nous souvenions sans cesse
des merveilles répandues sur nous
par sa pitié et sa tendresse* [10].

*A qui le sert d'un cœur fidèle,
il procure la nourriture
en souvenir de son alliance.*

---

[10] Litt. : « Il laisse un mémorial de ses merveilles. » Yahweh demandait (Ex 23, 14) que par des fêtes annuelles les merveilles de Dieu envers son peuple fussent rappelées et chantées.

Ce psaume trouve tout naturellement son utilisation à la fête du Corps du Christ.

A son peuple il donne le royaume en héritage
et révèle ainsi sa puissance.

Toutes ses œuvres, toutes ses exigences
ne sont que vérité et justice [11],
droiture et fidélité.
Elles demeureront pour les siècles des siècles.

Il libère son peuple de toute servitude ;
son alliance, il la garde pour l'éternité.
Lui, notre Dieu, n'est que sainteté et majesté [12].

Adorer le Seigneur
est le fondement de toute sagesse.
Ils sont bien avisés, ceux qui l'aiment :
éternelle, leur gloire.

Ap 19, 17 : voir I Dimanche soir.

---

[11] « Justice » : Rares sont les psaumes qui ne mentionnent pas la justice divine. Il faut bien comprendre cet attribut divin et l'agir qui en découle. Il ne s'agit pas - du moins pas en ce psaume - d'un acte judiciaire qui punit les méchants, mais de la « pitié » qui fait droit aux pauvres et délivre les opprimés (st. 5). Ce qui est encore et surtout célébré dans les hymnes, c'est une justice qui rend l'homme *juste,* qui est donc miséricorde et pardon. Paul développera (Rm 3, 21 et 26) cette justice justifiante de Dieu en Christ.

[12] « Sainteté et majesté » : Dieu est le trois fois Saint, infiniment au-dessus du créé, le Tout-Autre, le Transcendant. Comment cet Etre ne serait-il pas « redoutable » ? (st. 5) Ceux qui ont fait l'expérience de Dieu en ont été comme atterrés (Cf. Is 6, 1-5).

III Lundi

Office des lectures

Psaume (d'instruction) 49 : LE VRAI ET LE FAUX CULTE

Se revêtir de croyances plutôt que d'en vivre...

« Vous n'êtes pas meilleurs que les autres », disons-nous parfois à des gens que l'on voit prier.

Or Dieu, plus encore que nous-mêmes, exige une grande logique chez ceux qui l'invoquent : qu'ils ne se contentent pas d'un culte extérieur n'engageant ni le cœur ni la vie. « Le Père cherche des adorateurs en Esprit et en vérité. »[1] Et « ce n'est pas en me disant : Seigneur, Seigneur ! qu'on entrera dans le Royaume des Cieux, mais en faisant la volonté de mon Père. »[2]

Il ne s'agit pas de se revêtir de croyances : il faut en vivre.

*

Il y a entre les paroles évangéliques citées et ce psaume 49 un accord total.

---

[1] Jn 4, 25.
[2] Mt 7, 21.

Voici la structure et le sens précis de cet oracle prophétique proclamé vraisemblablement à l'occasion de quelque grand pèlerinage [3] :

- Mise en scène initiale : Yahweh voulant parler à son peuple, par son prophète, le convoque solennellement : I. [4]

- Ayant « pour lui le monde » tout entier, Yahweh n'a que faire de sacrifices d'animaux ou d'oblations de fruits ; lui qui sonde les cœurs déteste les « préceptes que l'on récite » de lèvres mensongères ou adultères : II. st. 1-4 et III. st. 1-3.

- Ce que Dieu veut, c'est la LOUANGE ET LA CONFIANCE JAILLISSANT D'UN CŒUR SIMPLE,

  c'est l'attitude de la créature qui ACCUEILLE SA VOLONTÉ avec toutes ses exigences et y conforme sa conduite [5] : II. st. 5 et III. st. 4 et 5.

---

[3] Le même enseignement se trouve au psaume 39, sous une forme moins didactique.

Comme tous les psaumes sapientiaux, ce psaume 49 se présente comme une réflexion qui suscite plus la méditation que la prière. A notre Office, un tel psaume serait conclu, d'une manière heureuse, par un silence et une oraison « ad hoc » soit privée soit communautaire.

[4] « Un feu dévorant le précède », est-il dit de la venue de Yahweh. Le thème du feu comme signe de la présence de Dieu est familier aux prophètes aussi bien qu'aux psaumes.

[5] A propos des exigences de Dieu, il est à remarquer qu'ici l'accent est mis principalement sur l'amour du prochain, sans lequel il ne saurait y avoir amour vrai du Seigneur. Nous voici donc au cœur du NT : « Celui qui n'aime pas son frère qu'il voit, ne saurait aimer le Dieu qu'il ne voit pas » (I Jn 4, 20).

Office du matin

Psaume (de pèlerinage) 83 : LA SOIF DE DIEU

O toi, l'au-delà de tout !
(Saint Grégoire de Nazianze)

Avouons-le en toute simplicité, l'Infini de Dieu nous séduit :

> *Mon cœur et ma chair ne sont qu'un cri*
> *vers le Dieu vivant.* (st. 1)

Hélas ! qui sommes-nous ?
A peine si nous pouvons, parfois, de cette Infinitude, retenir quelques gouttes au creux de nos mains tremblantes.
Quand pareille grâce nous est faite, les « quelques gouttes » pèsent plus que l'or du monde :

> *Un seul jour auprès de toi*
> *en vaut plus que mille* [6]. (st. 6)

*

Ce poème mystique est d'une grande beauté. En voici les thèmes :

- Le désir de la maison de Dieu : st. 1-3.
Le pèlerin a quitté son foyer, tendu comme une flèche vers son centre :

> *Oh ! tes autels, maître de l'univers,*
> *mon roi, et mon Dieu* [7]. (st. 2)

---

[6] « Un seul jour suffit à l'homme pour connaître tout le bonheur » (Dostoïevski).

[7] Déjà le pèlerin envie les passereaux (observés peut-être à une visite précédente) qui ont élu domicile et installé nid et couvée dans quelque recoin de corniche du temple. Alors, que dire de ces privilégiés qui y sont à demeure !

- La marche vers Jérusalem : st. 4.

  A cette époque ancienne, elle était longue et ardue : fatigue, soif, agresseurs en embuscade. Mais au fur et à mesure qu'ils se rapprochent de la Ville sainte, ces groupes de fidèles « avancent toujours plus ardents [8] ».

- L'entrée et le séjour au temple : st. 5 et 6.

  Le voici, notre pèlerin, aux pieds du « Dieu de l'univers » :

  > *Un jour auprès de toi en vaut plus que mille.*
  > *Oh ! la bonne chose d'être là*
  > *au seuil de Sa maison* [9]. (st. 6)

- Les adieux à Jérusalem : st. 7 et 8.

  Le séjour dans la Ville sainte est nécessairement bref. Déjà il faut songer au retour. Les tâches quotidiennes seront restées les mêmes, mais le cœur, lui, est riche d'une lumière nouvelle, car

  > *Le Seigneur Dieu est un soleil.* (st. 7)

Is 2, 2-5 :
DE SION SORTIRA LA PAROLE QUI GOUVERNE LA TERRE

La croix du Christ est levée
sur l'horizon de l'histoire
(Cardinal Journet)

A première vue, ce titre n'a aucun rapport avec l'oracle divin que prononce Isaïe. A première vue... Mais pourquoi en rester là ?

---

[8] « Quand ils traversent la vallée de la soif... » : Texte obscur qui varie d'une traduction à l'autre.

[9] « Vois le visage de ton christ (ou oint) » (st. 5) veut dire sans doute : vois avec bienveillance ton grand-prêtre ici présent, celui que tu as consacré de l'onction sainte.

Cependant voyons d'abord le sens littéral de cette prophétie. La construction en est claire. Aux temps messianiques

- Sion sera centre et sommet des nations qui afflueront vers elle pour être enseignées : st. 1 et 2.

- De Sion sortira la Parole (Verbe) de Dieu qui jugera les peuples : st. 3.

- Alors la paix régnera sur la terre : st. 4.

- Conclusion : dès maintenant qu'Israël marche dans cette lumière des derniers temps ! st. 5.

*

Une re-lecture chrétienne, une seconde vue de ce texte vétéro-testamentaire peut s'opérer de différentes manières. Par exemple, on pourrait centrer l'interprétation autour du thème de la paix ou de l'Eglise. Nous proposons la perspective de la Croix [10]. Pourquoi ? « Quel que soit le domaine où sa réflexion l'ait conduit, le chrétien est toujours ramené, comme par un poids naturel, à la contemplation de la Croix [11]. »

> *La montagne de la maison du Seigneur*
> *sera dressée à la cime des monts.* (st. 1)

C'est sur cette colline de Sion que fut dressée la Croix de Jésus. Parce que Dieu y fut suspendu, Sion est devenue le centre du monde, et sa Croix « l'horizon de l'Histoire ».

> *Vers elle tous les peuples*
> *se mettront en marche.*
> *Ils diront : venez, gravissons*
> *la montagne de Dieu.* (st. 2)

---

[10] Il va de soi qu'à chaque lecture nous ne garderons qu'un seul des thèmes mentionnés : paix ou Eglise ou Croix, et c'est déjà beaucoup.
[11] H. DE LUBAC.

Deux mille ans d'histoire ont marché vers la Croix.
Et aujourd'hui ?

Comment donc une époque de martyrs ne serait-elle pas orientée vers le mystère du Crucifié, les persécuteurs eux-mêmes l'acheminant contre leur volonté ! Jamais ne passera la parole de Jésus : « Quand je serai élevé (en croix), j'attirerai tous les hommes à moi » (Jn 12, 32).

> *La Loi sortira de Sion, Cité de Dieu,*
> *et de Jérusalem s'élèvera la Parole du Seigneur.* (st. 3)

C'est par la Croix que se fait la révélation totale du mystère de Jésus et, en lui, de notre destinée humaine. « Quand vous aurez élevé (en croix) le Fils de l'Homme, vous *saurez* que JE SUIS. » [12]

C'est du haut de cette Croix que Jésus

> *... sera l'arbitre des nations*
> *et jugera les peuples nombreux.* (st. 3)

La Croix jugera.
Déjà elle juge.

« C'est maintenant (au moment où Jésus parle de son élévation en croix) le jugement de ce monde [13] » qui, encore voilé et mystérieux, se manifestera dans toute son évidence au retour glorieux du Messie.

> *De leurs épées, ils forgeront des socs*
> *et de leurs lances, ils feront des faucilles.* (st. 4)

De la Croix descend toute paix : « Il a fait la paix par le sang de sa croix [14]. » C'est de cette paix que Paul VI se fait si souvent l'écho, dénonçant, par exemple, au Nouvel An 1976, « cette fausse sécurité fondée sur les armes de la guerre » et rappelant

---

[12] Yahweh, le nom que Dieu lui-même a révélé, signifie : *Je suis* ou *Il est.*
[13] Jn 12, 31.
[14] Col 2, 20.

que la paix ne s'obtient que par « les armes de l'amour » dont
la Croix est le symbole et la source.

★

Que nous reste-t-il si ce n'est de « marcher à la lumière du
Seigneur ? » (st. 5). C'est dans le contexte de sa Mort rédemptrice, caractérisant le ch. 12 de Jean, que Jésus prononce ces
admirables paroles :

> Marchez tant que vous avez la lumière,
> de peur que les ténèbres ne vous atteignent...
> Tant que vous avez la lumière,
> croyez en la lumière et vous deviendrez
> fils de la Lumière. (vv. 35 et 36)

Psaume (du Règne) 95 :
GLOIRE A YAHWEH-ROI QUI GOUVERNE CIEL ET TERRE

Réjouis-toi que Dieu soit Dieu

- Et un instant quitte tes soucis.
  Ne demande rien. *Regarde Dieu.*
  Et que jubile ton cœur !

> *Chantez au Seigneur un chant nouveau* [15],
> *Chantez au Seigneur, ô terre entière,*
> *chantez au Seigneur et bénissez son nom.* (st. 1)

---

[15] Ce chant est « nouveau » de la nouveauté même et de l'éternelle
jeunesse de Dieu. Le sens littéral de « nouveau » concerne cependant la
situation historique dans laquelle sont nés les « psaumes du Règne » :
Ps 92 et 95-98. Yahweh avait ramené les déportés sur leur terre. Jérusalem se relevait de ses ruines ; le temple était rebâti ; le peuple de Dieu vivait d'une « nouvelle » vie et pouvait chanter un chant « nouveau ».

> *Adorez le Seigneur, car il est*
> *éblouissant de sainteté.* (st. 6)

- Les cieux,
  les arbres,
  la mer dansent la joie de Dieu.
  Toi,
  exulte *avec la création :*

> *Le ciel se réjouit et la terre chante,*
> *la mer immense fait entendre sa voix,*
> *la campagne tout entière est en fête.* (st. 8)

- A ce Roi, *fais don de ton cœur :*

> *Familles des peuples, offrez à Dieu*
> *la puissance et la gloire de son nom.*
> *Entrez devant lui en apportant votre offrande.* (st. 5 et 6)

- Et dis aux hommes : *Dieu est Dieu, Dieu est Roi.*
  Laisse ta foi et ta joie témoigner de ton Dieu :

> *Dites à la face du monde :*
> *Dieu règne.* (st. 7)

- Rempli de ton Seigneur, tu seras prêt à *accueillir son règne* de justice, de vérité, et à travailler à son avènement, car

> *Il vient, le Seigneur.*
> *Oui, qu'il vienne gouverner selon sa justice,*
> *qu'il vienne juger les peuples*
> *dans sa lumière* [16]. (st. 9 et 10)

---

[16] « Dans sa lumière ». Saint Augustin a le commentaire suivant : « Ils n'attendront pas du juge la miséricorde, ceux qui n'ont pas voulu exercer la miséricorde avant la venue du juge. Ceux qui ont voulu exercer la miséricorde seront jugés avec miséricorde. »

Office du milieu du jour

Psaume 118, 89-96 : Voir I Mardi jour.

Psaume 70 :
SUPPLICATION ET ACTION DE GRACES D'UN VIEILLARD

Seule demeure l'expérience

Le vieillard est un pauvre, il est un riche.
Pauvre.
Ses forces diminuent. Son champ d'action se rétrécit. La place qu'il occupait dans la société est reprise par d'autres qui s'empressent de l'oublier. Alors qu'infirmités et dépendance l'humilient, les ménagements à son égard font parfois défaut. Tant de choses s'effondrent en lui et autour de lui.
L'EXPÉRIENCE SEULE DEMEURE.
Quelle expérience ?
Un regard sur une longue vie lui révèle une chose : Dieu fut avec moi ; aux jours les plus sombres, il ne m'a pas abandonné. Et moi, aujourd'hui plus qu'autrefois, je lui fais confiance. Son Amour se fait plus enveloppant et plus vigilant. D'autre part, je gagne en profondeur, je deviens plus libre, ma vie s'éclaire. L'heure n'est pas à l'amertume. Je rends grâce, je rends la grâce que le Seigneur m'a toujours témoignée.

*

C'est cela, c'est tout cela que nous offre l'émouvant psaume 70 :
- La supplication du vieillard : I.
Il est humilié par le grand âge, la maladie, les traitements injustes : st. 1-3 a.

Il en appelle à Celui qu'il a servi et aimé depuis son enfance :
st. 3 b-5.

> *Toi, Seigneur, tu es mon espoir,*
> *car tu fus mon appui dès ma jeunesse.* (st. 3)

Il supplie Dieu avec d'autant plus d'insistance que « décline
sa vigueur » ! st. 6 et 7.

- L'action de grâces publique du vieillard : II.

> *J'espérerai jusqu'à la fin,*
> *Je louerai Yahweh encore et toujours.*
> *Je dirai toutes les grandes choses qu'il a faites.* (st. 1)

> *Je te célébrerai sur la cithare,*
> *Saint d'Israël, ô mon Dieu.*
> *Sur mes lèvres chantera la joie*
> *d'une vie que tu as rachetée.* (st. 5 et 6)

★

Quel que soit notre âge, ces sentiments élevés ne peuvent-ils,
ne doivent-ils pas devenir nôtres ?

Office du soir

Psaume (de confiance) 122 :
L'AME HUMILIÉE LÈVE SON REGARD VERS YAHWEH

Les yeux de François d'Assise

Le psalmiste cherche le regard de Dieu :

> *J'ai les yeux levés vers toi*
> *qui es dans les cieux.* (st. 1)

Des yeux qui hier ont pleuré dans l'humiliation. (st. 3)
Des yeux aujourd'hui désappropriés et soumis :

> *... comme des yeux de serviteurs*
> *guettant un signe de leur maître.* (st. 1)

Des yeux cherchant en-haut des raisons d'être et d'espérer :

> *Nos yeux sont levés vers le Seigneur notre Dieu*
> *dans l'attente de sa pitié.*

En un mot :
des yeux de *pauvres*, de ces « anavim » de l'AT et de ces humbles des Béatitudes.

★

Ces yeux de pauvre évangélique, on les devine à peine (la peinture est légèrement abîmée), mais suffisamment pour en être ému, dans la très belle fresque de Giotto, à l'église supérieure d'Assise, représentant le jeune François à genoux devant le crucifix de saint Damien et n'attendant qu'un signe pour reconnaître et accomplir la volonté de Dieu.

Leur bouleversante lumière apparaît mieux encore dans la Crucifixion de Fra Angelico : François, avec saint Dominique, au pied de la Croix, à l'heure de la Pauvreté totale, levant ses pauvres yeux éteints - il était presque aveugle - vers son Seigneur et son maître :

> *Mes yeux vers le Seigneur*
> *dans l'attente de sa pitié.*

★

Ces yeux de pauvre, comment ne croiseraient-ils pas le regard de Dieu ?

Psaume (d'action de grâces) 123 :
YAHWEH, SEUL SAUVEUR D'ISRAEL

Le filet s'est rompu...

Et nous avons échappé.
Et nous voici libres.
Libres !
Pourtant
que d'esclavages nous sollicitèrent,
que de servitudes nous menaçaient,
que de filets nous ont même retenus !
Le psalmiste évoque ces multiples embûches en images dramatiques (st. 2 et 3) :

- « On nous sauta à la gorge. »

- « Ils nous avaient pris entre leurs dents. »

- « Le torrent, en eaux écumantes, passait sur nous. »

- « Les oiseleurs s'approchaient avec leurs filets. »
Et nous,
un oiseau,
faibles comme un oiseau,
    nous avons échappé.
Ah !

Sans le Seigneur qui était pour nous (st. 1)

que serait-il advenu ?

Ep 1, 3-10 : voir I Lundi soir.

III Mardi

Office des lectures

Psaume (d'action de grâces) 67 :
LA GESTE TRIOMPHALE DE YAHWEH A LA TÊTE DE SON PEUPLE

Christ nous fait régner avec lui dans les cieux

Sachons d'emblée que ce long psaume, l'un des plus obscurs mais non des moins beaux du psautier, demande une attention redoublée et requiert un certain courage, soit pour sa compréhension immédiate soit pour une re-lecture chrétienne et actuelle.

On y décrit, en une large fresque historique, la procession triomphale - nous dirions presque la chevauchée - de Yahweh à la tête de son peuple, pour terminer sur une grande espérance universaliste du Règne de Dieu.

- *Introduction :* I. st. 1-3.

Invocation à Yahweh par l'antique acclamation guerrière dont Israël se servait, durant l'Exode, au départ de l'Arche : st. 1. Cf. Nb 10, 35.

> *Que Dieu se lève, et ses ennemis se dispersent,*
> *et ses adversaires fuient devant sa face !*

A la peur des ennemis face à Yahweh est opposée la joie de ses fidèles : st. 2.

Invitation à louer Dieu, sauveur des pauvres : st. 3.

- *Evocation historique :* I. st. 4 et 5 ; II. ; III. st. 1 et 2.

Exode. Théophanie du Sinaï : I. st. 4.
Nourriture miraculeuse du désert : manne et cailles : I. st. 5.

Victoire d'Israël au temps des Juges et remportée sur les turbulents voisins : II. st. 1 et 2 [1].

Yahweh choisit Sion comme lieu privilégié de sa présence [2] : II. st. 3.

Yahweh prend possession de Sion par l'entrée triomphale de l'Arche, sous le roi David : II. st. 4.

Yahweh triomphe d'ennemis surgis au temps d'Elie et d'Elisée [3] : II. st. 5 et 6.

La Pâque solennelle organisée à Jérusalem par le roi Ezekias ; description des processions de ces festivités [4] : III. st. 1 et 2.

- *La conversion des païens :* III. st. 3 et 4.

Que Yahweh veuille continuer de déployer sa puissance pour attirer à lui les peuples [5].

---

[1] Les femmes en colportent la bonne nouvelle et partagent le butin. Si « des ailes de colombe se couvraient d'argent », phrase bien mystérieuse, était traduit comme le fait la TOB : « Les ailes de la colombe... », nous aurions le sens suivant : Israël, dont la colombe est le symbole, se pare des richesses gagnées sur les ennemis vaincus.

[2] Qu'est-ce que cette « montagne sourcilleuse » de Basan ? Basan était le mont le plus élevé du territoire israélite et pouvait prétendre, pour cette raison, être la « montagne de Dieu », comme les Himalayas pour l'Inde. Mais Dieu choisit l'humble montagne de Sion.

[3] Des recoupements de ces strophes avec les deux Livres des Rois révèlent que le psalmiste fait allusion à l'histoire de ces deux prophètes et au sort tragique de l'impie roi Achab et de sa famille.

[4] A ces festivités, telles que 2 Ch 30, 10-11 les décrivent, tout le pays était représenté, même le royaume du Nord dont sont mentionnées trois tribus importantes : Benjamin, Zabulon et Nephtali.

[5] Ce psaume guerrier montre comment Yahweh va forcer les rois

- *Hymne universel :* III. st. 5 et 6.
Très beau finale de louange et de reconnaissance.

⋆

Et maintenant, comment allons-nous faire une re-lecture chrétienne de ce psaume historique et terriblement guerrier ?
On peut, on doit y voir la figure de l'épopée du Christ conduisant l'humanité vers le Royaume. Paul le dit explicitement : « L'on dit : 'Montant dans les hauteurs, il a emmené des captifs, il a donné des dons aux hommes' - c'est notre psaume, II. st. 4. 'Il est monté', qu'est-ce à dire, sinon qu'il est aussi descendu ? Et celui qui est descendu, c'est le même qui est aussi monté au-dessus de tous les cieux, afin de remplir toutes choses », et « AFIN DE NOUS FAIRE RÉGNER AVEC LUI » (Ep 4, 8-10 et 2, 8).
Dans la lumière du Christ et de son Evangile, il s'agira donc de lire les grandes lignes du dessein salvifique de Dieu qui va se poursuivre jusqu'à la fin des temps et, dans un Règne universel, s'étendre à l'ensemble de l'humanité.

⋆

Dans ce contexte, nous voudrions mentionner un principe de re-lecture chrétienne valable pour plusieurs psaumes[6]. Il ne s'agit pas tant de découvrir une signification christique et chrétienne pour chaque strophe, voire chaque détail, chaque fait historique secondaire, mais de suivre le grand projet de Dieu, en un mot d'y lire la trajectoire de l'action du Christ Ressuscité.

---

païens, spécialement la « Bête des Roseaux » (allusion déplaisante à l'Egypte), la « bande des taureaux et des veaux » (les peuplades de l'Orient caractérisées par leurs élevages de bétail), à lui apporter des cadeaux, à se déclarer ses vassaux. Un jour, les pays les plus reculés, symbolisés par la lointaine Ethiopie, se rallieront à Yahweh et viendront l'adorer.

[6] Nous en parlons, par exemple, à propos du psaume 47.

Office du matin

Psaume 84 : ACTION DE GRACES ET PRIÈRE
POUR LA RESTAURATION D'ISRAEL APRÈS L'EXIL

Je fais le rêve qu'un jour la justice...

*... ruissellera comme l'eau
et la droiture comme un fleuve puissant* (Martin-Luther King).

Combien les hommes de la fin du 20° siècle sont sensibles à ce rêve !

Utopie, s'écrieront certains.

Plus l'homme est grand, plus son rêve est hardi, répondent d'autres.

C'est d'ailleurs le rêve du Cœur même de Dieu, tel qu'il se trouve exprimé dans ce beau psaume.

*

Inspiré visiblement d'Isaïe et de Zacharie dans ses perspectives messianiques, le psaume 84 dépasse largement l'événement historique qui en est l'occasion et le thème immédiat. Voyons plutôt :

- Action de grâces pour le retour de l'exil : st. 1.

Cette strophe développe d'une manière émouvante l'initiative de l'amour et du pardon de Dieu :

> *Tu aimes ton pays, tu lui as ramené ses captifs,*
> *tu enlèves son péché, tu reviens...*

- Supplication en faveur du salut définitif : st. 2 et 3.

> *Fais-nous (tous) revenir, Dieu notre Sauveur,*
> *oublie ce que tu as contre nous.*
> *Seigneur, fais-nous voir ton amour.*

- Promesse d'un royaume de justice, de vérité et de paix : st. 4-6.

> *J'écoute : que dit Dieu ?*
> *Il dit : « PAIX » pour son peuple.* (st. 4)

Dans ce royaume, Dieu fera-t-il tout tout seul ? Certes, il est à l'œuvre et sans lui rien ne se fait :

> *... des cieux descendra la justice.*
> *Le Seigneur lui-même nous accordera son bienfait.* (st. 5 et 6)

Mais

> *Notre terre donnera son fruit,* (st. 6)

c'est-à-dire la justice de Dieu provoquant et éclairant d'en-haut notre combat pour la justice terrestre, suscitera nos responsabilités humaines et l'élan créateur dans l'instauration de son salut.

*

La terre a produit son fruit parfait, l'Homme *Jésus,* Fils d'Homme, accueillant d'en-bas et faisant fructifier cet Amour et cette Vérité venus d'en-haut.

On comprend que la liturgie de Noël, en particulier, fasse un usage fréquent des deux dernières strophes :

> *Amour et vérité se rencontrent,*
> *sainteté et paix s'embrassent.*
> *La vérité germe de la terre,*
> *Quand des cieux descend la justice.*

Is 26, 1-10 et 12.

Remarque préliminaire

PE nous fait dire d'un trait deux textes du prophète qui n'ont pas un lien direct entre eux. Une bonne compréhension suppose qu'on les dissocie, et ainsi nous obtenons :

1. Un cantique de Sion : st. 1-4.
2. Une attente de la venue de Dieu et de son Royaume :
st. 5-9.

I. Cantique de la ville forte

Nous pouvons immédiatement et aisément tenter une lecture
ecclésiale de ce beau texte :

- St. 1 : L'Eglise est notre force et notre sécurité, parce que le
Sauveur l'entoure et l'habite :

> *Sion est notre ville forte :*
> *pour muraille et bastion*
> *nous avons le Sauveur.*

- St. 2 : C'est dans l'Eglise que le peuple croyant doit entrer et
vivre pour garder la foi authentique :

> *Ouvrez les portes ! Laissez entrer*
> *le peuple loyal qui maintient sa foi.*

- St. 3 : Dans l'Eglise et en elle seule s'accomplit, par l'Eucharistie, la nouvelle Alliance scellée dans le sang du Christ :

> *Le pacte conclu est gardé,*
> *l'alliance accomplie.*

- St. 4 : L'Eglise est inébranlable [7]. Cf. st. 1.

---

[7] « Habitants de la hauteur » désigne la population d'une région mon-
tagneuse et donc stratégiquement forte.
« Ville superbe » concerne une ville ennemie d'Israël, probablement en
Moab. Le contraste entre l'orgueil des gens haut placés et l'action de
Dieu qui les rabaisse jusqu'à terre est une image fréquente dans l'AT
et un thème du Magnificat.

II. Marana Tha

Tel est le dernier mot [8] de l'Ecriture.
Il la résume tout entière et retentira jusqu'à la fin du monde.
Il retentit, par anticipation, dans ce texte d'Isaïe :

> *La nuit, mon âme t'appelle*
> *et dès l'aurore mon esprit te cherche.* (st. 6)

Le Seigneur est attendu avec les biens de son Royaume :
« Route droite et voie égale »,
« Justice et droiture »,
« Vision de la majesté de Dieu » et
« Paix ».

Psaume 66 : voir II Mercredi soir.

---

[8] Ap 22, 20. « Marana tha », mots araméens qui avaient passé dans la langue liturgique de la primitive Eglise. Ils signifient : Seigneur, viens, et exprimaient l'espoir de la Parousie prochaine.

Et voici ce « dernier mot de l'Ecriture » : « L'Esprit et l'Epouse disent : ' Viens ! ' Que celui qui entend dise : ' Viens ! ' Et que l'homme assoiffé s'approche, que l'homme de désir reçoive l'eau de la vie gratuitement... Le garant de ces révélations l'affirme : ' Oui, mon retour est proche ! ' Amen, *viens, Seigneur Jésus.* »

Office du milieu du jour

Psaume 118 : voir I Mardi jour

Psaume 73 : SUPPLICATION NATIONALE
AU SUJET DE LA PROFANATION DU TEMPLE

La foi qui dépasse le scandale

Pauvre foi que la mienne !
Elle tient quand tout tient autour de moi.
Elle n'est rassurée et rassurante que par mer calme.
Tempête, nuit, souffrances, hostilités... et voilà qu'elle s'éteint.
Qu'ai-je fait à Dieu ?
Un Dieu-Amour ? Parlez-m'en.
A quoi bon prier encore ?

*

Que j'ai besoin de la foi des psalmistes ! Et d'abord de ce psalmiste-ci, parce qu'il est un frère qui lutte, qui « en appelle à Dieu contre Dieu » [9], dans cette catastrophe des catastrophes que fut la profanation du temple de Jérusalem :

> *Pourquoi retirer ta main, ta main puissante,*
> *la retenir inactive en ton sein ?* (I. st. 5)

Ce frère de l'AT m'est nécessaire pour plus encore. En II. de PE, le ton change. Le psalmiste ne comprend toujours pas, mais sa foi dépasse le scandale. Dieu est toujours le Tout-Puissant et l'Allié :

---

[9] CLAUDEL, à propos de Job.

Toi qui fendis la mer par ta puissance,
toi qui brisais les têtes des monstres sur les eaux... [10]
toi qui disposas la lumière et le soleil...
ne livre pas ta tourterelle aux bêtes,
regarde vers l'alliance... (st. 1, 3 et 4)

Alors toi, notre Dieu

Lève-toi, défends ta propre cause
et les pauvres et les malheureux
chanteront ton nom. (st. 6 et 5)

★

Il a été question plus haut de notre foi individuelle, mais au-delà de nos propres problèmes, c'est bien de l'Eglise tout entière qu'il s'agit ici, dont nous avons à prier la foi. « Ne regarde pas mes péchés, mais la *foi* de ton Eglise », demandons-nous à la messe.

Office du soir

Psaume (d'action de grâces) 125 :
CHANT POUR LE RETOUR DES EXILÉS

Il n'est rien de plus joyeux que d'avoir souffert

Ce paradoxe est prononcé par la Sagesse éternelle dans une conversation familière avec le Bienheureux Henri Suso [11] qui se

---

[10] A la strophe suivante, il est fait mention de « Léviathan », monstre mythologique qu'on retrouvera dans l'Apocalypse (12, 3) sous les traits du dragon, ennemi de Dieu.
[11] Mystique allemand de l'Ecole rhénane du 15ᵉ siècle.

plaignait à son Dieu d'un poids excessif d'épreuves. La Sagesse ajoutait : « Souffrir est une courte souffrance et *une longue joie.* »

*

Telle est la joie qui se manifeste en ce psaume.

- Les Juifs échappés à la déportation et restés au pays voyaient arriver, par vagues successives, les rapatriés : st. 1 et 2.

> *Quand le Seigneur ramenait nos déportés,*
> *nous croyions rêver.*
> *Merveilles que fit pour nous le Seigneur !*
> *Joie et allégresse débordaient en nos cœurs.*

- Les rapatriés évoquaient à leurs yeux ces « torrents du désert » longtemps desséchés et qui, la saison des pluies venue, se gonflent soudain, fertilisant une terre de feu : st. 3a.

> *Ramène, Seigneur, nos captifs,*
> *comme les torrents du désert.*

- L'heure est venue d'une nouvelle moisson.
Semée dans les larmes,
elle est engrangée dans les rires et les chansons : st. 3b et 4.

> *Les semeurs qui ont semé dans les larmes*
> *moissonnent dans la joie.*

*

Ce très beau psaume éclaire notre histoire personnelle.
Mais il s'interprète facilement, voire nécessairement, de l'histoire de l'Eglise, avec

ses reculs et ses avances,
ses persécutions et ses éclosions,
ses larmes et ses Te Deum.

Sa méditation crée en nous une attitude (indispensable et urgente) de

patience,
d'attitude confiante
et de gratitude.

Psaume (de confiance) 124 :
Yahweh protège sa ville et son peuple

Qui peut arrêter le printemps d'éclore ?

Et qui peut arrêter l'Eglise de traverser les siècles et de mûrir ?
Elle est, dans son être le plus profond, une volonté tenace de salut universel et la poussée même de la Résurrection.

Ce psaume 124 évoque notre confiance en la stabilité et la pérennité de l'Eglise. Il pourrait être re-lu chrétiennement de la manière suivante :

Enracinée dans le Seigneur,
l'Eglise de Jésus, la Sion d'en-haut,
ressemble à une montagne :
sûre, inébranlable à jamais.

Telles ces nombreuses hauteurs
défendant Jérusalem,
le Seigneur entoure son Eglise
aujourd'hui, demain, toujours.

Les forces du Mal ne l'emporteront pas,
car en elle reste vivante la sainteté de Jésus.

III Mardi

Aux cœurs droits, Seigneur,
donne ton Amour.

Quant aux autres [12], que ta miséricorde
soit plus forte que leur malice !
Paix sur l'Israël de Dieu !

Ap 4 et 5 : voir **I Mardi soir.**

---

[12] Litt. « Les tortueux, les dévoyés, renvoie-les avec les criminels. »
En cet appel au jugement de Dieu, nous trouvons une application de
la « loi du talion » de l'AT. Cette loi, selon laquelle la peine infligée doit
être proportionnée à l'offense - et que des gens du 20ᵉ siècle n'observent
pas toujours - était déjà un grand progrès par rapport à la loi, arbitraire
et sans appel, du plus fort. C'est selon cette loi du talion que le psalmiste
comprend l'intervention de Dieu.
Viendra, à la « plénitude des temps », la maturation définitive de la
charité, telle qu'elle est exprimée en Mt 5, 36-42 et fut vécue par Jésus
en croix : « Père, pardonne-leur, car ils ne savent pas ce qu'ils font. »

III Mercredi

Office des lectures

Psaume 88.

Remarque préliminaire

Ce long psaume est coupé en deux parties dans PE. Nous en avons ici la première et nous précisons : psaume 88 A. La 2ᵉ partie nous attend à III Jeudi lectures, et elle figurera sous 88 B.

Psaume 88 A : SUPPLICATION
POUR LA RESTAURATION DE LA DYNASTIE MESSIANIQUE DE DAVID

Quelque chose a commencé qui ne s'achèvera jamais

Qu'est-ce qui fut au commencement de tout, si ce n'est
L'AMOUR DE DIEU ?
Cet Amour qui ensuite s'en alla patiemment à la rencontre des hommes, leur proposant, par l'intermédiaire de quelques êtres exceptionnels, Abraham, Moïse et David,
une ALLIANCE DE FIDÉLITÉ ÉTERNELLE.

*

Dans notre psaume, il est question de l'alliance avec le peuple élu, telle qu'elle fut confirmée en David. L'alliance-contrat constitue le cadre du psaume ; le ressort intérieur, la flamme en est la *fidélité de Dieu* envers et contre tout.

Voici donc le beau chant de l'Alliance :

- Hymne de louange au Dieu d'Amour et de Vérité [1] : I.
- Promesse d'alliance que le prophète Nathan [2] transmit à David de la part de Dieu : II.
- Malgré les fautes de ses fils, la dynastie de David, porteuse de l'Alliance, durera sans fin : III.

*

La dynastie davidique, chargée des promesses divines que l'on sait, a sombré avec la prise de Jérusalem en 587 et ne fut plus jamais rétablie.

C'est *Jésus* qui donnera
à ces promesses solennelles leur *vérité*,
à la descendance davidique sa *pérennité*
et à l'Alliance sa *plénitude.*

« Vous vous êtes approchés de Jésus, médiateur d'une *alliance nouvelle* et d'une aspersion plus éloquente que celle d'Abel [3]. » Quoi donc plus que le *sang répandu de Jésus* va témoigner de cet amour fidèle de notre Dieu ? le sang qui nous a ouvert le

---

[1] L'expression bi-polaire « Amour et Vérité » si fréquente dans le psautier (cf. Ps 84, III Mardi matin), revient ici huit fois. Qu'est-ce que la « vérité » dans le sens biblique ? Est *vrai* ce qui est solide, sûr, digne de confiance, stable. Vérité signifie fidélité et les deux termes Amour-Vérité sont associés pour caractériser *l'alliance de grâce d'un Dieu fidèle envers son peuple.*
St. 3 : les « dieux » : nos anges.
St. 5 : « Rahab » désigne un monstre mythique personnifiant le chaos marin.
[2] Cf. 2 S 7, 5-16.
[3] He 12, 24.

paradis où tout ne fera que commencer[4] : « De mort, il n'y en aura plus ; de pleur, de cri et de peine : plus, car l'ancien monde s'en est allé[5]. »

Oui, il nous est donné de vivre aujourd'hui
quelque chose qui a commencé
et qui ne s'achèvera jamais.

Office du matin

Psaume 85 : SUPPLICATION D'UN « PAUVRE DE YAHWEH »

**Plus ils sont désespérés,
plus ils sont aptes à la contemplation**

J. Nourrissat, aumônier français de prisons, vécut quelques semaines dans le « couloir de la mort » du pénitencier de Boston, au milieu de 17 condamnés à mort. C'est de ses compagnons qu'il dit cette parole étonnante. La détresse extrême : une école de contemplation.

*

---

[4] Peu avant sa mort (octobre 1975), PATRICE DE LA TOUR DU PIN avait composé une prière pour les mourants dont voici un passage :
Quand viendra l'heure de son ultime combat,
Que la mort n'ait pas le dernier mot.
Que la Vierge et les anges et les saints
recueillent, pour Te l'offrir,
son premier cri à la vie.

[5] Ap 21, 4.

Notre psalmiste, s'il n'est pas (encore) condamné, se trouve très menacé :

> *Des fanatiques se sont levés contre moi,*
> *une bande forcenée en veut à ma vie.* (st. 7)

Sa détresse, on le comprend, est extrême :

> *Je suis pauvre et malheureux.*
> *En ce jour de détresse, je t'appelle.* (st. 1 et 3)

Ayant touché le fond de la misère et étant devenu « le pauvre », que lui reste-t-il sinon de se tenir là, abandonné au Seigneur ?

Point de cri ni de révolte en lui.

Il murmure sa plainte doucement, comme à l'oreille du bon Dieu :

> *Réconforte ton serviteur,*
> *quand son désir l'attire à toi.*
> *Tu pardonnes, toi, et tu es bon.* (st. 2 et 3)
>
> *Donne-moi un cœur simple...* (st. 5)

A ce cœur de pauvre, Dieu se révèle :

> *Dieu ! tu es Dieu, tu es unique.*
> *Tu es grand et ce que tu fais*
> *est si merveilleux.* (st. 4)
>
> *O Dieu de tendresse et de pitié,*
> *Dieu lent à la colère,*
> *Dieu plein d'amour et de vérité.* (st. 8)

La contemplation fait alors jaillir, des profondeurs mêmes, reconnaissance et action de grâces :

> *Je veux te célébrer du plus profond de mon cœur*
> *et rendre gloire à ton nom, toujours.*
> *Grand est ton amour envers moi.* (st. 6)

*

Une étoile ne s'allume que dans la nuit.

Il faut parfois les ténèbres pour que, en l'âme, s'éclaire le visage de Dieu.

Is 33, 13-18 :
CONDITIONS D'ACCÈS A LA MONTAGNE SAINTE DE SION

Seigneur, qu'il m'est bon vivre avec toi !
(Soljenitsyne)

L'écrivain russe, 23 siècles plus tard, revit l'expérience religieuse, telle qu'elle se trouve transcrite dans les deux dernières strophes de ce psaume.

C'est d'ailleurs cette même expérience qui nous est proposée chaque jour que Dieu a fait pour nous.

AVEC DIEU

- l'âme prend de l'altitude, elle « habite les hauteurs ».

- elle émerge au-dessus des fluctuations de la vie, dans la paix et la confiance, car elle a « pour abri et refuge des rochers fortifiés ».

- sa faim et sa soif sont apaisées :

    Le pain lui sera donné
    et l'eau assurée.

- elle « contemple le Roi dans sa beauté ».

- la vision des choses s'ouvre sur l'infini, les yeux intérieurs aperçoivent « un pays aux immenses étendues ».

★

III Mercredi

Cette expérience de Dieu se trouve énoncée ici, comme en d'autres psaumes sapientiaux utilisés lors de pèlerinages pour l'instruction des fidèles [6], sous forme de dialogue entre prêtres et pèlerins, au moment où ceux-ci se présentent aux portails du temple. C'est ce cadre probable que nous retenons pour notre compte. Il est cependant impossible de déceler avec sûreté à chaque strophe l'identité de la personne qui parle :

- Interpellation des pèlerins, proclamée au nom de Yahweh par un prophète du temple :

> *Vous qui êtes au loin* [7],
> *écoutez ce que j'ai fait.* (st. 1)

- Qui pourra tenir devant le « feu dévorant » de la sainteté et de la justice divines ? demande un prêtre. (st. 2)

- Réponse :

> *Celui qui marche en toute justice*
> *et qui parle en homme vrai.* (st. 3)

- Peut-être une voix dans la foule :

> *Un tel homme habitera les hauteurs.* (st. 4)

- Conclusion du prêtre :

> *Tes yeux contempleront le roi dans sa beauté,*
> *ils verront un pays aux immenses étendues.*

---

[6] Cf. Ps 14 et 23.
[7] Peut-être : « Vous, pèlerins, qui venez de loin. »

Psaume (du Règne) 97 :
Hymne au Seigneur victorieux qui gouverne la terre

Un jour, vous avez inventé saint François

Il nous est facile de comprendre ce psaume.
Peut-être est-il moins aisé de nous trouver accordés à son exultation...

> *Que de tous les points de la terre monte*
> *l'acclamation joyeuse du Seigneur.*
>
> *Cithares, trompettes et cors,*
> *faites entendre la jubilation.*
>
> *Grandes orgues de la mer,*
> *chant des rivières, élan des montagnes,*
>
> *tous les vivants de par le monde,*
> *criez de joie en présence de notre roi.* (st. 3 et 4)

*

La joie !
Elle est sûrement la dominante la plus fondamentale du psautier.
Laissons à Madeleine Delbrêl le soin de nous interpeller sur notre joie :
« Je pense, Seigneur, que vous en avez peut-être assez des gens qui toujours parlent de vous servir avec des airs de capitaines ; de vous connaître avec des airs de professeurs ; de vous atteindre avec des règles de sport ; de vous aimer comme on s'aime dans un vieux ménage.
Un jour, où vous aviez un peu envie d'autre chose, vous avez inventé saint François et vous en avez fait votre jongleur.
Faites-nous vivre notre vie, non comme un jeu d'échecs où tout est calculé, non comme un match où tout est difficile, non comme un théorème qui nous casse la tête, mais comme la FÊTE SANS FIN OU VOTRE RENCONTRE SE RENOUVELLE.
Seigneur, venez nous inviter. »

III Mercredi

Office du milieu du jour

Psaume 118, 105-112 : voir I Mardi jour.

Psaume 69 : APPEL AU SECOURS DIVIN

Es-tu pauvre et malheureux ?
Le royaume des cieux est à toi

Tu te plains, avec le psalmiste, d'être « pauvre et malheureux »?

« Ne dis pas : J'ai tout perdu. Dis plutôt : J'ai tout gagné. Ne dis pas : On me prend tout. Dis plutôt : Je reçois tout » (Madeleine Delbrêl).

En effet les rien du tout,
les meurtris,
les affamés,
le ciel est à eux et en eux :

> *Pour tous ceux qui le cherchent,*
> *Dieu n'est que joie et allégresse.* (st. 2)

Psaume 74 : ORACLE DIVIN
ADRESSÉ AUX IMPIES ET LOUANGE DU JUGEMENT DE YAHWEH

Pour que tombent les derniers refus

Il s'agit dans ce psaume de refus.
Refus conscients et multipliés de Dieu et de sa vérité.

Il s'agit encore de la colère divine devant ces négations :

Le Seigneur tient en mains une coupe, (st. 5)

la coupe de sa colère, de sa juste colère. De sa Justice [8].

★

Justice ! justice !

Ce mot est sur toutes les lèvres. Aujourd'hui nous sommes peut-être plus sensibles que ne l'étaient nos parents à une justice humaine.

Et dans le même temps, beaucoup récusent la justice de Dieu. Qui, par exemple, comprend encore une prédication sur le Jugement définitif ? une parole sur l'enfer ?

Qu'on ne dise pas que cette justice de Dieu est propre à l'AT. Un coup d'œil même superficiel sur les Evangiles - sans parler des Epîtres et de l'Apocalypse - signale plus de 20 passages sur le jugement de Dieu. Le plus connu se trouve en Mt 25 : « Allez loin de moi, maudits, dans le feu éternel préparé pour le Diable et ses anges... Et ils s'en iront, ceux-ci à une peine éternelle, et les justes (dont il avait été question auparavant dans le texte évangélique) à la vie éternelle. »

A quel mystère troublant ne nous trouvons-nous pas affrontés ? Des saints n'osaient y penser. Ils n'ont pas pour autant éliminé l'Ecriture. C'est un grand péché contre la lumière que de manipuler la Parole de Dieu.

Notre attitude, face à cette justice de Dieu et, en particulier, à notre psaume 74, pourrait être la suivante :

- Louange de la justice divine, conformément à la première et à la dernière strophe.

---

[8] Voici la structure de ce psaume :
- Antienne : invitation à la louange. St. 1.
  Conclusion : louange et joie du fidèle pour la justice divine. St. 6.
- Oracle du Seigneur qui annonce son jugement. St. 2 et 3.
- Commentaire de l'oracle. St. 4 et 5.

- Nous y ajouterons une prière pour les « méchants », prière que Dieu, dans sa miséricorde, sollicite de notre part, puisqu'il « use de patience envers nous, voulant que personne ne périsse mais que tous arrivent au repentir[9] ». Plus la conscience de la justice et du jugement divins nous effraient, plus notre prière se fera fréquente et insistante, afin que les derniers refus tombent bientôt.

- Enfin n'oublions pas que nous sommes tous solidaires, donc d'une manière ou d'une autre, responsables du péché du monde.

Office du soir

Psaume (de confiance) 126 : LE LABEUR DE L'HOMME
EST VOUÉ A L'ÉCHEC, SI DIEU NE LE FÉCONDE

Dieu pense, aime, prie, crée en moi
(R. Garaudy)

C'est tellement vrai que mes mains d'homme produisent le grain qui est tout aussi bien le fruit de Dieu.
C'est tellement vrai que mes mains d'homme se confondent avec la main créatrice de Dieu.
Est-ce toi qui fais, mon Dieu, ou est-ce moi ?
Comme il est difficile de distinguer ces deux origines.
Qui peut comprendre le mystère de cette union ?

---

[9] 2 P 3, 9.

Aujourd'hui, en une époque de sécularisation, même des croyants ont de la peine à tenir réunies la réalité divine et la réalité humaine et diraient ou disent volontiers : « le destin de l'homme lui a été remis entre ses propres mains et les réponses ne sont pas à chercher auprès de Dieu. »

La vision biblique montre avec insistance Dieu à l'œuvre dans le cheminement de l'humanité et à l'intérieur de chaque destinée individuelle. Isaïe (22, 10), après avoir énuméré les travaux exécutés pour fortifier Jérusalem, conclut : « Mais vous n'avez pas regardé vers Celui qui agit en tout cela, vous n'avez pas vu Celui qui est à l'œuvre depuis longtemps. » Ce qu'il est advenu ensuite de Jérusalem, nous le savons.

*

C'est cette problématique qu'aborde le psaume 126, et à partir du concret le plus quotidien :

- St. 1 a : Construisez votre *maison,* votre foyer, votre famille, mais si Dieu n'est pas « dans le coup », c'est bien en vain.

- St. 1 b : Construisez la *cité,* la communauté nationale ou la société internationale, mais si Dieu n'y est pas présent, c'est sur du sable que vous bâtissez.

- St. 2 : Veillez à votre *subsistance,* mais elle n'est finalement que don gratuit de Dieu qui, durant votre sommeil, vous envoie cette pluie longuement attendue ou fait croître vos semailles.

- St. 3 et 4 : Seriez-vous reine ? seriez-vous ce PDG omnipotent ? une *descendance* assurant votre succession reste l'affaire de Dieu [10].

*

---

[10] St. 4 : « L'homme aux nombreux fils ne sera pas humilié, quand il affrontera ses ennemis en public. » Il faut s'imaginer, dans l'Israël antique, certaines contestations publiques, certaines accusations portées « à la porte de la ville », lieu de rassemblement des gens, voire certains tribunaux « populaires ». Là le volume de voix et le nombre de témoins pesaient

Est-ce toi qui fais, mon Dieu, ou est-ce moi ?

« Y a-t-il une époque qui, plus que la nôtre, ait présenté un tableau aussi hallucinant de guerres, de génocides, de tortures, de camps d'extermination, de famines meurtrières ?

Quelle puanteur de cadavres dans cette société pourtant techniquement élaborée !

Il n'y a vraiment pas de quoi être fier, car nous sommes tous devant nos vraies contradictions.

Mais cette découverte de nos contradictions ne nous fait-elle rien voir ?

Si, de prime abord, nous ne réussissions pas à découvrir ce qui, dans le projet, était nôtre et ce qui était de Dieu, maintenant sommes-nous encore dans le doute ? » [11]

Ne sommes-nous pas obligés finalement de distinguer - et parfois c'est trop tard - ce qui vient de Dieu et ce qui vient de nous ?

Voilà pour le déroulement de l'Histoire.

Qu'en est-il de notre propre vie ? Que chacun réponde en toute loyauté à la question suivante : Qu'est-il advenu chaque fois que j'ai négligé ou refusé de mettre mes mains actives dans la main créatrice de Dieu ?

Psaume 130 : voir I Samedi lectures.

Col 1, 12-20 : voir I Mercredi soir.

---

plus que la vérité des faits. Un homme accusé, qui se présentait en accusé entouré de nombreux fils, d'abord était d'emblée respecté, puis avait là des témoins à décharge. Il était fort. Ils étaient, ses fils, « comme des flèches dans la main du combattant » qui en avait « rempli son carquois ».

[11] C. CARRETTO, dans *Mon Père, je m'abandonne à toi*, Cerf.

III Jeudi

Office des lectures

Psaume (de supplication) 88 B :
COMPLAINTE SUR L'EFFONDREMENT DE LA DYNASTIE DAVIDIQUE

Ma foi se réduisait à un cri...

Il y a comme cela des situations, voire des existences où l'on ne comprend plus rien à rien et où la foi, pourtant plus solide que n'importe quoi, « se réduit à un cri dans la nuit [1] ».

*

Ainsi en ce psaume. Nous en avons lu la première partie à l'office des lectures d'hier. Là, l'auteur chantait l'alliance davidique et la fidélité de Yahweh à ses promesses. Or tout s'est effondré en 587. (Nous le savons déjà par quelques autres psaumes.) Dès lors Israël se voit plongé dans la nuit la plus noire et la deuxième partie du psaume 88 [2] est précisément la « foi qui se réduit à un cri » :

---

[1] PÈRE CARRÉ, dans *Chaque jour je commence,* à propos de situations humainement désespérées.
[2] La dernière strophe de II. : « Béni soit... » n'est pas en relation avec ce psaume. Elle constitue la doxologie finale du 3ᵉ livre du psautier.

> *Tu as rejeté et répudié ton messie* [3],
> *reniant l'alliance avec ton serviteur.* (I. st. 1)

> *Tu as mis en ruines ses lieux forts ;*
> *tous les passants du chemin l'ont pillé.*
> *Tu as mis en joie ses adversaires.* (I. st. 2 et 3)

*

N'entendons-nous pas en ce psaume la foi et le cri de tant de persécutés, de prisonniers, de torturés, de peuples entiers dominés, écrasés, exploités ? et également la foi et le cri de tant d'Eglises-martyres contemporaines ?

Psaume (de supplication) 89 :
FRAGILITÉ ET MISÈRE DE L'HOMME

Le temps d'un soupir

C'est le titre du beau livre où Anne Philipe parle de l'amour exceptionnel qui l'avait unie à Gérard et que la mort du grand comédien avait subitement et cruellement brisé.

« En un instant tout a croulé », écrivait de son côté Jacques Maritain à propos de la mort de sa femme.

La vie nous apparaît parfois si délectable.

Et elle l'est.

Mais combien est fugitif ce que nous retenons entre nos doigts.

Qui n'a jamais senti trembler des mains pourtant lourdes de bonheur ?

*

---

[3] « Messie » désigne le roi détrôné, Ezekias, ou d'une manière générale toute la dynastie davidique.

Telle est la problématique et la sagesse (plutôt pessimiste) de ce psaume : le temps de l'homme, traversé de mille afflictions, n'est qu'un petit pli sur la grande éternité de Dieu.

Les strophes 2-7 forment un tout cohérent et ont probablement constitué le psaume initial. Nous les traitons d'abord et séparément :

- Eternité de Dieu et fragilité de l'homme : st. 2-4.

- Nos fautes sont à l'origine de la colère de Dieu et de toutes nos misères. st. 5-7 :

> *Nous voici anéantis par ta colère,*
> *terrifiés par ta fureur.*
> *Tu étales nos fautes devant toi,*
> *nos secrets à la lumière de ta face.* (st. 5)

Comment comprendre et accepter de tels passages bibliques ?

C'est le péché, dont l'introduction dans le monde se trouve racontée en Gn 3 [4] et parfaitement connue du psalmiste, qui prive l'homme de l'immortalité et va accumuler sur lui souffrances, peines et fatigues. Cette situation de misère, l'homme l'aggrave encore par ses fautes personnelles dont il rend solidaires les générations suivantes.

Quant à Dieu, il ne peut pas ne pas haïr le péché et, dans « sa colère », prononcer contre l'homme ce dont l'homme s'est volontairement chargé : « Dieu bannit l'homme et il posta devant le jardin Eden les chérubins et la flamme du glaive fulgurant pour garder le chemin de l'Arbre de vie. » Dieu bannit l'homme ? Mais l'homme ne s'était-il pas déjà exclu lui-même du Jardin de Dieu ?

*

A cette méditation furent ajoutées, sans doute pour l'usage liturgique, la première et les deux dernières strophes. Celles-ci

---

[4] Gn 3, 24.

sont une fort belle supplication demandant à Dieu de combler Israël de son amour bienveillant après des années difficiles (peut-être celles de l'exil) :

> *Rassasie-nous de ton amour au matin...*
> *Rends-nous en joie les jours de châtiment.*
> *La splendeur du Seigneur notre Dieu*
> *soit sur nous !* (st. 8 et 9)

Office du matin

Psaume (de Sion) 86 : SION, MÈRE DES PEUPLES

L'univers spirituel en expansion

La science nous apprend que le cosmos est en expansion continuelle.

Pourquoi l'univers spirituel ne le serait-il pas également ?

Sion, pour nous reporter d'abord à l'AT, petite capitale d'un royaume nationaliste et étroit, doit éclater. Isaïe l'annonçait majestueusement :

> Debout ! Resplendis, car voici ta lumière
> et sur toi se lève la gloire de Yahweh,
> tandis que les ténèbres s'étendent sur la terre.
> Les nations marcheront à ta lumière.
> Lève les yeux aux alentours et regarde :
> tous sont rassemblés, ils viennent à toi. (Is 60, 1-4)

*

Cette ouverture à l'universalisme se trouve exprimée d'une

manière tout aussi belle en ce psaume - difficile et mystérieux [5] - chanté lors des grands pèlerinages cosmopolites :

- Glorification de Sion : st. 1 et 2a.
  La « cité aimée du Seigneur », la « ville de Dieu » va connaître une gloire nouvelle.

- Sion deviendra la mère de toutes les nations et la source unique du salut : st. 2b-4.
  Dieu en effet a fait savoir ses oracles : l'Egypte et Babylone connaîtront (c'est-à-dire serviront) le vrai Dieu ; les gens de Philistie, de Tyr, voire de la lointaine Ethiopie, bien qu'étrangers, naîtront spirituellement en Sion :

> *De Sion on dira : « C'est ma mère » :*
> *en elle tout homme est né.*
> *En toi (Sion) sont toutes nos sources,* (st. 3 et 4)

ces sources qu'Ezéchiel (47, 1-12) voyait, en vision, jaillir du temple et dont parlera Jésus pour évoquer l'Esprit Saint.

★

C'est précisément ce *Christ* qui va faire sauter les frontières : « Allez... vous serez mes témoins jusqu'aux confins de la terre » [6], et désormais son Eglise, la Jérusalem spirituelle, sera partout où, sur la terre, un cœur s'ouvrira à la foi et à l'amour.

Un univers en expansion peut-il s'immobiliser ? L'Eglise, plante encore jeune et fragile, doit croître avec la croissance de l'humanité, pour ne trouver que dans l'éternité sa mesure définitive, selon ce que nous en dit l'Apocalypse (21, 1-11 et 22-24) : « Un ange me montra la Cité sainte, Jérusalem, qui descendait du ciel, de chez Dieu, avec en elle la gloire de Dieu... De temple, je n'en vis point en elle ; c'est que le Seigneur, le Dieu Maître-de-tout, est son temple, ainsi que l'Agneau. Elle peut se passer de

---

[5] Le texte original en est passablement altéré.
[6] Ac 1, 8.

l'éclat du soleil, car la gloire de Dieu l'a illuminée... Les nations marcheront à sa lumière. »

Is 40, 1-17 :
HYMNE A LA BONTÉ ET A LA GRANDEUR DE DIEU

O abîme de Dieu !

D'aucuns, gens pratiques et actifs, renoncent à réfléchir à Dieu, tant il déroute toute investigation de l'intelligence. Ils l'acceptent, oui ; ils lui obéissent, oui ; puis se préoccupent de choses à leur portée.

A quelques-uns est donnée une recherche patiente de ce Dieu insaisissable et alors, dans un sentiment infiniment doux et parfois effrayant - ou les deux ensemble - il leur arrive d'éprouver comme le vertige d'un abîme, l'Abîme de Dieu.

Telle fut la prise de conscience de saint Paul. Dans la lettre aux Romains (11, 33-36), au terme d'un exposé dogmatique, il nous livre soudain son illumination :

> O *abîme*
> de la richesse, de la sagesse
> et de la science de Dieu !
> Que ses décrets sont insondables
> et ses voies incompréhensibles !

Et de citer la strophe 4 du cantique d'Isaïe.

*

Ce fut donc aussi l'expérience du Second Isaïe [7], ainsi qu'elle est transcrite en cet hymne, dont voici la structure :

---

[7] Pourquoi « Second Isaïe » ? Les ch. 40-55 ne peuvent pas être

- Le Seigneur vient « avec puissance », tel un guerrier victorieux : st. 1.

- Il paraît également avec la tendresse vigilante du berger qui « porte les agneaux sur son cœur » : st. 2.

- « L'abîme de Dieu » : st. 3 et 4.

> *Qui a jaugé l'océan du creux de sa main ?*
> *qui a mesuré les cieux de ses doigts étendus ?*
> *qui a pu sonder l'esprit du Seigneur ?*

- Que sont toutes les nations en regard de cette Immensité ? St. 5 et 6.

> *... une goutte dans un seau,*
> *un grain de sable dans la balance ;*
> *le poids de la poussière...*
> *vide et néant.*

Psaume (du règne) 98 :
HYMNE A YAHWEH, ROI JUSTE ET SAINT

Se faire transparent à sa lumière

Pour instaurer sur la terre sa domination de
grandeur,
de sainteté,
de justice et de vérité,
Yahweh-Roi a suscité des prophètes.

---

l'œuvre du prophète du 8e siècle. Non seulement son nom n'y est jamais mentionné mais le cadre historique est postérieur d'environ deux siècles. Ces chapitres contiennent la prédication d'un anonyme, un continuateur d'Isaïe et un grand prophète comme lui, que, faute de mieux, nous appelons le Deutéro-Isaïe ou le Second Isaïe.

Et ainsi ce Royaume est venu jusqu'à nous parce que des hommes ont consenti à être brûlés de son Souffle.

A notre niveau humble et modeste, l'Esprit nous trouvera-t-il disponibles ? Sans quoi son action en serait retardée et, il faut bien le dire, partiellement annihilée. « Dieu ne peut agir dans le monde que si quelques-uns se font transparents à sa lumière [8]. »

*

Structure du psaume :

- Refrain-invitation à la louange et à l'adoration : st. 4 et 8.

> *Exaltez le Seigneur notre Dieu,*
> *prosternez-vous devant son marchepied,*
> *car il est saint.*

- Evocation de Yahweh-Roi et de sa domination : st. 1-3.

> *Le Seigneur est roi, il est grand,*
> *lui qui se tient sur les chérubins [9].*
> *Tu es ce roi qui aime le droit,*
> *tu as fondé l'ordre et la justice*
> *et tu domines par-dessus tous les peuples [10].*

- Quelques grands serviteurs du Royaume : st. 5-7.

> *Moïse, Aaron son grand-prêtre,*
> *et Samuel invoquaient le Seigneur*
> *et lui, leur répondait.*
> *Dans la colonne de nuée [11], il parlait avec eux ;*
> *eux accomplissaient sa volonté,*
> *telle qu'il la leur avait révélée.*

---

[8] Mgr RIOBÉ, évêque d'Orléans.

[9] Les chérubins, sortes de sphinx ailés, étaient des statues entourant l'Arche d'Alliance. « Il se tient sur les chérubins » signale la présence de Yahweh sur l'Arche.

A l'époque post-exilique, celle de notre psaume, l'Arche n'existant plus, elle fut remplacée par le « propitiatoire », le Saint des Saints, auquel furent joints les chérubins. Pour de plus amples détails au sujet du propitiatoire, voir Ex 25, 17-18.

[10] Nous faisons usage d'une certaine liberté pour cette citation.

[11] La « nuée » est un symbole privilégié pour signifier le mystère de la présence divine : elle manifeste Dieu tout en le voilant.

Office du milieu du jour

Psaume 118, 113-120 : voir I Mardi jour.

Psaume (de supplication) 78 :
LAMENTATION SUR JÉRUSALEM DÉVASTÉE

La fin d'un monde n'est que le commencement
d'un autre monde

Il y a sans doute de quoi trembler pour notre monde.

Ceux que l'avenir inquiète ne sont pas forcément des pessimistes.

La destruction nucléaire ou la manipulation biologique de l'être humain nous alarme, mais tout autant peut-être cette explosion démographique des peuples de la faim et de la misère, qui met si gravement en question la répartition des biens de la terre et ses ressources.

On peut, il faut prier à partir d'une telle angoisse.

*

Une telle prière vient s'inscrire dans le mouvement même de ce psaume 78 : à l'instar d'autres psaumes [12], il est une complainte sur l'effondrement du monde juif qui s'était lentement construit durant des siècles, sous l'égide même de Yahweh :

- Description du pillage de la Ville sainte : st. 1-3.

- Une supplication, qui est une demande de pardon pour les fautes d'Israël en même temps qu'un appel de vengeance pour ses ennemis : st. 4-7a.

---

[12] Cf. Ps 43, 59, 73, etc.

- Une prière de confiance : Yahweh saura sauver : st. 7b :

> *Que vienne jusqu'à toi la plainte du captif ;*
> *épargne ceux qui doivent mourir.*
> *Et nous, ton peuple, le troupeau que tu conduis,*
> *sans fin nous pourrons te rendre grâce.*

*

Nous te rendrons grâce, car par ta puissance et ta providence, la fin d'un monde n'est que le commencement d'un autre monde.

Psaume 79 : voir II Jeudi matin.

Office du soir

Psaume 131 : voir I Samedi lectures.

Ap 11 et 12 : voir I Jeudi soir.

III Vendredi

Office des lectures

Psaume 68 :
SUPPLICATION DANS L'ÉPREUVE ET LA PERSÉCUTION

J'espérais la compassion, mais en vain

Le Christ souffrant, ce frère humain,
trouvera-t-il en nous des amis qui le consolent ? [1]
Ceux qui savent la compassion comprendront ce psaume leur
permettant de s'unir à la passion de Jésus et d'atteindre à l'amour
authentique, selon l'attestation même de saint Paul de la Croix :
« L'imitation du doux Jésus dans sa Passion, c'est le sommet du
pur amour. »

*

En son sens littéral, ce psaume 68 exprime la supplication poignante d'un pécheur menacé de mort prochaine et par la maladie

---

[1] La consolation de Jésus dans sa passion est l'un des aspects de la
piété de Charles de Foucauld. Il s'en explique : « Je ne puis concevoir
l'amour sans un besoin, un besoin impérieux de conformité, de ressem-
blance et surtout de partage de toutes les peines, de toutes les difficultés,
de toutes les duretés de la vie. »

et par la persécution. Quant à la 3ᵉ partie (III. de PE), elle a un caractère hymnique propre : la détresse individuelle se mue en action de grâces qui veut se communiquer au peuple des pauvres.

Huit passages du NT se réfèrent explicitement ou implicitement à ce psaume, marquant on ne peut plus clairement son caractère messianique. Nous en retiendrons 5 :

- Jn 15, 24-25 : « Ils mè haïssent, moi et mon Père, c'est pour que s'accomplisse la Parole écrite dans leur loi : ' Ils m'ont haï sans raison '. » I. st. 4.

- Jn 2, 17 : « Se faisant un fouet de cordes, Jésus chassa tous les vendeurs du temple, avec leurs brebis... Un mot de l'Ecriture revint à la mémoire de ses disciples : ' Le zèle pour ta maison me dévorera '. » I. st. 7

- Rm 15, 3 : « Le Christ n'a pas recherché ce qui lui plaisait, mais, comme il est écrit : ' L'insulte de qui t'insulte est retombée sur moi '. » I. st. 7

- Mt 26, 40 : Au jardin de Gethsémani, « Jésus revint vers ses disciples et les trouva endormis. Il dit à Pierre : ' Ainsi vous n'avez pas eu la force de veiller une heure avec moi '. » Ce passage doit être rapproché de II. st. 5 :

    J'espérais la compassion, mais en vain,
    des consolateurs, et je n'en ai pas trouvé.

- Mt 27, 48 : le texte « Aussitôt quelqu'un courut prendre une éponge qu'il imbiba de vinaigre et lui donna à boire » est à rapprocher de II. st. 5 :

    Dans ma soif, ils m'abreuvaient de vinaigre.

Office du matin

Psaume 50 : voir I Vendredi matin.

Jr 14, 17-21 :
LAMENTATION AU TEMPS DE LA GUERRE ET DE LA FAMINE

Nous sommes tous responsables de tout
(Dostoïevski)

Affirmation très dure.
L'extraordinaire romancier en était pourtant si pénétré qu'il s'attacha à l'illustrer maintes fois dans des faits de vie d'une vérité irrésistible. Se souvenant de nos responsabilités coupables, il a un jour ce cri sublime à propos de Jésus : « Ah ! le seul sans péché, et son sang. »

★

Au temps de Jérémie, le « glaive », la sécheresse et les « tourments de la faim » (st. 2) frappent Israël « d'un mal incurable » (st. 1 et 4).
Pourquoi ? pourquoi ?

Même le prêtre et le prophète
ne comprennent pas. (st. 3)

Pourtant par l'intermédiaire du prophète Jérémie, une lumière se révèle : nous sommes tous responsables. Il prie :

Seigneur, nous connaissons notre malice,
les fautes de nos pères :
oui, nous avons péché contre toi. (st. 5)

Le péché perturbe l'harmonie de la nature : sécheresse et famine, et celle des hommes entre eux : « le glaive ».

Restent ton nom très saint et ton alliance, Seigneur !

Pour l'amour de ton nom, ne nous rejette pas,
ne romps pas ton alliance avec nous. (st. 6)

*

Cette Alliance, par *Jésus,* « le seul sans péché », sera scellée éternellement en son sang.

Psaume 99 : voir I Vendredi matin.

Office du milieu du jour

Psaume 21 :
SUPPLICATION ET ACTION DE GRACES D'UN PERSÉCUTÉ

Des abîmes de doute et des abîmes de foi

Ce psaume tragique brille d'un éclat particulier, depuis que Jésus l'a prié (et crié) pendant son dernier supplice. Certes, il n'en a prononcé à haute voix que le début : « Elôï, Elôï, lama sabachthani ? », mais c'est toute la prière qu'il faisait sienne, comme on dirait de quelqu'un : il a chanté le Te Deum, pour signifier non seulement ces deux mots mais l'entièreté de l'hymne.

*

Ce serait tronquer ce psaume prophétique de la passion du Messie que d'y voir la seule déréliction. Il est également un cri de confiance et un chant d'action de grâces. En voici d'ailleurs le contenu :

- Appel au Dieu Sauveur. I.
- Détresse du pauvre livré à la méchanceté de ses adversaires [2]. II.
- Sacrifice et prière d'action de grâces. III.
  Brusquement la prière passe de la supplication angoissée à l'action de grâces confiante, comme d'ailleurs en de nombreux autres psaumes du même genre littéraire. Ou bien le pauvre, dans son malheur, promet ce sacrifice de reconnaissance, s'il est délivré, et le vit comme par anticipation, ou bien sa confiance est telle que c'est comme s'il était déjà entendu du Seigneur.
  Son vœu, il l'accomplira « dans la grande assemblée » devant laquelle se célébraient des liturgies d'action de grâces, suivies parfois d'un banquet auquel les pauvres étaient conviés : « les pauvres mangeront : ils seront rassasiés [3] » (st. 4).

*

La 5ᵉ strophe de cette 3ᵉ partie se détache de l'ensemble du psaume. Elle est probablement une ajoute postérieure, mais d'une densité exceptionnelle qui appelle les remarques suivantes :
- Elle déborde le drame individuel dont fait état l'ensemble du

---

[2] Les psaumes évoquant les adversaires, se servent de certaines images conventionnelles et comprises de tous. Nous avons en ce psaume 21 l'un de ces « clichés » : les bêtes féroces. Quand il est fait allusion aux « taureaux », aux « bêtes de Bashan » (Bashan, en Transjordanie, était célèbre pour ses pâturages et ses troupeaux ; les « taureaux de Bashan » symbolisent la force et la violence), aux « lions » et aux « chiens », le psalmiste n'est très certainement pas exposé à ces animaux, mais menacé par des ennemis qui en ont l'agressivité et la férocité.

[3] Certains commentateurs proposeraient plutôt de voir dans « les pauvres mangeront... » une allusion au festin messianique. Une opinion cependant ne contredit pas l'autre, le festin messianique étant préfiguré par le repas rituel.

psaume et témoigne d'une ouverture universaliste propre aux grands prophètes :

> *La terre entière se souviendra,*
> *chaque famille de nations*
> *se prosternera devant lui.*

- Israël commence à entrevoir un sens à la souffrance humaine. A cette souffrance (peut-être celle du peuple en exil ou au retour de l'exil et qui fait sienne cette prière de détresse) est attribuée une certaine valeur de rédemption. Ceci ressort de ce qu'à la fin de cette longue imploration il soit fait allusion à cette perspective universaliste mentionnée ci-dessus.
- Enfin le passage suivant présente un intérêt tout particulier :

> *Même les cendres des tombeaux*
> *se prosterneront devant lui.*

Ce culte rendu à Dieu par-delà la mort, inconnu de la plupart des psaumes, est une première lueur de la révélation ultérieure sur notre survie.

*

Le caractère prophétique et messianique de ce psaume est de toute évidence.

Il semble bien acquis dans la plupart des esprits, à ce sujet, que le psalmiste, en transcrivant sa propre détresse en une prière, n'ait pas été conscient d'annoncer le Messie souffrant. Mais quand Jésus va prier ce psaume, il lui donnera sa pleine dimension et son ultime signification, mettant en lumière ce que l'Esprit Saint y avait enfoui.

Cinq passages retiendront notre attention :

- En I. :

st. 3 : « Ils ricanent et hochent la tête » est relevé par Mc 15, 29 et Mt 27, 39.
« Que le Seigneur le délivre... s'il l'aime tant » est repris par Mt 27, 43. Quelle ironie dramatique que les adversaires de Jésus citent et réalisent le psaume que prie Jésus !

- En II.

st. 3 : C'est la description de l'étirement d'un crucifié et en particulier de la soif torturante.

st. 4 : « Ils me rongent les mains et les pieds. » Certains manuscrits donnent : « Ils ont creusé mes mains... » ; d'autres encore : « blessé... ». La Vulgate traduisait : « Ils ont percé... »

st. 5 : Le partage des vêtements est rappelé par les quatre évangélistes.

*

Que sera *notre* prière ?

Une méditation de la passion de Jésus,
de son acceptation de la souffrance,
de son oblation rédemptrice,
de sa confiance en Dieu.

Quant au passage : « Les pauvres mangeront et seront rassasiés », il rappelle l'Eucharistie qui actualise, jusqu'à la fin des temps, au milieu de nous, le sacrifice d'action de grâces du Seigneur Jésus.

Office du soir

Psaume 134 : LOUANGE AU SEIGNEUR DE LA CRÉATION ET AU LIBÉRATEUR D'ISRAEL

Dieu ! le reste est silence

Psaume tout vibrant de l'Amour de Dieu et de son Absolu :

- Invitation à la louange et conclusion hymnique : I. st. 1 et 2 et II. st. 4 et 5.

- La puissance et l'amour de Yahweh éclatent dans la *création* : I. st. 3 et 4.

> *Il appelle les nuages des extrémités de la terre,*
> *Il fait jaillir les éclairs pour que vienne la pluie*
> *et il libère le vent de ses trésors.*

- La grandeur et la fidélité de Yahweh se sont manifestées lors de la *sortie d'Egypte* [4] : I. st. 5 et 6.

> *C'est lui qui envoya des signes et des prodiges*
> *en plein cœur de l'Egypte...*
> *et qui donna la terre (des nations)*
> *en héritage à Israël, son peuple.*

- Face à Dieu, les idoles [5] ne sont que néant. II. st. 2 et 3.

★

D'une part familiarisés avec les psaumes, de l'autre sensibles aux visées de notre époque, nous sommes à l'aise pour réinterpréter et actualiser dans notre prière la sortie d'Egypte et de l'esclavage : les thèmes de l'aliénation et de la libération de l'homme ne se retrouvent-ils pas souvent en théologie et à toutes les pages de l'actualité ?

Quant aux *idoles,* elles sont de tous les temps, seules varient leurs appellations. Aujourd'hui ne se nommeraient-elles pas peut-être : violence, érotisme, drogue, technique, production, parfois sport, « adorables » vedettes de tous genres ?

---

[4] Une fois de plus le thème de la création et celui de l'histoire d'Israël se trouvent liés. C'est à travers ces deux réalités que Yahweh se manifeste à son peuple. Cf. ps 135.

[5] En s'en prenant aux idoles, le psalmiste affermit le peuple contre la tentation permanente du polythéisme et de l'idolâtrie. Cf. ps 113b.

Face à ce monde étranger, souvent opposé au Royaume, le psaume 134 nous projette sur le seul Dieu digne d'être aimé et servi :

Dieu ! le reste est silence [6].

Ap 15, 3-4 : voir I Vendredi soir.

---

[6] C'est la devise de l'ermitage du Père Jean Déchanet, l'auteur bien connu de *Yoga chrétien*.

III Samedi

Office des lectures

Psaume 106 : POUR UNE LITURGIE D'ACTION DE GRACES

Variations sur l'amour de Dieu

Notre vie est traversée d'évidentes interventions divines.

Non pas que le Tout-Puissant ait incurvé notre destin d'une manière miraculeuse. C'est avec infiniment de respect que sa providence s'inscrivait dans le déroulement des causes et effets naturels et les faisait servir à son amour.

Et nous, nous l'avons su avec certitude : Dieu était là, et Il y était à l'œuvre.

Que dire de mille autres interventions de notre Père des Cieux qui nous échapperont toujours ? Dieu rarement signe ses bienfaits.

*

Ce psaume 106 doit nous aider à reconnaître et à célébrer cet amour de Dieu.

On y retrouve d'abord un double refrain - comme un double leitmotiv - autour de quoi vont se développer les multiples variations des prévenances divines.

- Premier refrain ou leitmotiv :

> *Qu'ils proclament l'amour du Seigneur,*
> *ses merveilles pour les fils des hommes* [1].

- Deuxième refrain ou leitmotiv :

> *Ils criaient vers le Seigneur dans la détresse,*
> *et de leur angoisse, il les a délivrés* [2].

Voyons maintenant les *variations*.

Défilent dans le temple, lors des grands pèlerinages, de préférence à la fête des Tentes, après la moisson, les diverses catégories de fidèles inscrits pour l'action de grâces, chacune étant introduite et présentée par le premier refrain :

- Invitatoire général d'action de grâces. I. st. 1 et 2.

- Quatre groupes de pèlerins :
  les caravaniers et les voyageurs. I. st. 3-5.
  les prisonniers (libérés). I. st. 6-8.
  les malades (guéris). I. st. 9 et 10.
  les marins ayant affronté la mer déchaînée. II.

- Epilogue. III.
  La puissance de Yahweh sauveur
  donne sécheresse ou fécondité. St. 1-3.
  humilie les princes et élève les humbles. St. 4 et 5.

- Invitation à comprendre l'amour du Seigneur. III., dernière strophe.

*

« Nous sommes passionnément aimés. Mais peu savent cet amour. Et c'est un grand mystère qu'il ne soit connu que de quelques-uns » (J. Le Cour).

---

[1] Il se trouve en I. st. 5, 8 et 11 ; en II. st. 5 et il est deux fois suggéré par le sigle R/ en III. où il serait bon de le reprendre.

[2] Cf. I. st. 1, 7 et 10.

Office du matin

Psaume 113, 145-152 : voir I Mardi jour.

Sg 9, 1-12 : Prière pour obtenir la sagesse

Laisser germer la semence d'éternité

Pour posséder la sagesse, le jeune Antoine, ayant distribué ses biens, s'enfonça dans le désert, où il vécut encore 100 ans.

Pour trouver ce trésor, François d'Assise, après s'être fait pauvre, a donné sa santé et la lumière de ses yeux.

Charles de Foucauld a préféré la « perle précieuse » à une brillante carrière.

Qu'est-ce que la sagesse ?

Elle est un art de vivre, - de gouverner, s'il faut gouverner - de « distinguer l'essentiel du secondaire », selon la belle définition de Gustave Thibon, de se dégager des choses extérieures et fugitives pour vivre *libre* au-dedans de soi et *laisser germer la semence d'éternité* qui y a été déposée.

La recherche de la sagesse est commune à tous les peuples de l'ancien Orient ; aujourd'hui encore elle brûle et consume tant d'esprits sur les rives de l'immense Gange.

Dans la *Bible,* outre un héritage oriental commun, elle apparaît, la sagesse, comme un don du ciel et s'enracine dans la Parole même de Dieu, qui en devient la seule source authentique.

La conception de la sagesse biblique évoluera au cours de la révélation. Peu avant la venue du Christ, elle tend à être personnifiée. Dans les « Proverbes » et en particulier dans ce « Livre de la Sagesse » d'où est tirée notre prière, on la présente comme une réalité divine pré-existante qui, depuis toujours, est « auprès de

Dieu », qui « partage le trône de Dieu [3] » (st. 4 et 5). Le NT, révélation plénière du mystère de Dieu, identifiera la sagesse avec
Jésus-Christ :

> Au commencement le Verbe était,
> et le Verbe était auprès de Dieu. (Jn 1, 1-3)

C'est donc cette présence de Jésus et le don de son Esprit que
nous, chrétiens, en quête de sagesse, nous demandons dans cette
prière.

*

Cette prière est mise sur les lèvres du roi Salomon, le plus
grand Sage d'Israël (st. 3), qui effectivement a adressé à Yahweh
une telle requête, comme nous le savons par 1 R 3. Mais dans sa
rédaction, elle est de 900 ans postérieure à Salomon.

Et nous, 2 200 ans plus tard, nous la disons comme l'une des
prières les plus urgentes et les plus actuelles...

Psaume 116 : voir I Samedi matin.

Office du milieu du jour

Psaume 118, 122-128 : voir I Mardi jour.

Psaume 33 : voir I Samedi jour.

---

[3] Cf. Ps 32 et 147.

Office du soir

Psaume (de pèlerinage) 121 :
SALUT DES PÈLERINS A LA VILLE SAINTE

Mon poids, c'est mon amour

Ils se sont mis en route, les pèlerins :

> *O ma joie quand on disait :*
> *partons vers la maison du Seigneur.* (st. 1)

Leur marche est longue, harassante, mais

> *... maintenant nous pouvons faire halte*
> *dans tes portes mêmes, Jérusalem.* (st. 1)

Ils lui adressent alors leur salut : *Schalom,* qui signifie paix [4] :

> *Paix à ceux qui t'aiment !*
> *Et que vienne la paix en tes murs.* (st. 3)

C'est encore *Schalom* qu'ils diront en partant :

> *A la pensée de mes frères et de mes proches,*
> *Je dis et redis : Paix sur toi !* (st. 4)

*

---

[4] En répétant ce mot *paix,* qui rappelait et appelait les espérances messianiques, les pèlerins sans doute jouaient sur l'éthymologie de Jérusalem, la « cité de paix ».
« Le mot *Paix* (schalom), qui traduit la salutation chez les Juifs... est plus riche de signification que son correspondant dans nos langues. Il englobe notamment les notions de plénitude, de vie et de joie. La « Paix » que seul Dieu peut donner est un thème messianique si important qu'il court à travers toute la Bible » (Fr. BERNARD-MARIE, *Prier le Rosaire avec la Bible,* Editions Saint-Paul, 1977).

Y a-t-il commentaire plus autorisé de ce psaume que la méditation de saint Augustin ? « Tout corps tend, en vertu de sa pesanteur, vers la place qui lui est propre. Le feu monte, la pierre tombe : ils sont l'un et l'autre entraînés par leur poids, et cherchent la place qui leur est propre. L'huile versée dans l'eau monte au-dessus de l'eau ; l'eau versée dans l'huile descend au-dessous de l'huile. Ce qui n'est pas à sa place s'agite jusqu'à ce que, l'ayant trouvée, il demeure en repos. *Mon poids, c'est mon amour* [5]. Où que je sois porté, c'est lui qui m'emporte. C'est votre feu, votre feu bienfaisant qui nous consume, et nous allons, nous montons vers *la paix de la Jérusalem*. Quelle joie pour moi d'avoir entendu ceci : 'Nous irons dans la maison du Seigenur.' Et nous n'aurons plus rien à souhaiter que d'y demeurer éternellement [6]. »

Psaume (de confiance) 129 : DE PROFUNDIS
LE PÉCHEUR COMPTE SUR LE PARDON DE DIEU

Veilleur, où en est la nuit ?
(Is 21, 11)

La nuit, ma nuit d'où je crie vers Toi, est profonde.
Noire, comme un abîme.
La tête me tourne : comment soutenir ton absence provoquée par mon péché ?
De profundis clamavi ad te.
Mais déjà en moi quelque chose s'agite. Serait-ce la lointaine aurore ? Je ne la vois - « où en est la nuit ? » - mais mon cœur la pressent. Elle avance, elle monte, l'Irrésistible.
Et c'est en moi qu'elle monte.

---

[5] Une parole qui passe les siècles. En latin : *pondus meum, amor meus.*
[6] SAINT AUGUSTIN, *Confessions*, livre 13ᵉ, ch. 9.

Je suis le veilleur, le guetteur, l'éveillé.

Mon Dieu, je guette l'instant où ton aurore ouvrira, dans le mur de ma nuit, une brèche vers ton Infinitude.

Ta grâce, ton pardon, ta liberté, ta pureté :

ton beau Royaume,

TOUT cela ensemble, en même temps fondra sur moi, comme au matin s'éveille le monde.

Oui, tout cela m'arrivera.

Je le sais : je suis le *veilleur.*

Cependant, ne me demandez pas : Veilleur, où en est ta nuit ? Je ne suis sûr que d'une chose :

La nuit de Dieu, si longue soit-elle, est pleine de l'aurore.

*

Le *De Profundis,* originellement, constituait, du moins devait constituer un chant individuel : les st. 1-3, pour devenir ensuite le chant collectif d'un peuple pécheur, malheureux mais plein de l'espérance propre à Israël : les st. 4-5. On peut détecter cette transition en la st. 4 : elle reprend le thème de la st. 3 (« que le veilleur espère l'aurore »), pour lui donner une portée collective : « *Israël* espère le Seigneur. »

Autre explication de ce phénomène : le *je* est un procédé littéraire pour dire *nous.* Aussi *je* et *nous* sont-ils interchangeables et souvent alternent d'une strophe à l'autre en de très nombreux psaumes.

Ph 2, 6-11 : voir I Samedi soir.

IV Dimanche

Office des lectures

Psaume 23 : voir I Mardi matin

Psaume 65 : LITURGIE D'ACTION DE GRACES

Le lieu du malheur humain est le lieu que Dieu habite
(G. Hourdin)

Le drame du malheur humain ! De notre propre malheur.

Mais aussi et parfois tout autant de celui des autres, étalé largement sous nos yeux par les mass media.

A notre interrogation, Dieu ne répond guère. MAIS IL HABITE LE LIEU DE NOS LARMES.

*

N'est-ce pas l'expérience de notre foi ?

C'est elle que nous livre le psaume 65 [1]. Il est action de grâces,

---

[1] Deux parties bien distinctes en ce psaume :

- En I., hymne national de louange au Sauveur d'Israël. Cette partie est caractérisée par le *nous*.

- En II., il s'agit d'une intervention du chef de l'assemblée ou d'un pèlerin :

Vous tous qui craignez Dieu,
approchez, que je vous raconte
ce que le Seigneur fit pour mon âme. (st. 3)

certes, mais une action de grâces qui jaillit de *l'épreuve*, ce que nous appelions le « malheur humain » et qui ici se trouve décrit en termes extrêmement suggestifs :

> *Tu nous as éprouvés, mon Dieu,*
> *comme on purifie l'argent au creuset.*
> *Tu nous as attirés dans un filet*
> *et tu as laissé l'angoisse pénétrer*
> *jusqu'au plus profond de notre cœur.*
> *Nous avons passé par le feu et par l'eau.* (I st. 6 et 7)

Mais

> *Tu nous as fait sortir*
> *pour le banquet et la fête* (I. st. 7)

La gratitude d'ailleurs n'attend même pas la fin de l'épreuve :

> *Je criais encore vers lui*
> *que déjà la reconnaissance était sur mes lèvres.* (II. st. 3)

*

Cette expérience humaine et cette foi des psaumes - les deux s'entremêlant - nous sont donnés comme une lampe pour nos pas sur les chemins nocturnes du « malheur humain ».

Office du matin

Tout comme II Dimanche matin.

Cette deuxième partie situe la gratitude individuelle dans la louange de la communauté, telle qu'elle s'était exprimée en I. En st. 2, on reconnaît les rites juifs d'un sacrifice sanglant.

Office du milieu du jour

Tout comme II Dimanche jour.

Office du soir

Psaume 109 : voir I Dimanche soir.

Psaume 111 : PORTRAIT ET BONHEUR DU JUSTE

Des lieux d'humanité où Dieu nous attend
(B. Chenu)

L'une des idées-forces de notre époque est sans contredit la place capitale qu'occupent, dans les préoccupations et les efforts de nos contemporains, l'homme et les problèmes qui le concernent. Notre temps est caractérisé, dit le Père Chenu, par « un certain sens de l'homme, une lutte passionnée pour la justice, des gestes de miséricorde et de pardon ». Et il conclut : « Notre monde exige de l'Eglise des preuves en humanité. »

*

Que de fois ce psaume 111 n'a-t-il pas coulé sur notre esprit comme l'expression d'un monde antique et révolu, une sorte de pièce de musée ! Et pourtant ! Il répond totalement à ce qu'un observateur lucide et engagé de notre époque vient de nous dire de nos aspirations. Examiné de près, que nous propose ce psaume ?

- Transmettre à nos successeurs un monde viable :

> *La lignée du juste sera puissante sur la terre.* (st. 1)

- Jouir d'une progression économique stable :

> *La maison du juste ne manque pas de richesses ;*
> *le bien qu'il aura réalisé demeurera.* (st. 2a)

- Gérer ses affaires intelligemment, prévoir les heures difficiles et affronter avec sérénité les inconnues de la vie :

> *Il mène ses affaires avec droiture.*
> *Il ne craint pas les prophètes du malheur.* (st. 3 et 4)

- Posséder un sens affiné du partage :

> *Il est compatissant, sensible et juste.*
> *Il prête...*
> *il donne largement aux pauvres.* (st. 2, 3 et 5)

- S'engager contre toute forme d'oppression et demeurer lucide devant les multiples problèmes de l'existence :

> *A la fin, il toisera ses adversaires.*
> *Il est devenu une. lumière pour les cœurs droits.* (st. 2 et 4)

★

Aurions-nous donné dans le social pur ? Rien de plus étranger au monde biblique où Dieu demande une reconnaissance constante de sa suprématie et une obéissance inconditionnée à sa loi :

> *Heureux qui adore le Seigneur*
> *et aime ses volontés.* (st. 1)

Ap 19, 1-7 : voir I Dimanche soir.

IV Lundi

Office des lectures

Psaume (d'instruction) 72 : LES BIENS TERRESTRES
NE SONT QUE NÉANT COMPARÉS A L'AMITIÉ DIVINE

Le dessus et le dessous du problème

De toute évidence, le psalmiste a traversé une « crise de foi » :

> *Un peu plus et je trébuchais.* (I. st. 2)
> *A quoi bon garder le cœur pur*
> *et les mains propres ?* (II. st. 1)

Avouons qu'il y a de quoi douter, car l'esprit de l'homme se trouve affronté à un « scandale ». Tandis que les justes si souvent peinent et semblent abandonnés de Dieu :

> *... j'étais frappé tout le jour*
> *et chaque matin me valait un nouveau châtiment...* (II. st. 1).

les méchants, eux, prospèrent :

> *Toujours tranquilles, ils entassent des fortunes.* (I, st. 7)

On comprend le trouble et la tentation qui s'insinuent chez d'aucuns :

> *Et mon peuple, se laisse séduire,*
> *croyant trouver de leur côté le bonheur.* (I. st. 6)

Voilà le *dessus* du problème, simplifié à l'extrême dans l'AT : les méchants sont riches et prospères, les bons, pauvres et malheureux. Cette réserve d'une simplification excessive faite, abordons le *dessous* du problème, la solution proposée par le Sage en ce psaume 72, fruit de la longue réflexion. Nous la trouvons en II. et III. de PE.

La prospérité des impies n'est que passagère, leur succès qu'apparent et leur vie rien plus qu'un « songe au réveil ». Longue ou courte vie, richesse ou pauvreté, qu'importe ? Ce qui seul compte, ce qui pèse plus que tout, c'est L'AMITIÉ DIVINE, et comment saurait-elle être un jour interrompue ? Elle est l'héritage définitif des « pauvres de Yahweh » (III. de PE).

> *Je me tenais tout près de toi, mon Dieu,*
> *et voici : tu m'as saisi par la main.*
>
> *Désormais c'est ta sagesse même qui va me conduire*
> *et un jour tu me prendras dans ta gloire.*
>
> *Te possédant, qui d'autre me faut-il dans le ciel*
> *et de quoi aurais-je encore besoin ici-bas ?* [1]
>
> *Tout en moi n'est que soif de toi.* [2]
> *Oh ! certitude de mon cœur,*
> *oh ! mon tout, Dieu à jamais.* [3]
>
> *Devenir ton intime :*
> *je ne sais d'autre bonheur.*

---

[1] Texte obscur. Les interprétations varient. Osty traduit :
Quel autre que toi ai-je aux cieux ?
En dehors de toi, je ne désire rien sur la terre.
[2] Litt. « ma chair et mon cœur (donc tout en moi) sont usés, consumés de soif de toi ».
[3] Litt. « ma part, c'est Dieu ». « Part » désigne volontiers, dans la Bible, la destinée, l'ensemble de l'existence humaine, donc le « tout ».

Office du matin

Psaume 89 : voir III Jeudi lectures.

Is 42, 10-16 : Hymne a la victoire de Yahweh

L'univers visible est appelé à être transfiguré

La science, qui scrute le monde, n'en sait rien, mais telle est la vision de la foi : « Celui qui siège sur le trône déclara : ' Voici que je fais *l'univers nouveau* ' [4]. »

*

L'intervention de Dieu est décrite ici en termes guerriers bien conformes au lyrisme de l'AT :

> *Le Seigneur part en conquérant :*
> *tel un guerrier, il excite sa fougue ;*
> *il pousse un cri, un âpre cri de guerre.* (st. 4).

L'Evangile lui aussi parle d'un retour irrésistible du Seigneur au dernier jour : « L'on verra le Fils de l'Homme venir sur les nuées du ciel avec puissance et grande gloire [5]. »

Qu'à propos de ce texte de l'AT nous évoquions d'emblée la venue du Fils de l'Homme et de son royaume, est pleinement justifié, puisque c'est des temps messianiques qu'il y est fait mention, du moins implicitement. Et de toutes manières, la clef de l'AT, c'est *Jésus*.

*

---

[4] Ap 21, 5.
[5] Mt 24, 30.

Voici la structure de ce cantique :

- Invitation à la louange adressée également aux païens [6]. St. 1-3.
- Le Seigneur qui vient avec gloire et puissance va parler. St. 4-5.
- Là où il sera refusé régneront stérilité et mort [7]. St. 6.
- Là où, ayant été accueilli, Yahweh pourra agir (« *je condui-rai* - *je mènerai* - *je changerai...* »), surgira une terre nouvelle. St. 7.

> *Je changerai devant eux l'obscurité en lumière*
> *et les pierrailles en routes planes.*

*

A nous qui vivons dans l'univers des choses visibles d'accueillir cette force quotidienne et progressive de transfiguration, en attendant le retour du Seigneur.

Psaume 145 :
Hymne a Yahweh qui vient au secours de ses « pauvres »

Vous, les pauvres,
vous enrichirez le monde de votre joie

« Dans la synagogue de Nazareth, on présenta à Jésus le livre du prophète Isaïe et il trouva le passage où il est écrit :

---

[6] Les païens sont désignés par les « îles », « Quédar », tribu nomade, et « Séla », ville du désert d'Edom, au sud de la Palestine. « Nouveau » est ce cantique qui annonce des temps à venir.

[7] Souvent dans les psaumes la nature participe aux événements de l'Histoire. L'homme entraîne le cosmos dans son propre destin.

L'Esprit du Seigneur...
m'a envoyé porter la bonne nouvelle
aux pauvres,
annoncer aux captifs la délivrance
et aux aveugles le retour à la vue,
rendre la liberté aux opprimés,
proclamer une année de grâce du Seigneur.

Alors Jésus se mit à leur dire : ' *Aujourd'hui* s'accomplit à vos oreilles ce passage de l'Ecriture ' » (Lc 4, 16-21).

Jésus aurait pu faire le même développement à partir de ce psaume 145.

Aujourd'hui !

L'aujourd'hui de Jésus est également *notre* aujourd'hui, il est l'aujourd'hui de toutes les périodes de l'Eglise.

*

Le psaume 145, hymne matinal de la liturgie juive, est une louange de pauvres :
d'opprimés et d'affamés,
de prisonniers et d'étrangers,
de veuves et d'orphelins,
d'écrasés,
toutes expressions du psaume lui-même dans les strophes 4 et 5.

Si dépourvus de biens et de joies terrestres - et si désencombrés aussi - ces pauvres se tournent vers le Seigneur et s'en remettent totalement à lui :

> *Ne mettez pas votre confiance dans les princes.*
> *Heureux qui a l'appui du Dieu de Jacob*
> *et son espoir dans le Seigneur son Dieu.* (st. 2 et 3)

Et voici la bonne nouvelle qui leur est annoncée :

> *Yahweh rend justice aux opprimés,*
> *il donne aux affamés du pain,*
> *il libère les enchaînés,*
> *il rend les aveugles voyants,*

> *il redresse les courbés,*
> *il protège l'étranger,*
> *il soutient la veuve et l'orphelin.* (st. 4 et 5)

Comment la joie ne jaillirait-elle pas de cette conviction et de cette expérience ?

> *Chante le Seigneur, ô mon âme !*
> *Je veux chanter le Seigneur*
> *tant que je vis.* (st. 1)

*

Telle est la joie des pauvres dont notre monde - trop prospère et si démuni - a besoin d'être enrichi.

Office du milieu du jour

Psaume 118, 129-136 : voir I Mardi jour.

Psaume (didactique) 81 :
RÉQUISITOIRE DIVIN CONTRE L'INJUSTICE

Quand l'homme est bafoué, c'est Dieu qui est atteint

Une grande espérance soulève le cœur des meilleurs de nos contemporains : qu'advienne sur terre un lendemain meilleur, fait de justice, de vérité, de liberté, de partage équitable des biens...

Ce lendemain, la majorité des hommes l'attendent-ils de Dieu ? Les chrétiens, tout préoccupés non pas tant du ciel que de la défense d'un certain ordre humain fort contestable sur bien des points, ont parfois tellement négligé l'engagement terrestre de leur foi que leur Dieu est apparu et apparaîtra encore longtemps à beaucoup comme l'ennemi du progrès humain. Que ce malentendu est tragique !

★

Notre Dieu, le vrai Dieu est celui de ce psaume 81 : Il « se lève » (st. 4) pour juger et prendre en main la cause des « faibles », des « orphelins », des « malheureux », des « indigents », des « pauvres » (st. 2), car quand l'homme est bafoué, c'est Dieu lui-même qui est atteint.

Et toi, prends dans ta prière cette cause de Dieu.

Que ta prière ouvre ton esprit, ton cœur, tes mains, ton temps à cette grande et urgente tâche terrestre de la justice !

★

Voici la composition de ce psaume de « l'espérance historique », celle qui détermine activement l'évolution terrestre des hommes :

- Réquisitoire divin en faveur des faibles contre les « dieux » [8]. St. 1-3a.

- Sentence divine contre les « magnats » de la terre [9]. St. 3b.

- Prière pour la réalisation de l'oracle divin. St. 4.

---

[8] « Dieux » désigne non seulement des juges de tribunaux, selon le contexte de ce psaume, mais encore des personnages influents qui pèsent sur la destinée des petits et qui sont accapareurs, exploiteurs, oppresseurs, menteurs.

[9] Outre l'expression « dieux » que nous retrouvons ici, nous avons encore, pour notre surprise, « fils du Très-Haut ». Les rois et les princes,

Psaume (de supplication) 119 :
CONTRE LES MENTEURS QUI « HAISSENT LA PAIX »

Ceux qui croient pouvoir asservir la vérité...

Submergés par le mensonge du monde et le monde du mensonge, il nous faut, avec le psalmiste, crier vers Dieu :

> *Seigneur, délivre-moi*
> *des lèvres menteuses*
> *et des langues perfides.* (st. 2)

Mais il convient que nous dépassions l'amertume de cet homme, qui, malgré son cri d'appel vers Dieu, avoue :

> *J'ai déjà trop vécu parmi des gens*
> *qui haïssent la paix ;*
> *il suffit que je parle de paix*
> *pour qu'ils cherchent la guerre.* (st. 5)

Oui, il nous faut suivre le Christ qui nous « a laissé un modèle... lui qui n'a pas commis de faute, et il ne s'est pas trouvé de fausseté dans sa bouche » [10], ce Christ qui a vécu dans le monde mais en y refusant catégoriquement tout compromis avec le mensonge.

Et il nous faut, dans le Christ, croire à la force de la Vérité : « La Vérité est universelle. Ceux qui croient pouvoir l'asservir seront tôt ou tard balayés » (M. LÉGAUT).

---

dans un langage païen qui a passé dans la Bible, étaient appelés parfois « fils de Dieu » ou « fils du Très-Haut ». Or, qu'est-ce qu'un roi, qu'est-ce qu'un prince au 20e siècle ? Les vrais rois sont ceux qui contrôlent le pétrole, la sidérurgie, l'industrie chimique, les armements, la banque, les moyens de communications, etc.

Remarquons encore que Jésus, en Jn 10, 34, s'applique la strophe 3 pour prouver qu'il est Fils de Dieu, interprétant le mot « dieux », selon une argumentation propre aux rabbins de son époque, dans le sens des juifs instruits de la Parole de Dieu.

[10] I P 2, 21-22.

Office du soir

Psaume 135 : voir II Samedi lectures.

Ep 1, 3-10 : voir I Lundi soir.

IV Mardi

Office des lectures

Psaume (de supplication) 101 :
UN MALADE SUPPLIE CELUI QUI EST ÉTERNEL
DE NE PAS L'ARRACHER A LA VIE

A la recherche de l'éternité

Le malade n'est qu' « à la moitié de ses jours » (III. st. 1).
Voyant approcher la mort, il prend une conscience dramatique
de la fragilité et de la brièveté de l'existence humaine :

> *Voilà mes jours partis en fumée !*
> *Ils sont comme l'ombre qui décline,*
> *et moi, semblable à l'herbe, je sèche.* (I. st. 2 et 4)

Du même coup et par contraste, le sentiment de l'éternité im-
muable de Dieu le saisit :

> *Toi, tu restes toi-même*
> *et tes années sont infinies.* (III, st. 2)

Que sert à l'homme, pour ainsi dire, l'éternité divine, s'il doit
disparaître ?
Bien qu'à cette époque du psalmiste les lumières sur l'au-
delà soient encore imprécises, le malade, menacé dans ses jours,
est *à la recherche de l'éternité*. Il sent, dans les profondeurs non
explicitées de son être, une aspiration invincible à une survie.

Sinon quelle consolation trouverait-il à évoquer l'éternité de Dieu ?

★

Quant à nous, privilégiés que nous sommes, nous savons que l'atome de temps qui nous est imparti cache en lui le germe et les arrhes d'une éternité : « Telle est la promesse que le Père vous a faite : *la vie éternelle* » (1 Jn 2, 25).

★

Notre commentaire ne concerne que I. et III. de PE, lesquels forment un seul psaume bien cohérent et qu'il faut lire d'un trait. Quant à II. de PE, il s'agit d'un psaume différent, inséré malencontreusement ici par un copiste et qui s'intitulerait : « Pour la restauration de Jérusalem ». Nous ne nous y attardons pas : il est proche du psaume 84, III Mardi matin.

Office du matin

Psaume (royal) 100 :
LE NOUVEAU ROI D'ISRAEL FAIT SON « DISCOURS DU TRONE »

Vérité, justice, quoi qu'il en coûte
(G. Bernanos)

Ces paroles soulignent un programme dont l'actualité et l'urgence n'échappent à aucun esprit lucide.

Or c'est dans le sens de la vérité et de la justice « quoi qu'il en coûte », que le nouveau monarque définit, devant Yahweh et devant son peuple, sa conduite personnelle et son projet politique.

La résonance moderne de ce texte est frappante. Pour la mettre encore plus en valeur, nous tentons [1] d'en donner la traduction libre que voici :

> *Mon Seigneur, je te chante*
> *et je proclame*
> *que tu es bon et juste.*
>
> *Ton serviteur s'engage à prendre*
> *un chemin sans reproche*
> *pour le jour où tu viendras jusqu'à moi.* [2]
>
> *Dans ma propre maison d'abord :*
> *je m'y comporterai en toute intégrité*
> *et n'y veux rien voir*
> *qui ne soit noble et saint.* [3]
>
> *Au grand jamais je ne me laisserai manœuvrer*
> *par le sceptique ou l'hypocrite.*
> *L'homme double et cynique,*
> *je m'en détournerai.*
>
> *Je fermerai la bouche au beau parleur*
> *qui ne sait que dénigrer*
> *et me montrerai intraitable*
> *à l'égard des prétentieux et des arrivistes.*
>
> *Quant à tes fidèles, Seigneur, où qu'ils soient,*
> *je leur vouerai tout mon cœur.*
> *Droits et intègres, ces hommes deviendront*
> *mes conseillers et mes ministres.*
>
> *Mais vous, adulateurs,*
> *dissimulateurs et menteurs,*

---

[1] Nous disons bien : libre. Si le lecteur est allergique à ce « genre », c'est son droit de le refuser et de l'ignorer.

[2] Passage obscur. Peut-être est-ce une allusion à l'avènement attendu de « celui qui vient », le Messie.

[3] Litt. « je n'aurai aucun regard pour les affaires de Bélial », c'est-à-dire les pratiques idolâtriques ou illégales.

*loin de ma vue ! Vous ne prendrez aucune part
à mon administration.*

*Chaque matin au tribunal,
je porterai juste sentence
contre les malfaiteurs, quels qu'ils soient,
et expurgerai la Ville sainte de toute corruption.*

★

Ce psaume royal évoque le Roi idéal, le Seigneur Jésus qui,
selon la lettre aux Hébreux (7, 26-28) est « le grand prêtre qu'il
nous fallait, saint, innocent, immaculé, séparé des pécheurs,
rendu *parfait* pour l'éternité ».

Dn 3, 26-41 : LE MISERERE DES EXILÉS DE BABYLONE

Il faut que l'Eglise pleure et se convertisse
(P. Casaldaliga)

De son Eglise, Jésus réclame la sainteté : « Le Christ a aimé
l'Eglise et s'est livré pour elle. Il voulait se la présenter à lui-
même resplendissante, sans tache ni ride : il la voulait *sainte et
irréprochable* [4]. »

Hélas ! Hélas !
Si légitime, voire si nécessaire que soit la critique de l'Eglise,
en particulier de la part de ses enfants, elle recèle un piège subtil
et de taille. Beaucoup critiquent, peu pleurent, un moins grand

---

[4] Ep 5, 25-27.

nombre encore se convertit. On confond conversion et critique : on se croit déjà converti du fait qu'on se comporte en « esprit lucide et courageux ».

La seule critique efficace est celle qui, en même temps, nous ferait pleurer des larmes (non point bienséantes, mais amères) sur la culpabilité de l'Eglise et qui, dans un sentiment de solidarité étroite, nous convertirait pour de bon. Le chrétien qui dénonce les responsabilités graves de l'Eglise du passé et d'aujourd'hui fait-il pénitence ?

Se lève-t-il la nuit, en ces heures silencieuses et dépouillées où, comme dit le cardinal Journet, « l'âme prend sur elle tout le péché du monde pour implorer l'abîme d'En-Haut » ?

Est-il capable de jeûner ?

Recherche-t-il passionnément la sainteté ? l'humilité ?

Sinon qu'est-ce d'autre que des paroles « prophétiques » (disent-ils), inscrites sur le sable et que demain effacera ?

★

C'est une leçon de ce genre que nous donnent les trois jeunes gens dans la fournaise où ils chantent le Miserere de l'Exil [5]. Que voilà des justes : capables de subir le feu plutôt que de trahir le vrai Dieu en adorant la statue d'or du tout-puissant Nabuchodonosor. Ces purs ont mieux à faire que d'accuser Israël d'avoir, par ses péchés accumulés, par les erreurs de ses dirigeants, préparé et entraîné cette situation tragique. Ils pleurent, ils s'accusent eux-mêmes, ils se convertissent.

---

[5] Le livre de Daniel est écrit environ 400 ans plus tard que l'Exil de Babylone dont il relate quelques faits. Il s'agit, dans notre chapitre en particulier, de personnes et de faits réels, impossibles à déterminer et qui sont l'occasion, pour l'auteur inspiré, de développer l'enseignement qu'il veut transmettre. Nous avons ici un genre littéraire très proche de celui du Livre de Tobie et qui relève des écrits sapientiaux.

Structure du cantique :

St. 1. Invitatoire cultuel à la louange et refrain.

Les larmes :

- st. 2 et 3. Toi Dieu, tu es toujours juste. Ah ! pas question de s'en prendre à lui dans la catastrophe présente, mais bien de s'accuser :

> *Oui, nous avons péché*
> *et nous nous sommes éloignés de toi.*
> *Pas un point sur lequel nous n'aurions failli.*

Nous.
Nous, ton peuple.
Nous trois, avec ton peuple.
Nous trois, solidaires de ton peuple, et responsables également.

- st. 4-6. Vers toi, Yahweh, nous levons des bras suppliants :

> *Pour l'amour de ton nom,*
> *ne romps pas ton alliance envers nous.*
> *Tiens compte d'Abraham, ton ami,*
> *d'Isaac, ton serviteur,*
> *de Jacob, ton préféré.*

- st. 7. Regarde nos larmes :

> *Nous sommes diminués plus que tout autre peuple,*
> *humiliés à la face de toute la terre*

La conversion :

- st. 8-10. Il n'y a plus ni temple ni culte, alors, Seigneur, accepte notre sacrifice *intérieur* :

> *Reçois nos cœurs brisés, nos esprits humiliés,*
> *en lieu et place des sacrifices sanglants de jadis.*
> *Tel soit aujourd'hui notre sacrifice devant toi !*

- st. 11. Nous te promettons fidélité totale :

> *Désormais, c'est de tout notre cœur*
> *que nous marcherons dans tes voies*
> *et ne vivrons qu'en ta présence* [6].

Psaume 134 : voir III Vendredi soir. En ce IV Mardi matin, seule la première partie du psaume est reprise.

Office du milieu du jour

Psaume 118, 137-144 : voir I Mardi jour.

Psaume (de malade) 87 :
Foi, patience et soumission dans l'épreuve

Ne rien voir d'autre que la nuit

Voici la lamentation la plus douloureuse du psautier. Elle s'ouvre sur un « cri dans la nuit » (I. st. 1) et, comme dans les « Pièces noires » d'Anouilh ou certains films désespérés, s'achève sur une image poignante :

> *Ma seule compagne, c'est la nuit.* (II. st. 5)

---

[6] Litt. « chercherons ta face ». Chercher la face de Dieu signifie souvent chercher sa présence.

De qui et de quoi s'agit-il ?

D'un malade et très probablement d'un lépreux : « Tu fais de moi une horreur pour mes compagnons » (I. st. 5), atteint de sa maladie dès son enfance (cf. II. st. 4), aveugle par surcroît (cf. dernière st.). Le malheureux se trouve maintenant au bord de la tombe : « Ma place est parmi les morts » (I. st. 3), livré à cette solitude que connaissent bien les malades à vie : « Tu éloignes de moi amis et proches » (II. st. 5).

Ce n'est pas encore tout. Le péché a introduit le mal et la douleur dans le monde. Souffrir fait prendre, dans l'AT en particulier, une conscience plus aiguë des responsabilités coupables :

> *... sur moi pèse ta colère.* (I. st. 4)

Enfin, comme dans tous les autres psaumes de malades, manque ici la certitude d'une rétribution future qui ferait dire : « Heureux ceux qui pleurent ! » Ne reste que le shéol, « les enfers » (I. st. 2), cette survie d'ombre...

Alors qu'on trouve, dans certains psaumes moins tragiques que celui-ci, des cris sauvages, des reproches faits à Dieu, presque des blasphèmes, ici vous chercheriez en vain la moindre récrimination. Vous percevez même une lointaine lueur d'espoir. En Israël, aucune supplication n'est vraiment désespérée. Foi pure, détachée de tout sauf de Dieu, foi héroïque :

> *Je t'appelle tout le jour,*
> *je tends les mains vers toi.* (I. st. 6)

*

Un psaume qui annonce et la nuit de Jésus en croix et la douceur de l'Agneau de Dieu immolé pour le salut du monde.

*

Un jour ou l'autre, tous nous connaissons cet extrême fond de la désespérance. Alors voici *notre* psaume. Mais qu'est-ce que notre peine confrontée à celle de millions de prisonniers d'un certain « archipel » flottant sur un océan de ténèbres et de douleurs ? ou de ces 3 millions de lépreux en Inde, pour ne parler que de ce pays ? Merveilleux psaumes qui nous permettent de porter et la souffrance et l'espérance de ces frères inconnus !

Office du soir

Psaume (de supplication) 136 :
LA NOSTALGIE DE JÉRUSALEM

Jérusalem est dans le cœur de chaque homme

Un jour, en compagnie d'un prêtre, nous écoutions ce psaume chanté par un groupe de moines, dans une tonalité d'exil et sur l'accompagnement plaintif de la cithare. Toujours revenait ce refrain de tendresse et d'amour :

> *Que ma langue s'attache à mon palais,*
> *si je t'oublie, ô Jérusalem !*

Dans le silence qui suivit le psaume, notre ami nous souffla à l'oreille : « Nous, nous l'oublions si souvent ».

Jérusalem est dans le cœur de tout homme.

Elle symbolise ce royaume d'où nous venons, où habitent toute lumière, toute vérité, toute paix et vers lequel tend la nostalgie la plus profonde de l'humanité.

Elle est le rêve de l'homme, de tout homme.

Et nous l'oublions si souvent.

*

Le psalmiste, lui, refuse toute diversion qui lui ferait oublier, ne fût-ce qu'un instant, sa Jérusalem. Certes, elle est une capitale politique, mais aussi et surtout la demeure privilégiée de Dieu, ce que la terre contient et offre de plus sublime :

Malheur à moi si, attiré par des futilités et des facilités et des joies de pacotille,

> *... je ne mettais Jérusalem au plus haut de ma joie.*

Si je me détournais de cette lumière, pourquoi parler encore ? Ce que je dirais serait vain, sonnerait creux, laisserait chacun sur sa faim :

> *Que ma langue s'attache à mon palais !*

Si je ne construisais Jérusalem, à quoi bon me servir de mes mains ?

> *Que ma droite se dessèche...*

★

Oui, que serait l'humanité sans quelque Jérusalem « à la mesure de l'homme, du rêve de l'homme » (G. BERNANOS).

Psaume 137 :
ACTION DE GRACES AU TEMPLE APRÈS UN BIENFAIT REÇU

Dieu à portée de cœur

Ce psaume 137 est un cœur à cœur ou, pourquoi pas ? un cœur pour cœur avec Dieu :

> *Je te rends grâce, Seigneur, de tout mon cœur.* (st. 1)

> *Je te rends grâce pour ton amour et ta fidélité* [7]. (st. 2)
> *Le Seigneur fera tout pour moi.* (st. 5)

Certes le psalmiste [8] rend grâce « de tout son cœur » pour une faveur exceptionnelle (« ta promesse a surpassé ton renom » st. 2), mais chacun de nous peut faire sienne, chaque jour « ordinaire », cette prière de reconnaissance, car « chaque nouveau matin s'ouvre sur la tendresse de Dieu » (Père Carré) qui, pour quotidienne qu'elle soit, est gratuité... exceptionnelle. Oui, c'est chaque jour que nous pouvons chanter :

> *Tu me fais vivre...*
> *et étends ta main dont la force me sauve.* (st. 4)
> *Seigneur, éternel est ton amour.* (st. 5)

Ap 4 et 5 : voir I Mardi soir.

---

[7] PE traduit : « ton amour et ta vérité ». Nous pensons que « fidélité » rend plus authentiquement le verbe hébreu « aman » (d'où amen) dont est formé « emet » (vérité) et qui signifie : être solide, sûr, digne de confiance. Le mot « vérité » devra souvent, dans l'AT, être compris dans le sens de fidélité. Le couple, fréquent dans les psaumes, « Amour et Vérité » signifie donc : Fidélité dans l'Amour.

[8] Un haut personnage, semble-t-il, à regarder de près la st. 3.

IV Mercredi

Office des lectures

Psaume (d'action de grâces) 102 :
HYMNE A L'AMOUR DE DIEU

O feu ! ô abîme de charité !
(Catherine de Sienne)

Psaume d'une grande beauté !
L'effusion mystique et la louange jaillissent d'une réflexion théologique profonde sur l'Etre de Dieu et la condition humaine.
Cette prière a passé 25 siècles sans vieillir.
Elle ne demande guère d'initiation, mérite en revanche d'être prolongée dans la contemplation et l'adoration [1].

*

L'amour de Dieu que chante le psaume, les hommes de la Nouvelle Alliance l'adorent et le célèbrent en *Jésus :*

---

[1] Une seule remarque d'ordre exégétique concernant I. st. 2. Remis d'une grave maladie qu'il attribuait à son péché - conception courante dans l'AT -, le psalmiste ressent la guérison comme un signe privilégié de pardon et d'amour.

En ceci s'est manifesté
l'amour de Dieu pour nous :
Dieu a envoyé son Fils unique
dans le monde,
afin que nous vivions par lui [2].

Vous recevrez la force de comprendre...
ce qu'est la Largeur et la Longueur,
la Hauteur et la Profondeur,
vous connaîtrez l'amour du Christ,
qui surpasse toute connaissance [3].

Cet amour est un feu. « Je suis venu apporter le feu sur la terre [4]. » C'est à lui que nous avons à nous exposer, à nous livrer tout entiers, au long de notre vie, jusqu'au jour où la Porte s'ouvrira sur l'abîme, « l'abîme de Charité » : « Vous entrerez par votre plénitude dans toute la Plénitude de Dieu [5]. »

Office du matin

Psaume (de supplication) 107 :
CONFIANCE EN DIEU DU FIDÈLE
ET DU PEUPLE EN SITUATION OPPRESSIVE

Je marche et je chante

Le jour se lève.
Me voici, Seigneur. Je suis prêt.

---

[2] 1 Jn 4, 9.
[3] Ep 3, 18.
[4] Lc 12, 49.
[5] Ep 3, 19.

Ton amour qui déborde les cieux m'entraîne et je me sens environné de ta gloire. Je marche et je chante :

> *Mon cœur est prêt, Seigneur,*
> *et je chante.*
> *Eveillez-vous, musiques,*
> *ensemble éveillons l'aurore.*
> *L'amour du Seigneur déborde les cieux*
> *et la terre rayonne de sa gloire.* (st. 1 et 2)

★

Voilà pour les deux premières strophes. Et la suite ? Nous nous trouvons, avec ce psaume 107, en face d'un amalgame disparate de deux emprunts libres faits à deux autres psaumes et juxtaposés ici par un copiste juif, mais sans lien apparent. Peutêtre qu'un même climat de confiance expliquerait cette fusion, dont nous avons essayé de rendre compte par l'indication cidessus du sens littéral : « Confiance en Dieu du fidèle et du peuple en situation oppressive ».

Nous avons donc deux parties bien distinctes :

- La première partie, composée des st. 1 et 2, est tirée du psaume 56, st. 6-8 de II Jeudi matin, et offre une louange matinale [6].

- La deuxième partie, constituée par les st. 3-6, est empruntée au psaume 59, st. 3-6 de II Vendredi jour, et est un appel à Dieu après la défaite [7].

---

[6] Au lieu de « mon cœur est prêt » certaines traductions proposent : « d'un cœur assuré ».

[7] Nous verrions bien qu'on dise seulement la première partie de ce psaume (elle est si belle, pourquoi ne suffirait-elle pas ?), d'autant plus que la compréhension de la 2ᵉ partie n'est pas immédiate.
Cependant dans le souci d'être complet, nous reprenons ici le commentaire donné au psaume 59. Il s'agit donc d'un appel à Dieu dans la défaite qui a privé Israël de sa liberté et de ses territoires : st. 3. En

Is 61, 10-62, 5 : Hymne a la nouvelle Jérusalem

Dans un amour éternel, j'ai eu pitié de toi
(Is 54, 8)

Peut-on appliquer ce poème religieux à la nouvelle Jérusalem qu'est l'Eglise, sans tomber dans un « triomphalisme » désuet ? Peut-on chanter de « l'Eglise des pauvres » les st. 5 et 6 en particulier ?

Il faut, grâce à un brin de bon sens, se garder d'interpréter littéralement certaines images poétiques. En revanche, tâchons de comprendre, de goûter le lyrisme de ce poème d'amour.

Car il s'agit bien, en profondeur, du merveilleux poème de l'Amour de Dieu qui, dans sa suprême liberté, a fait choix d'Israël :

> *Le Seigneur t'a préférée :*
> *il fera de ce peuple une épouse.*

> *On ne te dira plus : Délaissée.*
> *On t'appellera : ma Bien-Aimée,*
> *et ta terre sera l'Epousée* [8]. (st. 7)

> *Comme un jeune homme épouse une vierge,*
> *ton bâtisseur t'épousera.* (st. 8)

Et voici la structure de ce « chant nuptial » :

- La joie de Jérusalem aimée de Dieu. St. 1.

---

réponse à la supplication d'Israël, un oracle divin annonce et promet la reconquête de toutes les provinces perdues :
- le royaume actuellement divisé sera rétabli dans son intégrité, en récupérant la Samarie (Sichem) et les tribus du Nord (Ephraïm et Manassé).
- le territoire sera même agrandi : à l'est du Jourdain, Sukkot ; au sud-est et au sud-ouest, Moab, Galaad et Philistie ; à l'extrême sud, Edom.

[8] A propos du nom donné à quelqu'un (ou à quelque chose), il est à remarquer que, dans la Bible, il exprime l'être de quelqu'un et sa destinée. Agir sur le nom, le changer, c'est avoir prise sur la personne elle-même.

- Les nombreux motifs de cette joie :

Jérusalem est sauvée et se présente revêtue de la robe nuptiale du salut. St. 2.

Elle apparaît semblable à un jardin fertile. St. 3.

La lumière d'en-haut l'envahira comme l'aurore. St. 4.

Elle sera une « couronne brillante » à la face des nations. St. 5 et 6.

- Celle qui était délaissée deviendra l'épouse [9]. St. 7.

- En elle « son Dieu prendra sa joie ». St. 8.

*

A nous de vivre dans l'Eglise la joie du Seigneur !

En attendant de dire, avec d'autres psaumes, les souffrances et la passion de cette Mère.

Psaume 143 : Prière du roi avant la bataille

Prier et ne pas se battre, je dis que c'est malhonnête
(Péguy)

A réfléchir sur maint psaume, on serait tenté de croire que le Dieu de la Bible fait tout et qu'il n'est demandé à l'homme qu'une chose : prier le Tout-Puissant et attendre son intervention.

---

[9] L'image de l'amour conjugal, fréquente chez les prophètes, sera reprise par saint Paul pour désigner l'Eglise de la terre (« Je vous ai fiancés à un époux unique, comme une vierge pure à présenter au Christ », 1 Co 11, 2) et par saint Jean pour évoquer l'Eglise glorifiée (« Je vis la Jérusalem nouvelle... elle s'est faite belle, comme une jeune mariée parée pour son époux » Ap 21, 2).

Certes, dans l'Ecriture Dieu est toujours *Dieu :* le suprême, l'absolu, le tout :

> *Toi qui donnes au roi la victoire.* (dernière st.)

Quant à *l'homme,* il est

> *... semblable à un souffle,*
> *ses jours sont comme l'ombre qui passe.* (st. 3)

Mais ce Dieu qui fait tout ne le fait pas tout seul. Il veut avoir besoin de l'homme, sinon où serait sa dignité ?

> *Béni soit le Seigneur, mon Rocher,*
> *lui qui m'apprend à me battre*
> *et m'entraîne au combat.* (st. 1)

Oui, s'en remettre à Dieu et en même temps se battre, tel est le message de cette belle prière royale.

Sa composition :

- Le roi bénit Yahweh qui fait de lui un habile guerrier. St. 1 et 2.

- Qu'est-ce que l'homme, fût-il roi, pour que Dieu lui voue pareille sollicitude ? St. 3.

- Que Dieu intervienne en faveur du roi au moment où il part en guerre ! [10] St. 4 et 5.

- Selon un style familier des psaumes, le roi remercie Dieu de la victoire qu'il n'a pas encore eu l'occasion de remporter mais qui ne saurait tarder [11]. St. 6.

★

---

[10] Cette intervention divine est décrite poétiquement sur le modèle de la théophanie (apparition) sinaïtique.

[11] « Toi qui sauves David ton serviteur » ne concerne sûrement pas David en personne, ce psaume étant très postérieur au grand roi, mais « mon serviteur David » était devenu un titre messianique. Nous voici donc comme projetés, par-delà ce roi d'Israël, vers le Christ.

C'est de *Jésus*, le non-violent, qu'il s'agit dans ce psaume... guerrier. Au Royaume annoncé et établi par Jésus, batailles il y a. Seulement elles se livrent à un autre plan, celui des valeurs spirituelles, et contre toute force obscure et collective du mal : injustice, oppression, violence, mensonge, etc. Pour elles Jésus s'est battu jusqu'au sang. Ses disciples vont-ils être des déserteurs ?

Office du milieu du jour

Psaume 118, 145-152 : voir I Mardi jour.

Psaume (de supplication) 93 :
LA JUSTICE DE DIEU ENVERS LES OPPRIMÉS

Les attentes interminables de Dieu

Tel pourrait s'étonner, tel autre se scandaliser que la justice divine soit si lente, voire apparemment inopérante :
pourquoi encore la guerre ?
pourquoi toujours l'oppression ?
pourquoi tant de richesses en quelques mains ?
pourquoi la discrimination raciale ?
pourquoi ? pourquoi ?

*

Dieu sait si les psalmistes - et en particulier l'auteur de ce psaume 93 - ont connu l'interrogation déchirante provoquée par ces attentes interminables de Dieu :

> *Combien de temps ces infidèles*
> *vont-ils triompher ?*
> *C'est ton peuple qu'ils écrasent, Seigneur,*
> *et ton héritage qu'ils oppriment,*
> *la veuve et l'étranger qu'ils égorgent,*
> *l'orphelin qu'ils assassinent.* (st. 2 et 3)

De ce « scandale » jaillit un cri très dur :

> *Dieu qui venges, révèle-toi !*
> *Juge de la terre, lève-toi*
> *et paie aux orgueilleux leur salaire !* (st. 1)

Dur ? Mais n'est-ce pas un appel au Dieu d'amour, en termes caractéristiques d'une civilisation de l'antiquité ? Que demande-t-on ? Yahweh, sois le défenseur des humbles sans protection contre toutes les forces de l'esprit du mal ! Qui ne peut ni ne doit, aujourd'hui même, faire pareille prière ?

La deuxième partie (II. de PE) - ici l'interrogation douloureuse fait place à une confiance touchante - développera l'intervention de cet amour invoqué en I. :

> *Le Seigneur ne délaisse pas son peuple,*
> *il n'abandonne pas son héritage.*
> *Quand j'ai dit : « Je vais tomber »,*
> *ton amour, Seigneur, me soutenait ;*
> *quand mille soucis se resserraient sur moi,*
> *ta consolation me rendait le goût de vivre.* (st. 2 et 4)

Remarquez que le *je* de cette 2e partie peut être un procédé littéraire, comme en d'autres psaumes de supplication, pour indiquer le peuple de Dieu tout entier, « l'héritage » de Yahweh mentionné en deux passages.

*

Le sentiment de cet amour crée en l'âme une béatitude, la béatitude de l'épreuve :

> *Heureux l'homme que tu corriges, Seigneur.* (II. st. 1)

Oui, heureux, car « il y a des régions dans notre cœur qui n'existent pas et il faut que la souffrance vienne pour qu'elles soient » (L. BLOY).

Office du soir

Psaume 138 : MÉDITATION SUR L'OMNISCIENCE DE DIEU

Soulevé par un regard d'amour

Le père, la mère n'en ont jamais fini de contempler leur enfant : pas seulement, pas surtout pour le surveiller ou l'éduquer, mais pour le... voir, tout simplement, et communier à cette jeune âme.
Ce regard d'amour, quelle sécurité pour l'enfant !
Il s'en nourrit.
Il en est soulevé.

*

Quant au psalmiste, c'est une expérience semblable qu'il fait vis-à-vis de Yahweh. Il est

- sous le regard de son Dieu :

> *Où irais-je, loin de ta présence ?*
> *Escalader le ciel ? tu es là.*
> *Dévaler les abîmes ? te voici.* (I st. 3)

> *Si j'en appelle aux ténèbres*
> *et demande au jour de se changer en nuit,*

> *pour toi la nuit est sans ombre,*
> *elle brille aussi claire que le jour.* (I. st. 5)

- compris par celui qui perce les derniers secrets :

> *Je cherche encore mes mots, tu m'as déjà compris.*
> *Merveilleuse science que la tienne !*
> *Connaissance insondable*
> *au-delà de toute connaissance.* (I. st. 2)

- aimé avant même d'exister :

> *Tu as façonné mon cœur,*
> *tu as tissé mon corps au ventre de ma mère.*
> *Je te bénis pour tant de merveilles.*
> *Etre un homme : que c'est exaltant !* (II. st. 1)

- soulevé jusque dans l'éternité :

> *Eloigne toute embûche de ma route*
> *et conduis-moi sur le chemin d'éternité.* (II. st. 5)

Col 1, 12-20 : voir I Mercredi soir.

IV Jeudi

Office des lectures

Psaume 43 : voir II Jeudi lectures.

Office du matin

Psaume (de supplication) 142 :
UN MALHEUREUX DEMANDE A DIEU
D'ÊTRE DÉLIVRÉ DE SES ENNEMIS

Mon cri perce le cœur de Dieu
(Cardinal Journet)

Il y a deux manières de transpercer le cœur de Dieu : le coup de lance du péché ou le cri de détresse et de confiance.
Les deux manières l'atteignent sûrement.

Le psalmiste a choisi... la seconde.

Figure prophétique, il vit par anticipation la passion du Messie :

> *L'ennemi écrase ma vie contre terre ;*
> *mon souffle s'éteint,*
> *mon cœur, au fond de moi, s'épouvante.* (st. 2)
>
> *Je suis à l'agonie.*
> *Ne me voile pas ton visage,*
> *je serais de ceux qui s'en vont au cimetière.* (st. 4)

Et par anticipation encore, le psalmiste ouvre et transperce le cœur de son Dieu, grâce à tant de confiance suppliante :

> *Tu es fidèle, tu es juste :*
> *alors, réponds-moi.* (st. 1)
>
> *Fais que dès le matin j'éprouve ton amour,*
> *car je remets toutes choses entre tes mains ;*
> *fais-moi savoir sur quel chemin m'engager,*
> *quand vers toi j'élève mon âme.* (st. 4)

*

Il s'agit, en ce psaume 142, d'une supplication individuelle. Cependant plus d'une fois nous sommes amenés à relever le fait que le JE des psaumes est souvent celui d'Israël tout entier, comme le dit si magnifiquement Pierre Emmanuel : « Homme debout tel une forêt d'hommes, quand il dit JE chacun se nomme en lui. »

Quand le chrétien dit JE, l'Eglise prie en lui.

Is 66, 10-14 :
ORACLE DE BÉNÉDICTIONS SUR LA NOUVELLE JÉRUSALEM

Je n'ai jamais autant aimé l'Eglise

Et Ivan Illich continue : « Elle serait ma sœur, même ma femme, je pourrais la quitter. Mais l'Eglise, c'est ma mère. »

Combien se distancent de l'Eglise, la quittent ! Certes, Dieu est plus grand que l'Eglise, il peut donner des grâces en dehors de l'Eglise visible. Mais celui qui se détourne de sa « mère », comment ne deviendrait-il pas pauvre, très pauvre, car en elle se trouve toute fécondité ?

C'est la joie de cette « maternité spirituelle » de l'Eglise, l'Epouse du Christ préfigurée par Jérusalem, qu'annonce en termes lyriques l'étonnant prophète Isaïe :

- Invitatoire. St. 1.

> *Vous tous qui l'aimez,*
> *partagez son bonheur.*

- Richesses et consolations de Jérusalem. St. 2 et 3.

Elle vous rassasiera « du lait de ses richesses ».

> *Vous savourerez l'opulence de sa gloire.*

Vers elle Yahweh dirigera « la paix comme un fleuve ».

> *Vous serez allaités et portés sur les bras*
> *et caressés sur les genoux,*
> *comme un fils que sa mère console.*

- L'amour du Seigneur s'y fera alors connaître et

> *vous le verrez,*
> *le cœur en joie.* (St. 4.)

Psaume 146 :
HYMNE AU RÉDEMPTEUR TOUT-PUISSANT D'ISRAEL

Des chemins du cœur

La tendresse de notre Dieu, vaste et rayonnante, éclate de toutes parts.

Elle se fait si pressante au cœur du psalmiste qu'il va et vient d'un motif à l'autre et les exprime dans un certain désordre qui étincelle de toutes sortes de beautés.

Chemins du cœur !

> *Il guérit nos cœurs brisés*
> *et panse nos blessures.* (st. 2)

> *Le Seigneur porte les humbles ;*
> *il n'humilie que les orgueilleux.* (st. 3)

Pourtant ce Dieu des humbles est si grand : infini !

> *Qui jamais comptera les étoiles ?*
> *lui nomme chacune d'elles par son nom.* (st. 2)

> *Il est grand, notre Seigneur,*
> *il est fort,*
> *il est l'intelligence sans mesure.* (st. 3)

Sa grandeur elle-même indique la mesure de sa providence :

> *Il prépare la pluie pour la terre ;*
> *il fait germer les plantes au service de l'homme,*
> *il dispense au bétail sa pâture,*
> *aux petits du corbeau qui la réclament.* (st. 4)

Et celui qui est Plénitude, ce Bien suprême n'ayant besoin d'aucun bien, réclame une part de sa joie auprès de créatures démunies :

> *Le Seigneur met sa joie en ceux qui l'adorent,*
> *en ceux qui espèrent son amour.* (st. 6)

★

Que c'est bon de chanter notre Dieu !

Office du milieu du jour

Psaume 118, 153-160 : voir I Mardi jour.

Psaume (sapiential) 127 : LE BONHEUR DES JUSTES

Simple est le bonheur

La religion des psaumes a, pour ainsi dire, les pieds sur la terre : concrète, pratique, existentielle dirions-nous aujourd'hui.

Par exemple : le bonheur n'est pas lointain. Cueille-le dans ta propre famille. Sache cependant que ce bonheur, à la fois simple et difficile, descend de chez Dieu. Invoque-le et marche en ses voies.

*

Tel est l'enseignement de ce petit joyau de psaume.

Sa sagesse, qui concerne d'abord le foyer, intéresse également la vie religieuse. Celle-ci, de par sa nature même, est constituée en vie commune, que la bénédiction divine doit rendre « féconde », telle une « vigne fructueuse » au sein de l'Eglise[1].

*

Structure du psaume :

- La béatitude de celui qui « marche sur la route du Seigneur ». St. 1.

---

[1] « La continence, nullement stérile, devient par toi, Seigneur, son époux, *mère féconde* en la *joie de ses fils* » (saint AUGUSTIN).

- Sa réalisation : une famille heureuse². St. 2-4.

- Le prêtre appelle sur le fidèle monté au temple l'accomplissement de ces promesses. St. 5.

Psaume (de pèlerinage) 128 :
LAMENTATION ET PRIÈRE D'UN PEUPLE OPPRIMÉ

Bénissez, ne maudissez pas

Quelle distance parcourue entre ce psaume - ou d'autres similaires - plein de sentiments de vengeance et de malédictions, et cette exhortation évangélique de l'apôtre Paul : « Bénissez ceux qui vous font du mal. Bénissez, ne maudissez pas³. »
Un pas qui est presque un abîme.
Il fallait Jésus pour le franchir et le faire franchir.

*

A partir de ce psaume 128, tentons une approche de ce problème ardu de la malédiction et de la vengeance dans l'AT. Mais d'abord un mot sur le psaume lui-même.
C'est un « psaume de pèlerinage », dans ce sens qu'il était proclamé à l'occasion des assemblées nationales que constituaient les grands pèlerinages. On y chante la fidélité de Dieu, ses hauts faits envers son peuple, on évoque les graves périls traversés

---

² Ce bonheur est décrit dans le style et les termes d'une civilisation antique et rurale, et pourtant combien cette poésie archaïque nous va au cœur !
³ Rm 12, 14.

par Israël autrefois et durant l'âpre restauration qui suivit l'exil de Babylone. On bénit Yahweh, on maudit les ennemis de son peuple.

★

On maudit donc. A ce propos :

- N'oublions pas, d'une manière générale, qu'entre les psaumes et nous s'étale un temps de 25 siècles. En 2 500 ans, il se passe quelque chose dans l'évolution de l'humanité. Une attitude d'équité demande de replacer les faits et gestes à leur stade d'évolution. Nous serions, par exemple, très injustes en jugeant du Moyen Age (voire de la première moitié du 20° siècle) selon nos critères actuels.

- Ne perdons donc pas de vue que nous sommes dans une civilisation et antique et sémitique. Le Sémite en particulier a un faible pour l'exagération dans l'expression de ses sentiments. Au fond, maudissant, il veut dire à peu près ceci : Yahweh, sauve-nous, et pour nous sauver, il ne te reste qu'à punir nos ennemis.
Rien de plus. Israël était faible vis-à-vis de puissants adversaires ; les individus, à l'intérieur d'Israël, quand ils étaient démunis, écrasés (orphelins, malades, veuves...) se trouvaient, sans défense efficace, confrontés aux exploiteurs bien en place. Un seul moyen à leur disposition : la malédiction. Pour le Sémite, la parole était opérante, elle ne retournait pas sans avoir eu son effet. La malédiction de l'adversaire injuste et cruel était le dernier moyen de salut qui restait aussi bien au peuple qu'à l'individu innocent.

- Reconnaissons ouvertement le caractère inachevé et imparfait de l'AT. Il est une marche lointaine, lente, hésitante vers le Mont des Béatitudes où se fera entendre, pour la première fois sur la terre, la parole inouïe : « Quelqu'un te donne-t-il un soufflet sur la joue droite, tends-lui encore l'autre [4]. »

---

[4] Mt 5, 39.

- Enfin reconnaissons loyalement que nous-mêmes, riches de l'Evangile et héritiers d'une civilisation tri-millénaire qui aurait dû aller en s'affinant progressivement, nous ne sommes pas étrangers aux sentiments de vengeance et aux paroles acerbes. Seulement un certain vernis d'éducation fait que nous les camouflons habilement. Et encore ! Nous sommes plus près de certains psaumes que du Sermon sur la Montagne.

Office du soir

Psaume (royal) 143 :
PRIÈRE AVANT LA BATAILLE
ET ACTION DE GRACES POUR LA PROSPÉRITÉ D'ISRAEL

Travailler le siècle pour l'éternité
(Ch. Péguy)

Avant d'aborder le sens de ce psaume, il est indispensable de le disséquer. Il est composé - ou pas composé - de deux parties indépendantes et hétéroclites. Les voici :

A. I. et II. st. 1 de PE peuvent s'intituler : prière d'un roi avant la bataille. Cette partie s'inspire du psaume 17, parfois le copiant mot à mot. Elle forme un tout et comme telle a déjà été retenue par PE à IV Mercredi matin. Veuillez vous y reporter. Vous remarquerez simplement que hier, mercredi, la st. 2 de II. de ce jeudi, n'a pas été reproduite. En effet, elle n'est qu'une répétition inutile de I. st. 5.

B. Puis vient la deuxième partie : II. st. 3-5, qui est une action de grâces pour le bonheur terrestre d'Israël :

fils et filles en pleine vigueur,
greniers débordants,
petit et gros bétail nombreux et en santé, etc.

Le titre de notre commentaire et les lignes qui suivent ne concernent que cette 2ᵉ partie.

Que voici donc une spiritualité et un salut bien incarnés ! Les partisans actuels d'une foi engagée doivent s'y retrouver. Pourtant rien de sécularisé. Tout suppose une fidélité à Dieu et à toutes les valeurs spirituelles de sa domination :

Heureux le peuple
dont le Seigneur est le Dieu. (II. st. 5)

Tout ceci est bien dans la ligne du christianisme. L'incarnation du Verbe n'est-elle pas la synthèse parfaite, totale, définitive du divin et de l'humain ? Péguy l'a magnifiquement caractérisée : « La technique même du christianisme est un engagement unique, réciproque, indémontable du temporel dans l'éternel, de l'éternel dans le temporel. L'opération chrétienne revient à nourrir mystiquement le siècle, à travailler le siècle pour l'éternité. »

Ap 11 et 12 : voir I Jeudi soir.

IV Vendredi

Office des lectures

Psaume 49 : voir III Lundi lectures.

Psaume (d'instruction) 77 : Les leçons de l'histoire d'Israel

Notre cœur incrédule et inconstant

Dieu nous comble quotidiennement de son amour.
Hélas ! nous ignorons ses bienfaits et Lui, nous le trahissons.
Il nous punit. C'est normal.

A vrai dire, la plupart du temps, nous nous punissons nous-mêmes : comment, nous coupant de la source, ne serions-nous pas desséchés par la soif [1] ?

Face à certains refus répétés et conscients de notre part, Dieu devra provisoirement accepter cette défaite, mais sans renoncer à son amour. Sa grâce surabondante se déversera... ailleurs. A un

---

[1] L'AT pour qui la transcendance et l'action de Dieu se situent dans l'extériorité de la destinée humaine, affirme : Dieu punit. Mais il enseigne surtout ceci : *il punit pour sauver.*

père indigne, par exemple, sera donné un enfant rempli de sainteté.

*

Tels apparaissent l'être et l'agir de Dieu en ce long psaume didactique, utilisé sans doute pour instruire les pèlerins de Jérusalem. Cette « catéchèse » se donne à partir d'une « leçon du passé » (I. st. 1), c'est-à-dire de l'histoire d'Israël qui va se déployer sous les yeux des fidèles. Il y est question principalement de la *tribu d'Ephraïm*, tribu du Nord qui jouissait de faveurs divines particulières, comme en témoigne le fait que l'Arche d'Alliance lui fut d'abord confiée à Silo. Mais les Ephraïmites, dont sont issus les Samaritains hérétiques, devinrent infidèles et la faveur de Dieu, qui ne saurait être vaincue, passera ailleurs, précisément en Juda dont David sera le roi parfait et l'ancêtre du messie. Or, par le messie, la « défaite » momentanée de Dieu va se transformer en victoire totale.

Partant donc de l'infidélité d'Ephraïm, le psaume montre que cette tribu est bien dans la ligne de tout Israël, peuple « à la nuque raide » dont on suit les péripéties de l'Exode et de l'entrée en Chanaan.

*

Nous ne donnons pas ici la structure de cette méditation historique, car le lecteur ne la garderait pas présente à l'esprit durant la lecture du psaume. Qu'il note simplement que la deuxième partie du psaume (cf. IV Samedi lectures) suit à peu près la démarche de la première, y ajoutant le thème essentiel de David et du messie annoncé.

*

Que tout au long de cette lecture notre préoccupation soit de découvrir le visage du Seigneur, tel qu'il apparaît aussi dans l'histoire de l'Eglise et dans notre propre destinée personnelle. « Nous restons et nous devenons créateurs à partir d'une réinterprétation du passé qui sans cesse nous interpelle » (Paul RICŒUR).

Office du matin

Psaume 50 : voir I Vendredi matin.

Tb 13, 10-15, 17-19 : Gloire et joie a Jérusalem

L'Eglise dispose de la joie, de toute la joie
(G. Bernanos)

De passage en France, le pasteur Wurmbrand [2] apostrophait son vaste auditoire : « J'ai rencontré en Occident tant de chrétiens qui sont mécontents de l'Eglise et n'en finissent pas de la critiquer. Je puis vous assurer que chez nous, dans les pays de l'Est, les chrétiens aiment l'Eglise. »

Remué par cette interpellation, nous nous proposons de faire de ce cantique du Livre de Tobie la prière de ceux qui aiment l'Eglise :

> *Bienheureux ceux qui t'aiment, Jérusalem,*
> *ceux qui se réjouissent de ta paix* (st. 4)

et qui, tout en étant autre chose que des naïfs, pensent avec plaisir à son mystère et à sa beauté [3]. Que ce serait triste, si une époque ne pouvait plus se réjouir de l'Eglise et dans l'Eglise de Jésus ! L'AT ne cesse d'appeler à cette joie, par exemple Is 66, 10-11 :

> Exultez avec Jérusalem,
> vous tous qui l'aimez ;
> partagez son bonheur...

---

[2] Auteur de *Mes prisons avec Dieu*. Il vécut 14 ans dans les prisons communistes de Roumanie.

[3] Quant aux autres, les « clairvoyants », ils ont toujours à leur disposition les psaumes de lamentation sur l'histoire d'Israël.

que vous puissiez vous rassasier
du lait de ses richesses
et savourer l'opulence de sa gloire [4].

La source de cette joie ?
La présence en elle du Dieu qui vient :

Exulte tant que tu peux,
crie ta joie, fille de Jérusalem !
Voici que ton Roi vient à toi :
juste et victorieux,
humble, monté sur un ânon. (Za 9, 9)

Et quand le Roi est là, l'Eglise devient triste ?
où serait la foi ?
où serait l'espérance ?

★

Nous comprenons aisément que cet hymne à Jérusalem, tiré
du Livre de Tobie [5] et qui, se développant dans le style des prophètes, traduit l'espérance des exilés en une Jérusalem future et
idéale, ne peut concerner, pour nous chrétiens, que l'Eglise,
peuple de Dieu d'aujourd'hui... et de demain [6].

Psaume 147 : voir II Vendredi matin.

---

[4] Ce grand texte fut prié hier, IV Jeudi matin.
[5] Le Livre de Tobie vit le jour à l'époque de la persécution d'Antiochus IV Epiphane, vers 170 av. J.-C. (en même temps que les livres de
Judith, de Job, des Maccabées). Il était destiné à réconforter les Juifs
dans l'épreuve et à soutenir leur espérance. A la base du livre, il y a un
événement historique certes, mais littérairement amplifié.
Ce cantique de Joie du chapitre 13 est donc né - il est utile que nous
nous en souvenions - de la souffrance du peuple de Dieu.
[6] Voulons-nous, dans ce sens, tenter une re-lecture ecclésiale ? Estimant

Office du milieu du jour

Psaume 118, 161-168 : voir I Mardi jour.

Psaume (sapiential) 132 :
LA VIE FRATERNELLE DES MINISTRES DU TEMPLE

Ta rosée est une rosée de lumière
(Is 26, 19)

Il y a des moments, dans notre vie, que la grâce traverse.

Les heures de vie fraternelle, par exemple, qu'elle soit vécue dans les limites restreintes de la famille, d'une équipe de travail, de la communauté religieuse, ou à un niveau plus vaste : par-delà les frontières nationales, les races, les confessions religieuses.

---

ce développement superflu pour les personnes avisées qui disent PE, nous le mettons timidement en note.

- St. 1. L'Eglise sainte est déchirée par ses propres enfants.
- St. 2. Cependant le Seigneur Jésus et son Esprit la renouvellent de multiples manières. La crise elle-même est lourde de promesses. Un nouveau printemps s'annonce. Que signifie, par exemple, cette lente mais sûre montée de l'unité œcuménique par la convergence de réciproques fidélités ? « Il n'y a aucune crise de l'Eglise : il y a une Espérance intacte et une Eglise qui marche enfin, de nouveau, vers l'humilité, la pauvreté, vers la non-violence, une Eglise qui retourne au Christ et à l'Evangile » (G. CESBRON dans *Ce qui s'appelle vivre*, Laffont, p. 154).
- St. 3. L'Eglise est universelle : elle a touché les anciennes et atteint les nouvelles civilisations, elle s'est avancée des sables brûlants aux glaces polaires. Et en elle une lumière brille : le Seigneur Jésus et son Evangile.
- St. 4. Oui, je t'aime et je me réjouirai en toi, Cité de Dieu, car « tu disposes de la joie, de toute la part de joie réservée à ce triste monde » (G. BERNANOS).

Oui, la grâce traverse ces moments :

Le Seigneur y a voulu la bénédiction,
la vie pour toujours. (st. 3)

       ★

Ce petit chef-d'œuvre de psaume réveille en nous un écho profond. Cependant deux images antiques et palestiniennes pourraient ne pas être très suggestives à des Occidentaux modernes. D'où les éclaircissements suivants :

- *L'huile,* don précieux de Dieu. Elle était, elle est encore :
un aliment de base ;
la lumière, dans un monde sans électricité ni gaz ;
santé, beauté et jeunesse du corps ;

parfumée et répandue sur la tête des invités, elle signifiait dans l'antiquité orientale, avec le lavement des pieds, un geste d'amitié par lequel on souhaitait joie et bonheur : « huile d'allégresse » disent certains psaumes [7] ;

elle consacrait le prêtre (elle descend jusque sur la barbe et la tunique d'Aaron) et le roi.

- *La rosée de l'Hermon.* Sommet le plus haut à la limite de la Palestine et du Liban, l'Hermon en hiver se couvre de neige. Au printemps, sa fraîcheur, descendant jusqu'aux monts desséchés de Judée, se dépose en rosée fécondante sur une végétation privée de pluie de mars à novembre. La vie fraternelle, semblable à la « rosée de l'Hermon », est donc fraîcheur, joie et vie : une grâce du Seigneur.

    Ta rosée est une rosée de lumière.

---

[7] Coutume qui se retrouve dans quelques scènes évangéliques.

Psaume (de supplication) 139 :
Appel confiant a Dieu contre les persécuteurs

Tout passe, seule la vérité demeure
(Dostoïevski)

Le romancier russe raconte l'histoire de cet assassin qui, bien que personne n'ait été condamné à sa place, se dénonce à la justice 15 ans plus tard, parce qu'il ne supporte plus l'enfer du mensonge et que « seule demeure la vérité ». On renonce à le juger, pensant que cette personnalité respectable a perdu la raison. Il meurt bientôt. « Maintenant, dit-il, je pressens Dieu, mon cœur est dans l'allégresse, comme au paradis. »

Les victoires de Dieu sont celles de la vérité, aussi diversifiées que soient les situations humaines.

*

Je sais que le Seigneur fera justice au malheureux,
qu'il fera droit au pauvre, (st. 4)

dit ce psalmiste qui fait appel au secours du Seigneur contre le mensonge :

Ils aiguisent leur langue comme un serpent,
un venin de vipère est dissimulé entre leurs lèvres (st. 1)

et contre les menées ténébreuses :

Ils ont tendu un filet sous mes pieds,
ils m'ont posé des traquenards. (st. 2)

Est-ce que l'intervention du Dieu des « malheureux » et des « pauvres » (st. 4) sera tonitruante ?

Peut-être ne sera-t-elle qu'intérieure, sorte de pressentiment de la proximité divine, « comme au paradis » :

Les saints vivront en ta présence. (st. 4)

Office du soir

Psaume 144 : voir III Dimanche lectures.

Ap 15, 3-4 : voir I Vendredi soir.

IV Samedi

Office des lectures

Psaume 54 : voir II Mercredi jour.

Psaume 77 : voir IV Vendredi lectures.

Office du matin

Psaume 91 : voir II Samedi matin.

Ez 36, 24-28 : ANNONCE PROPHÉTIQUE DU PEUPLE NOUVEAU

Cet amour de rédemption, qui est un surplus d'amour
(Cardinal Journet)

Pécheurs, nous avons profané l'amour de Dieu.

Ceci ressort du texte d'Ezéchiel précédant celui qui nous est présenté en PE et où Dieu dit : « Ils ont souillé leur pays par

leur conduite et leurs œuvres... Ils ont profané mon saint Nom »
(36, 17 et 20).

Comment Dieu va-t-il réagir ?

A son *amour de création* il va superposer un *amour de rédemption*, en déversant sur les pécheurs ce « surplus d'amour » dont
nous avons ici les promesses inouïes et qui se succèdent à un
rythme bouleversant :

St. 1 : Je vous rassemblerai tous dans l'unité.

St. 2 : Hommes souillés, vous pourrez désormais vous présenter
purs devant ma face.

St. 3 et 4 : Votre cœur de pierre, je le remplacerai par un cœur
nouveau.

St. 5 : Vous vivrez de mon Esprit, car il vous habitera.

St. 6 : Vous serez *mon* peuple,
et moi, je serai *votre* Dieu.

*

Jean a contemplé en vision l'accomplissement de ces promesses,
citant textuellement la dernière strophe de notre cantique : « J'entendis une voix... Voici la demeure de Dieu avec les hommes.
Il aura sa demeure avec eux. *Ils seront son peuple et lui Dieu-avec-eux sera leur Dieu* [1]. »

Et nous, hommes de la Pentecôte, nous nous trouvons entre
ces promesses et leur plein accomplissement, les accueillant, les
refusant, les réalisant, les brisant, sans cesse poursuivis par ce
« surplus d'amour » de notre Dieu.

Psaume 8 : voir II Samedi matin.

---

[1] Ap 21, 3.

Office du milieu du jour

Psaume 118, 169-176 : voir I Mardi jour.

Psaume 44 : voir II Lundi soir.

Office du soir

Psaume (de supplication) 140 :
APPEL AU SECOURS DIVIN CONTRE LES SÉDUCTIONS DU MAL

Que ma prière s'élève comme un encens !

« Il ne suffit pas de prier. »
Tel est le titre provocateur d'un livre signé par un prêtre d'Amérique latine.
Quel besoin Dieu a-t-il de votre encens mystique et de vos mains jointes ? Il est là où sont les hommes. Il s'agit de s'engager pour que la terre soit habitable et qu'ainsi advienne son Règne. Ou alors brûlez votre encens, vous les croyants, et laissez les autres aménager le monde...

Ce psaume 140[2], comportant le très beau verset retenu ici comme titre et cher à tant d'âmes ferventes, est aussi, si ce n'est

---

[2] Le texte des st. 3 et 4 est très obscur et leur traduction, qui peut varier d'un auteur à l'autre, très incertaine.

d'abord un *psaume de lutte,* un corps à corps avec les forces, séduisantes il faut bien le dire, du mal et des demi-vérités, voire des contre-vérités : st. 2, 3 et 5b.

Seulement, et voici la leçon capitale du psaume : c'est une lutte dans la *prière.* Le psalmiste va et vient du Seigneur aux ennemis et des séductions à son Dieu (st. 2 et 3). Il n'est ni un lutteur sûr de lui-même ni un contemplatif béat :

> *Etablis, Seigneur, une garde à ma bouche,*
> *surveille la porte de mes lèvres ;*
> *retiens mon cœur sur la pente du mal,*
> *que je ne me livre à des pratiques malhonnêtes.* (st. 2)

*

Ceci est très grand.
Le chrétien d'aujourd'hui doit s'en souvenir.

Afin que, dans la bataille pour le Royaume, il ne soit pas envahi et transformé indûment par le milieu qu'il veut pénétrer,

afin qu'il reste fidèle à ce qu'il est en profondeur et soit toujours présent à lui-même,

il doit, au plus épais de l'engagement terrestre de la foi, garder des mains tendues vers le ciel et ne cesser de fixer son regard sur le Seigneur.

Psaume 141 : SUPPLICATION D'UN OPPRIMÉ

Je ne crois qu'au cri spontané
(G. Cesbron)

Soljenitsyne écrit quelque part que le torturé doit crier, parce que de crier l'aidera à supporter une douleur extrême.

Nous-mêmes, torturés d'une manière ou d'une autre - mais douillets, nous exagérons parfois - nous ne nous sommes pas fait faute de dire et crier notre peine. Hélas ! les autres étaient distraits en nous écoutant, ils se sont vite fatigués et nous fûmes bientôt congédiés avec des consolations faciles :

> *Regarde, Seigneur, et vois,*
> *pas un qui me reconnaisse ;*
> *nul ne se soucie de moi.* (st. 3)

Si par chance quelque ami fidèle a compati loyalement à notre détresse, nous nous sommes tôt ou tard retrouvés seuls, avec nos larmes séchées, comme « dans une prison » (st. 6).

Sans nous enfermer en quelque silence hautain vis-à-vis de nos frères, il faut bien reconnaître que le seul cri qui finalement aboutisse est un cri vers le ciel. Tel est notre psaume :

> *A pleine voix je crie vers le Seigneur.*
> *Ma détresse, c'est devant lui que je la mets.* (st. 1)

*

Jésus a crié.

Vers le ciel, bien sûr. « Aux jours de sa chair, Jésus présenta, avec une *violente clameur et des larmes*, des implorations et des supplications à Celui qui pouvait le sauver de la mort[3]. »

Et il est mort dans un cri : « Vers la neuvième heure Jésus clama dans un *grand cri :* 'Mon Dieu, mon Dieu, pourquoi m'as-tu abandonné ?' Poussant de nouveau un *grand cri*, il rendit l'esprit[4]. »

Dans la prière de l'Eglise, nous sommes en ambassade auprès du Seigneur pour toute l'humanité en détresse et qui n'a même PLUS DE VOIX POUR CRIER.

Ph 2, 6-11 : voir I Samedi soir.

---

[3] He 5, 7.
[4] Mt 27, 46 et 50.

Office des Complies

Psaume (de pèlerinage) 90 :
YAHWEH TE PROTÉGERA EN TOUTES TES VOIES

Où est ton Dieu ?

Imaginons quelqu'un sans foi ou un croyant exigeant des constatations objectives et qui lirait ce psaume de confiance fort bien résumé dans la strophe 5 :

Tu as fait du Très-Haut ton rempart,
et le malheur ne pourra t'atteindre.

Cela, ce n'est pas la vérité ! s'écriera-t-il, outré. Ce n'est pas ma vie ni celle des autres. Le malheur éclate partout : mort accidentelle ou prématurée, chômage, guerre, tyrannie... Et ces milliers d'Indiens qui ont mis toute leur confiance en Dieu et qui meurent quotidiennement dans les rues de Calcutta ?
Où est leur Dieu ?

*

Objection grave.
D'autant plus grave que nous nous trouvons avec ce psaume non pas en face d'une parole d'homme mais de Dieu.
Nous aborderons ici ce problème de la confiance en Dieu et du malheur humain d'une manière explicite, mais il se présente en d'autres pages du psautier, bien que d'une façon moins insistante.

- Disons tout de suite qu'il s'agit ici d'un poème oriental au lyrisme débordant. Voulant donner une idée vigoureuse de la protection divine, le psalmiste multiplie les images de dangers auxquels échappe l'ami de Yahweh (on en compte pas moins de 8). De toute évidence, il force la note pour inculquer une vérité fondamentale qui traverse toute la Bible : Mets ta confiance dans le Seigneur et lui prendra soin de toi.

- Jésus lui-même, mis en demeure par le diable d'interpréter littéralement, servilement ce psaume (st. 7) et de se jeter du haut du temple, refuse de « tenter Dieu ».

· Si notre confiance était telle que la demande ce psaume, combien Dieu serait avec nous, et qui peut dire ce qui alors arriverait - ou n'arriverait pas ? C'est en vertu d'une pareille foi que Jésus, reprenant les termes mêmes du psaume (st. 6) pouvait dire : « Je vous ai donné le pouvoir de fouler aux pieds serpents, scorpions et toute puissance de l'Ennemi, et rien ne pourra vous nuire [5]. »

- Reste, dans la dernière strophe, une nuance fort décisive :

> *Je (Yahweh) reste auprès de lui*
> *dans son épreuve.*

Toute protection divine n'éloigne pas toute épreuve, mais Dieu reste avec celui qui souffre, afin de le « glorifier » (même strophe), comme Jésus fut glorifié par-dessus tout dans sa Passion.

*

Reste à voir le « *Sitz im Leben* » des exégètes allemands, l'origine, la circonstance qui fit naître pareil psaume, et aussi sa structure.

Probablement que nous tenons ici un psaume de pèlerinage servant d'exhortation et de catéchèse pour la foule accourue de partout et souvent de très loin. Ainsi toutes les images utilisées pour illustrer la protection de Yahweh se réfèrent-elles à un

---

[5] Lc 4, 10.

voyage périlleux dans le désert. Le « catéchiste », fin psychologue, savait parler à ses gens à partir de ce qu'ils vivaient.

La structure :

- Annonce du thème : ' J'ai confié ma vie à Dieu et je m'en suis remis à la garde du Très-Haut ' [6]. St. 1.

- La protection vigilante de Dieu est illustrée par de nombreux « exemples ». St. 2-5.

- En ce lieu saint où est monté le pèlerin, Dieu lui-même prend parole pour l'assurer de sa protection infaillible. St. 6 :

> *Puisqu'il fait appel à moi je le sauve,*
> *puisqu'il connaît mon nom, je le protège.*

Psaume (de confiance) 4 : LE VRAI BONHEUR EST EN DIEU

Cette lumière éternelle au-dedans de moi
(Saint Augustin)

Ce petit psaume est immense.
Il pose la grande, l'unique question de l'homme.
Et il a même la prétention d'y répondre.
Ta question : « Qui nous fera voir le bonheur ? » (st. 6) laisse

---

[6] Le JE que l'on ne retrouvera plus du tout dans les autres strophes, est surprenant. La Bible de Jérusalem traduit d'une manière, semble-t-il, plus satisfaisante : « Qui se tient à l'abri du Très-Haut... » La TOB va dans le même sens.
Cette strophe juxtapose 4 noms divins :
     « Elyon »   = Très-Haut
     « Shaddaï » = Tout-Puissant
     « Yahweh »   = Seigneur
     « Elohim »   = Dieu.

bien entendre que tu ne l'as point trouvé, dit le psalmiste. Quoi d'étonnant à cela ? Je te vois courir après le vide de tant d'illusions mensongères (st. 2). Le silence t'effraie ; tu t'agites ; tu ne profites guère des temps libres pour réfléchir ; tu t'étourdis dans le tourbillon du mal (st. 4). Tu éclipses la joie par le plaisir et tu voudrais que ton cœur soit pacifié ?

Quant à moi, si plus de joie m'envahit

> *qu'aux jours où débordent*
> *le blé et le vin nouveau* (st. 7)

et si

> *en toute paix*
> *je me couche et m'endors...* (st. 8)

c'est parce que j'ai cherché mon unique raison de vivre en Dieu (st. 8).

Et voici :

son visage, parfois, s'illumine « lumière éternelle au-dedans de moi » :

> *La lumière de ta Face est imprimée sur nous* [7]. (st. 6)

Psaume (de pèlerinage) 133 : INVITATION A LA PRIÈRE NOCTURNE

Le voisinage de l'éternité

Au cœur de la nuit qui, mieux que le jour, fait pressentir le voisinage de l'éternité, l'ermite du Sahara, des moines, des religieuses veillent sur l'humanité endormie.

---

[7] C'est ainsi que traduisent le grec et la Vulgate.
Si l'idée générale de ce psaume ressort assez clairement, certains détails en sont obscurs, le texte, probablement détérioré, prêtant à différentes interprétations.
La st. 2 dit : « jusqu'à quand ce mépris de ma gloire ». « Ma gloire » : soit mon honneur d'homme fidèle, soit Dieu.

Ce psaume les invite à la ferveur, eux

> *qui se tiennent en la maison du Seigneur*
> *tout au long des nuits.* (st. 1)

Si vous, ami, dont l'office ne comporte pas la prière nocturne, souffrez d'insomnie, cessez de vous inquiéter et de vous agiter : levez-vous [8], rejoignez ces veilleurs de l'éternité :

> *Levez les mains vers sa demeure*
> *et bénissez le Seigneur !* (st. 2)

*

Ce psaume 133 est celui de l'adieu des pèlerins au temple et à ses ministres. En st. 1 et 2, les pèlerins, à l'approche de la nuit sans doute, s'adressent une dernière fois aux prêtres, pour les encourager à la louange :

> *Oui, bénissez le Seigneur,*
> *vous tous, serviteurs du Seigneur.*

En st. 3, ceux-ci prennent congé des fidèles par leur bénédiction :

> *Que le Seigneur vous bénisse de Sion,*
> *lui le créateur du ciel et de la terre !*

*

Ainsi s'achève le « Psautier des Montées » [9].

---

[8] « Deux heures du matin. - Que vous êtes bon, mon Dieu, de m'avoir éveillé ! Encore plus de six heures à ne faire autre chose que de vous contempler, que de me tenir à vos pieds et ne dire que : je Vous aime » (Ch. de FOUCAULD, *Nouveaux Ecrits Spirituels*, p. 112).

[9] Le « Psautier des Montées » est constitué par les psaumes 119-133, qui, comptant parmi les plus beaux, sont en général brefs et construits sur un mode semblable. On les chantait lors des pèlerinages conduisant à Jérusalem vers laquelle on « montait », la Ville sainte se situant à 750 m au-dessus du niveau de la mer.

Lundi

Psaume 85 : voir III Mercredi matin.

Mardi

Psaume 142 : voir IV Jeudi matin.

Mercredi

Psaume 30 : voir II Lundi lectures.
Psaume 129 : voir III Samedi soir.

Jeudi

Psaume 15 : voir I Samedi soir.

Vendredi

Psaume 89 : voir III Jeudi lectures.

Samedi

Psaume 122 : voir III Lundi soir.
Psaume 120 : voir II Vendredi soir.

TABLE NUMERIQUE DES PSAUMES

TOB

Ps	Page	Ps	Page	Ps	Page
1	29	29 *30*	104	61	181
2	30	30 *31*	148	62	35
3	34	31 *32*	107	63	214
4	349	32 *33*	70	64	166
5	51	33 *34*	131	65	291
6	49	34 *35*	110	66	182
7	57	35 *36*	84	67	241
8	212	36 *37*	161	68	275
9 A	48	37 *38*	195	69	260
B *10*	64 *767*	38 *39*	172	70	237
10 *11*	59 *769*	39 I *40*	156	71	192
11 *12*	65 *769*	II	157	72	295
12 *13*	73 *770*	40 *41*	119	73	248
13 *14*	74 *770*	41 *42*	150	74	260
14 *15*	60 *771*	42 *43*	163	75	144
15 *16*	133 *771*	43 *44*	184	76	175
16 *17*	89 *772*	44 *45*	158	77	334
17 A *18*	82 *773*	45 *46*	121	78	273
B	97	46 *47*	87	79	186
18 A *19*	154 *776*	47 *48*	101	80	190
B	55	48 *49*	170	81	300
19 *20*	76 *777*	49 *50*	229	83	231
20 *21*	78 *777*	50 *51*	111	84	244
21 *22*	278 *778*	51 *52*	174	85	255
22 *23*	141 *780*	52 *53*	168	86	268
23 *24*	67 *780*	53 *54*	168	87	310
24 *25*	103 *781*	54 *55*	179	88 A	253
25 *26*	116 *782*	55 *56*	191	B	265
26 I *27*	92 *783*	56 *57*	99	89	266
II	94 *783*	58 *59*	199	90	347
27 *28*	118 *784*	59 *60*	200	91	208
28 *29*	53 *785*	60 *61*	213	92	222

Table numérique des psaumes

Ps	Page	Ps	Page	Ps	Page
93	321	113 B	145	133	350
94	19	114	203	134	281
95	235	115	215	135	205
96	178	116	131	136	312
97	259	117	39	137	313
98	271	118	72	138	323
99	115	119	302	139	340
100	305	120	201	140	344
101	304	121	288	141	345
102	315	122	238	142	325
103	137	123	240	143	332
104	128	124	251	144	221
105	207	125	249	145	298
106	284	126	262	146	327
107	316	127	329	147	198
109	42	128	330	148	224
110	227	129	289	149	38
111	293	130	124	150	139
112	218	131	125		
113 A	45	132	338		

TABLE DES MATIERES

Introduction 7
Remarques et suggestions 13

Psaume invitatoire 94 : Aujourd'hui ne fermez pas votre cœur 19
Cantique de Zacharie : Le cœur de notre Dieu 22
Cantique de Marie : Marie rendait en gloire ce qui lui avait
    été donné en grâce 25
Cantique de Siméon : O lumière dans ma nuit ! 28

I DIMANCHE

Office des lectures 29
  Ps 1 : Notre temps a besoin d'hommes qui soient
    comme des arbres 29
  Ps 2 : La formidable espérance 30
  Ps 3 : La vraie folie, c'est de faire confiance 34
Office du matin 35
  Ps 62 : L'amour, sans aucune de ses douceurs 35
  Dn 3 : Réveillez la louange captive des choses 37
  Ps 149 : Votre joie, nul ne pourra vous la ravir 38
Office du jour 39
  Ps 117 : Mon retour est proche 39
Office du soir 42
  Ps 109 : La gloire de Dieu qui est sur la face du Christ 42
  Ps 113 A : Une liturgie cosmique et pascale 45
  Ap 19 : S'enfoncer dans l'éternité divine 47

I LUNDI

Office des lectures 48
  Ps 9 A : Remercie Dieu de ce que tu n'as pas encore
    reçu 48
  Ps 6 : Chaque homme dans sa nuit 49
Office du matin 51
  Ps 5 : Si vous êtes sans grand courage, vous êtes
    propres à l'espérance 51

Table des matières

1 Ch 29	:	Notre monde a besoin d'adorateurs	52
Ps 28	:	Le verbe intérieur de chaque être	53

Office du jour 55
| Ps 18 B | : | L'apprentissage sur cette terre de la vie intime de Dieu .... | 55 |
| Ps 7 | : | Quand le mal ne supporte plus le bien .... | 57 |

Office du soir 59
Ps 10	:	Le sentiment secret de notre lien avec un autre monde	59
Ps 14	:	Dieu au cœur de l'existence la plus quotidienne	60
Ep 1	:	Dieu tout en tout	61

I MARDI

Office des lectures 64
| Ps 9 B | : | Entendez monter jusqu'à vous la clameur des malheureux .... | 64 |
| Ps 11 | : | Mettre les manigances du monde en jugement | 65 |

Office du matin 67
Ps 23	:	Creuser la place pour le Seigneur qui passe	67
Tb 13	:	J'étais entouré de la gloire de Dieu	69
Ps 32	:	En lui notre cœur a trouvé la joie	70

Office du jour 72
Ps 118	:	Dieu et le saint ont échangé leur cœur	72
Ps 12	:	Es-tu triste ? Prie !	73
Ps 13	:	Le monde poussait dans tous les sens vers le royaume	74

Office du soir 76
Ps 19	:	Jésus : le point de convergence de toutes les prophéties	76
Ps 20	:	Toute victoire se dégage du chaos des combats	78
Ap 4-5	:	Le livre scellé	80

I MERCREDI

Office des lectures 82
| Ps 17 A | : | Le salaire des mains pures .... | 82 |

Office du matin 84
| Ps 35 | : | Tard je t'ai goûtée, ô beauté si ancienne et si nouvelle .... | 84 |

Jdt 16   : Eternité de lumière ou éternité de refus de la
             lumière 86
Ps 46   : Vivre toute son espérance 87

Office du jour 89
Ps 118   : voir I Mardi jour 72
Ps 16   : Le juste passe, mais sa lumière demeure 89

Office du soir 92
Ps 26 I   : Des spirituels plongés dans l'incandescence de
             Dieu 92
      II : La seule chose impossible à Dieu 94
Col 1   : O Christ-universel, le monde est plein de vous 95

I JEUDI

Office des lectures 97
Ps 17 B   : Des hommes debout 97

Office du matin 99
Ps 56   : Je vous souhaite d'être aussi joyeux que je le
             suis 99
Jr 31   : Mes amis, demandez à Dieu l'allégresse 100
Ps 47   : La rose et la rosace 101

Office du jour 103
Ps 118   : voir I Mardi jour 72
Ps 24   : Seigneur, tu ne peux renier ta tendresse 103

Office du soir 104
Ps 29   : Fais confiance à la nuit 104
Ps 31   : Les fautes labourent l'homme 107
Ap 11-12 : Je crois à la justice et à l'espérance 108

I VENDREDI

Office des lectures 110
Ps 34   : Vous m'avez mal jugé 110

Office du matin 111
Ps 50   : Si l'essentiel dont notre monde manque était
             une bonne conscience 111
Is 45   : Un Dieu caché, dont la seule force est l'amour 113
Ps 99   : J'ai signé avec Dieu un pacte de joie 115

Table des matières

Office du jour 116
  Ps 118   :   voir I Mardi jour 72
  Ps 25   :   Si nous n'avions pas devant nous la précieuse image du Christ 116
  Ps 27   :   Au-delà de la maladie 118

Office du soir 119
  Ps 40   :   Jésus n'a pas éliminé, mais illuminé la souffrance 119
  Ps 45   :   Nous avons besoin d'espaces d'Eglise 121
  Ap 15   :   Les choses au ciel 123

I SAMEDI

Office des lectures 124
  Ps 130   :   L'homme : un néant environné de Dieu 124
  Ps 131   :   Pas d'autre horizon que le Christ 125
  Ps 104   :   Chacun de nous peut, à chaque instant, commencer un nouvel avenir 128

Office du matin 129
  Ps 118   :   voir I Mardi jour 72
  Ex 15   :   Etre debout au matin de Pâques 129
  Ps 116   :   Joie et émerveillement 131

Office du jour 131
  Ps 118   :   voir I Mardi jour 72
  Ps 33   :   Et les pauvres m'évangélisaient 131

Office du soir 133
  Ps 118   :   voir I Mardi jour 72
  Ps 15   :   Le royaume de Dieu est une expérience du cœur 133
  Ph 2   :   La grande trajectoire de la vie du sauveur Jésus 136

II DIMANCHE

Office des lectures 137
  Ps 103   :   La transparence du créé 137

Office du matin 138
  Ps 117   :   voir I Dimanche jour 39
  Dn 3   :   Avec un amour toujours nouveau 138
  Ps 150   :   Pourquoi prie-t-on ? Pour rien 139

Office du jour 141
   Ps 22   : Une douceur qui envahit l'âme inexplicablement 141
   Ps 75   : Chanterai-je un cantique de Sion ? 144

Office du soir 145
   Ps 109   : voir I Dimanche soir 42
   Ps 113 B : Ce qui a valeur d'éternité plus que d'avenir 145
   Ap 19   : voir I Dimanche soir 47

II LUNDI

Office des lectures 148
   Ps 30   : Le psaume inachevé de Jésus 148

Office du matin 150
   Ps 41   : L'homme : une nature sublime exilée dans l'im-
          parfait 150
   Si 36   : Un espace de spiritualité et de communion 152
   Ps 18 A : L'infini retentit dans la finitude des choses 154

Office du jour 156
   Ps 118   : voir I Mardi jour 72
   Ps 39 I : Une religion du cœur 156
       II : Dis sans te lasser : Dieu est grand 157

Office du soir 158
   Ps 44   : Quand je tourne mon âme vers toi, tu es, ô
          Dieu, le premier 158
   Ep 1   : voir I Lundi soir 61

II MARDI

Office des lectures 161
   Ps 36   : Programmer l'espérance 161

Office du matin 163
   Ps 42   : Mais il y a Dieu 163
   Is 38   : La vie est un songe, un peu moins inconstant 164
   Ps 64   : Tout chante, tout éclate de vie 166

Office du jour 168
   Ps 118   : voir I Mardi jour 72
   Ps 52   : voir I Mardi jour, le psaume 13, auquel il cor-
          respond 74
   Ps 53   : Tu auras pour refuge le nom du Seigneur 168

Table des matières

Office du soir 170
   Ps 48   :   Pauvres riches 170
   Ap 4-5 :   voir I Mardi soir 80

II MERCREDI

Office des lectures 172
   Ps 38   :   Tout s'ouvre sur plus vaste que soi 172
   Ps 51   :   La force explosive de la vérité 174

Office du matin 175
   Ps 76   :   Le silence de Dieu 175
   1 S 2   :   Ce qu'il y a de faible dans le monde 176
   Ps 96   :   Présence responsable dans l'ici-bas 178

Office du jour 179
   Ps 118 :   voir I Mardi jour 72
   Ps 54   :   La force de l'espérance désespérée 179

Office du soir 181
   Ps 61   :   Dieu, océan de paix 181
   Ps 66   :   Déjà le moissonneur amasse le grain 182
   Col 1   :   voir I Mercredi soir 95

II JEUDI

Office des lectures 184
   Ps 43   :   Livrés en spectacle aux hommes et aux anges 184

Office du matin 186
   Ps 79   :   Notre prière épouse toutes les attentes de l'humanité 186
   Is 12   :   La source a soif d'être bue 188
   Ps 80   :   L'amour ne se résigne pas au refus 190

Office du jour 191
   Ps 118 :   voir I Mardi jour 72
   Ps 55   :   Les larmes de l'humanité montent toujours vers toi 191
   Ps 56   :   voir I Jeudi matin 99

Office du soir 192
   Ps 71   :   Saint Paul, Jésus lui sortait toujours par la bouche 192
   Ap 11-12 : voir I Jeudi soir 108

II VENDREDI

Office des lectures 195
    Ps 37   :   Ce sont les membres les plus fidèles qui portent la souffrance de l'Eglise 195

Office du matin **196**
    Ps 50   :   voir I Vendredi matin 111
    Ha 3   :   L'axe secret de l'histoire 196
    Ps 147   :   Nous sommes nés dans la lumière de la Parole 198

Office du jour 199
    Ps 118   :   voir I Mardi jour 72
    Ps 58   :   Le Dieu de mon amour 199
    Ps 59   :   Une nouvelle naissance d'humanité 200

Office du soir 201
    Ps 120   :   Comment dormirait-il, celui qui meut les étoiles ? 201
    Ps 114   :   Entrevoir la lumière même depuis les profondeurs 203
    Ap 15   :   voir I Vendredi soir 123

II SAMEDI

Office des lectures 205
    Ps 135   :   Dieu nous a transférés dans le royaume de son Fils 205
    Ps 105   :   Ces êtres doubles, fragiles et inconstants que nous sommes 207

Office du matin 208
    Ps 91   :   Il y a des amorces d'éternité dans notre existence 208
    Dt 32   :   Emportés sur les ailes de l'aigle 210
    Ps 8   :   Qu'est-ce que l'homme ? 212

Office du jour 213
    Ps 118   :   voir I Mardi jour 72
    Ps 60   :   Tu ne me chercherais pas, si tu ne m'avais trouvé 213
    Ps 63   :   Tant que nous demeurons des brebis 214

Office du soir 215
    Ps 115   :   S'orienter pour une raison verticale 215
    Ps 112   :   La fondamentale espérance au cœur de l'homme 218
    Ph 2   :   voir I Samedi soir 136

Table des matières

III DIMANCHE

Office des lectures 221
   Ps 144 : Que se dévoile ton visage et qu'il me brûle! 221

Office du matin 222
   Ps 92   : Adore ton Dieu et tu connaîtras la paix 222
   Dn 3   : voir I Dimanche matin 37
   Ps 148 : Les fils du septième jour 224

Office du jour 226
   Ps 117 : voir I Dimanche jour 39

Office du soir 227
   Ps 109 : voir I Dimanche soir 42
   Ps 110 : La providence se lèvera avant le soleil 227
   Ap 19 : voir I Dimanche soir 47

III LUNDI

Office des lectures 229
   Ps 49   : Se revêtir de croyances plutôt que d'en vivre 229

Office du matin 231
   Ps 83   : O toi, l'au-delà de tout! 231
   Is 2   : La croix du Christ est levée sur l'horizon de
          l'histoire 232
   Ps 95   : Réjouis-toi que Dieu soit Dieu 235

Office du jour 237
   Ps 118 : voir I Mardi jour 72
   Ps 70   : Seule demeure l'expérience 237

Office du soir 238
   Ps 122 : Les yeux de François d'Assise 238
   Ps 123 : Le filet s'est rompu 240
   Ep 1   : voir I Lundi soir 61

III MARDI

Office des lectures 241
   Ps 67   : Christ nous fait régner avec lui dans les cieux 241

Office du matin 244
   Ps 84   : Je fais le rêve qu'un jour la justice 244
   Is 26 I : Cantique de la ville forte 246

Is 26 II   :   Marana Tha   247
Ps 66   :   voir II Mercredi soir   192

Office du jour   248
Ps 118   :   voir I Mardi jour   72
Ps 73   :   La foi qui dépasse le scandale   248

Office du soir   249
Ps 125   :   Il n'est rien de plus joyeux que d'avoir souffert   249
Ps 124   :   Qui peut arrêter le printemps d'éclore ?   251
Ap 4-5   :   voir I Mardi soir   80

III MERCREDI

Office des lectures   253
Ps 88 A   :   Quelque chose a commencé qui ne s'achèvera
                jamais   253

Office du matin   255
Ps 85   :   Plus ils sont désespérés, plus ils sont aptes
                à la contemplation   255
Is 33   :   Seigneur, qu'il m'est bon de vivre avec toi !   257
Ps 97   :   Un jour, Vous avez inventé saint François   259

Office du jour   260
Ps 118   :   voir I Mardi jour   72
Ps 69   :   Es-tu pauvre et malheureux ? Le royaume des
                cieux est à toi   260
Ps 74   :   Pour que tombent les derniers refus   260

Office du soir   262
Ps 126   :   Dieu pense, aime, prie, crée en moi   262
Ps 130   :   voir I Samedi lectures   124
Col 1   :   voir I Mercredi soir   95

III JEUDI

Office des lectures   265
Ps 88 B   :   Ma foi se réduisait à un cri   265
Ps 89   :   Le temps d'un soupir   266

Office du matin   268
Ps 86   :   L'univers spirituel en expansion   268
Is 40   :   O abîme de Dieu !   270
Ps 98   :   Se faire transparent à sa lumière   271

Table des matières

Office du jour 273
  Ps 118 : voir I Mardi jour 72
  Ps 78   : La fin d'un monde n'est que le commencement
             d'un autre monde 273
  Ps 79   : voir II Jeudi matin 186

Office du soir 274
  Ps 131 : voir I Samedi lectures 125
  Ap 11-12 : voir I Jeudi soir 108

III VENDREDI

Office des lectures 275
  Ps 68   : J'espérais la compassion, mais en vain 275

Office du matin 277
  Ps 50   : voir I Vendredi matin 111
  Jr 14   : Nous sommes tous responsables de tout 277
  Ps 99   : voir I Vendredi matin 115

Office du jour 278
  Ps 21   : Des abîmes de doute et des abîmes de foi 278

Office du soir 281
  Ps 134 : Dieu ! Le reste est silence 281
  Ap 15   : voir I Vendredi soir 123

III SAMEDI

Office des lectures 284
  Ps 106 : Variations sur l'amour de Dieu 284

Office du matin 286
  Ps 118 : voir I Mardi jour 72
  Sg 9   : Laissez germer la semence d'éternité 286
  Ps 116 : voir I Samedi matin 131

Office du jour 287
  Ps 118 : voir I Mardi jour 72
  Ps 33   : voir I Samedi jour 131

Office du soir 288
  Ps 121 : Mon poids, c'est mon amour 288
  Ps 129 : Veilleur, où en est la nuit ? 289
  Ph 2   : voir I Samedi soir 136

IV DIMANCHE

Office des lectures 291
   Ps 23   : voir I Mardi matin 67
   Ps 65   : Le lieu du malheur humain est le lieu que Dieu
              habite 291

Office du matin 292
   Tout comme II Dimanche matin 138

Office du jour 293
   Tout comme II Dimanche jour 141

Office du soir 293
   Ps 109 : voir I Dimanche soir 42
   Ps 111 : Des lieux d'humanité où Dieu nous attend 293
   Ap 19   : voir I Dimanche soir 47

IV LUNDI

Office des lectures 295
   Ps 72   : Le dessus et le dessous du problème 295

Office du matin 297
   Ps 89   : voir III Jeudi lectures 266
   Is 42   : L'univers visible est appelé à être transfiguré 297
   Ps 145 : Vous, les pauvres, vous enrichirez le monde
              de votre joie 298

Office du jour 300
   Ps 118 : voir I Mardi jour 72
   Ps 81   : Quand l'homme est bafoué, c'est Dieu qui est
              atteint 300
   Ps 119 : Ceux qui croient pouvoir asservir la vérité 302

Office du soir 303
   Ps 135 : voir II Samedi lectures 205
   Ep 1   : voir I Lundi soir 61

IV MARDI

Office des lectures 304
   Ps 101 : A la recherche de l'éternité 304

Table des matières

Office du matin 305
    Ps 100 : Vérité, justice, quoi qu'il en coûte 305
    Dn 3   : Il faut que l'Eglise pleure et se convertisse 307
    Ps 134 : voir III Vendredi soir 281

Office du jour 310
    Ps 118 : voir I Mardi jour 72
    Ps 87   : Ne rien voir d'autre que la nuit 310

Office du soir 312
    Ps 136 : Jérusalem est dans le cœur de chaque homme 312
    Ps 137 : Dieu à portée de cœur 313
    Ap 4-5 : voir I Mardi soir 80

IV MERCREDI

Office des lectures 315
    Ps 102 : O feu ! ô abîme de charité ! 315

Office du matin 316
    Ps 107 : Je marche et je chante 316
    Is 61   : Dans un amour éternel, j'ai eu pitié de toi 318
    Ps 143 : Prier et ne pas se battre, je dis que c'est malhon-
             nête 319

Office du jour 321
    Ps 118 : voir I Mardi jour 72
    Ps 93   : Les attentes interminables de Dieu 321

Office du soir 323
    Ps 138 : Soulevé par un regard d'amour 323
    Col 1   : voir I Mercredi soir 95

IV JEUDI

Office des lectures 325
    Ps 43   : voir II Jeudi lectures 184

Office du matin 325
    Ps 142 : Mon cri perce le cœur de Dieu 325
    Is 66   : Je n'ai jamais autant aimé l'Eglise 326
    Ps 146 : Des chemins du cœur 327

Office du jour 329
    Ps 118 : voir I Mardi jour 72
    Ps 127 : Simple est le bonheur 329
    Ps 128 : Bénissez, ne maudissez pas 330

Office du soir 332
  Ps 143 : Travailler le siècle pour l'éternité 332
  Ap 11-12 : voir I Jeudi soir 108

IV VENDREDI

Office des lectures 334
  Ps 49 : voir III Lundi lectures 229
  Ps 77 : Notre cœur incrédule et inconstant 334

Office du matin 336
  Ps 50 : voir I Vendredi matin 111
  Tb 13 : L'Eglise dispose de la joie, de toute la joie 336
  Ps 147 : voir II Vendredi matin 198

Office du jour 338
  Ps 118 : voir I Mardi jour 72
  Ps 132 : Ta rosée est une rosée de lumière 338
  Ps 139 : Tout passe, seule la vérité demeure 340

Office du soir 341
  Ps 144 : voir III Dimanche lectures 221
  Ap 15 : voir I Vendredi soir 123

IV SAMEDI

Office des lectures 342
  Ps 54 : voir II Mercredi jour 179
  Ps 77 : voir IV Vendredi lectures 334

Office du matin 342
  Ps 91 : voir II Samedi matin 208
  Ez 36 : Cet amour de rédemption, qui est un surplus
           d'amour 342
  Ps 8 : voir II Samedi matin 212

Office du jour 344
  Ps 118 : voir I Mardi jour 72
  Ps 44 : voir II Lundi soir 158

Office du soir 344
  Ps 140 : Que ma prière s'élève comme un encens 344
  Ps 141 : Je ne crois qu'au cri spontané 345
  Ph 2 : voir I Samedi soir 136

Table des matières

OFFICE DES COMPLIES 347

Dimanche I et III
Ps 90   : Où est ton Dieu ? 347

Dimanche II et IV
Ps 4   : Cette lumière éternelle au-dedans de moi 349
Ps 133   : Le voisinage de l'éternité 350

Lundi
Ps 85   : voir III Mercredi matin 255

Mardi
Ps 142   : voir IV Jeudi matin 325

Mercredi
Ps 30   : voir II Lundi lectures 148
Ps 129   : voir III Samedi soir 289

Jeudi
Ps 15   : voir I Samedi soir 133

Vendredi
Ps 89   : voir III Jeudi lectures 266

Samedi
Ps 120   : voir III Lundi soir 238
Ps 122   : voir II Vendredi soir 201

Table numérique des psaumes 353

Achevé d'imprimer le 13 février 1980 sur les
presses de l'Imp. St-Paul 55001 Bar le Duc.
Dépôt Légal 1er trimestre 1980 N° 1-80-082